DES AMOURS DE GI'S

HILARY KAISER

DES AMOURS DE GI'S

Les petites fiancées
du Débarquement

TALLANDIER

À mes trois fils, qui connaissent toute la joie
et toute la difficulté d'être « biculturels ».

SOMMAIRE

PROLOGUE

Premier avril 1945, The Top of the Mark, un élégant bar pivotant au dernier étage de l'Hôtel Mark Hopkins, qui domine toute la baie de San Francisco. Trois secrétaires de chez F.C. Phillips & Co., Holly, Ruth Margaret, Mary Jane y célèbrent l'anniversaire de cette dernière. De la table où elles sont assises, elles ont évidemment remarqué le groupe d'officiers de marine debout au bar. Si la victoire des Alliés est presque certaine, la guerre continue au Japon et dans le Pacifique. Les officiers, en permission d'une semaine à leur base de Treasure Island, ont également décidé de prendre un verre dans cet endroit célèbre.

En temps ordinaire, ces deux groupes ne se seraient vraisemblablement jamais rencontrés, mais c'est la guerre. Soldats et marins vivent de dures expériences et sont témoins de scènes qui les hanteront pendant des années. Ils sont partis en laissant des femmes esseulées, et leurs lettres ne remplacent pas la chaude étreinte de leurs bras.

Ce soir-là, Ruth Margaret rencontre John, Mary Jane, Sid, et Holly, Frank. Deux semaines après, Ruth Margaret et John se marient dans la Little Church around the Corner, à New York. Le lendemain de la cérémonie, ils reprennent l'avion pour San Francisco. John repart dans le Pacifique jusqu'à la fin de la guerre et Ruth Margaret retrouve son poste de secrétaire chez F.A. Phillips. Leur premier enfant naîtra l'année suivante.

À nouveau, il est peu probable qu'en temps normal, ces jeunes gens se soient jamais rencontrés. John, fils d'un diplomate du *Foreign Service*, est diplômé de Princeton. Né en

France, il a vécu dans plusieurs pays d'Europe et a suivi sa scolarité dans des pensions suisses. Il parle trois langues étrangères
et joue au tennis, au squash et au golf. La famille de son père
vient de New York, celle de sa mère de Philadelphie. Le père
de Ruth Margaret possède un petit commerce de charbon à
Milwaukee, dans le Wisconsin. Étudiante peu douée, elle a
abandonné ses études universitaires au bout de plusieurs mois
et a suivi des cours de secrétariat. Puis, elle a quitté la maison
familiale pour prendre son premier emploi à San Francisco.

Sur fond de guerre, en l'espace de quinze jours, John et
Ruth Margaret se rencontrent, tombent amoureux et se marient.
John, avec sa grande taille, ses cheveux noirs bouclés et ses
yeux bleu gris, est splendide dans son uniforme bleu marine. À
vingt-cinq ans, il a déjà vu la moitié du monde et vécu plusieurs
relations sentimentales. Quant à Ruth Margaret, elle n'avait
jamais quitté son Wisconsin natal avant d'arriver à San Francisco. Ses petits béguins de collégienne n'avaient jamais été
très sérieux. C'est une jolie fille d'allure américaine, avec un
grand sourire à la Pepsodent. Elle a de beaux cheveux longs,
ondulés et coupés en dégradés. Elle danse bien et a gagné le
concours de *jitterbug* de son lycée l'année précédente.

Ruth Margaret est devenue une « épouse de guerre » *(war
bride*) à dix-neuf ans. Elle s'est mariée avec un homme qu'elle
connaissait à peine. A-t-elle été séduite par l'uniforme, les cheveux bouclés, les bonnes manières ? Ou simplement cédé à une
forte attraction sexuelle ? Quant à John, il a probablement agi
sous le coup de la déception causée par la lettre de rupture de sa
fiancée, qu'il venait de recevoir à Guam. Comment savoir ? En
tout cas, ils se marient et leur couple, aussi imparfait soit-il, va
tenir quarante ans, jusqu'à la mort de Ruth Margaret atteinte
d'un cancer.

Autre scène, autre pays : Paris, une loge de concierge avenue
Victor-Hugo, pendant l'hiver de 1962. Un soldat de dix-sept ans

---

* L'expression « *war brides* » est employée dans ce livre pour désigner les
femmes ayant épousé des soldats américains juste après la Première ou la
Seconde Guerre mondiale et ayant bénéficié, dans la plupart des cas, du
transport aux États-Unis sur des navires fournis par l'armée américaine.

en uniforme kaki, appelé en Allemagne, est venu passer quelques jours chez sa mère, Marcelle. Parcourant des yeux l'unique pièce de l'appartement de son enfance, il lui promet pour la centième fois qu'il lui trouvera un meilleur logement dès que, son service militaire terminé, il aura trouvé un travail.

Pour la centième fois elle aussi, le regard attendri, Marcelle l'assure qu'elle se trouve bien là où elle est. Elle admire comme il a grandi, constate combien il ressemble à son père. Ce père qu'il n'a jamais connu. Ce grand GI au large sourire, juché sur un char qui traversait Paris le 8 mai 1945 pour célébrer la victoire des Alliés. Cet homme qui a aimé sa mère pendant deux semaines, puis l'a laissée pour retrouver sa femme et sa fille dans le Nebraska. Disparu sans laisser d'adresse, il n'a jamais su qu'il avait un fils en France.

Pourquoi confronter ces deux scènes ? Deux histoires différentes, survenues sur deux continents différents, en des circonstances différentes. Pourtant, il y a une relation. Ces deux scènes ont lieu pendant le second conflit mondial. Envoyés combattre en Europe ou en Asie, des GI's, officiers ou simples soldats de l'armée, de la marine ou de l'aviation, ont rencontré, fréquenté, séduit, parfois épousé et souvent abandonné, des femmes croisées pendant les années de guerre. Des enfants sont nés, dans les liens du mariage ou en dehors. L'amour a duré des années ou s'est éteint, tout comme les unions.

À l'instar d'autres *baby boomers*, je me tourne vers ces années de la Seconde Guerre mondiale pour essayer de comprendre comment ces amours sont nés, comment ils ont été vécus. Les récits qui suivent nous étonnent par la naïveté de la génération qui nous a précédé, par son romantisme et l'impétuosité de ses décisions.

Comment Ruth Margaret et John, mes parents, ont-ils pu se marier en ne se connaissant que depuis quinze jours ? Pourquoi Marcelle, ma concierge dans les années soixante, s'était-elle à ce point entichée d'un GI ? Quels éléments de leur passé, de leur éducation, de l'époque où ils vivaient, expliquent de tels comportements ?

Ces histoires vraies, et les questions qu'elles ont posées, sont à l'origine de ce livre.

LA MADEMOISELLE ET LE SOLDAT AMÉRICAIN
WAR BRIDES DES DEUX GUERRES MONDIALES

L'histoire des rencontres entre soldats américains et demoiselles françaises a commencé pendant la Première Guerre mondiale. Les Américains appelaient ces soldats *doughboys**, les Français et les Britanniques, *Sammies*, par allusion à l'« Oncle Sam ». Malgré l'arrivée, à partir de 1914, de trois mille cinq cents *American Gentlemen Volunteers*[1] – des universités de la prestigieuse *Ivy League***–, l'entrée en guerre officielle des États-Unis n'eut lieu que le 2 avril 1917. Les premiers soldats des *American Expeditionary Forces* (AEF), placées sous le commandement du général Pershing, débarquèrent à Saint-Nazaire le 26 juin 1917, mais ce n'est qu'au cours de l'été 1918, presque à la fin de la guerre, qu'ils arrivèrent en nombre (deux millions). Ces hommes ne combattirent que très brièrement en France, et la plupart rentrèrent aux États-Unis à peine le conflit terminé. Dès la fin de novembre 1918, c'était le cas pour vingt-six mille soldats des AEF. Six mois plus tard, en août 1919, il n'en restait plus que quarante mille en France. Le

---

* Il existe plusieurs versions sur l'origine de ce terme. Selon l'une d'elles, plausible et datant du XIXᵉ siècle, le *doughboy* désignait un petit beignet rond. Pendant la guerre civile américaine, il a désigné les boutons d'uniforme de l'infanterie, puis pendant la Première Guerre mondiale, les soldats eux-mêmes.
** Groupe de huit universités prestigieuses de la Nouvelle-Angleterre : Brown, Columbia, Cornell, Dartmouth, Harvard, Princeton, Pennsylvania, Yale.

nombre de morts américains a été évalué entre soixante-dix mille et cent mille.

Pour les Européens, la guerre de 14 fut un interminable cauchemar, où périrent entre neuf et dix millions de soldats, toute une génération d'hommes âgés de vingt à quarante ans. Le nombre de morts français, un million et demi, équivaut aux trois quarts du corps expéditionnaire américain en Europe – sans compter les cinq cent mille poilus revenus du front mutilés à vie[2].

Avant l'entrée des États-Unis en guerre, le moral de la France et de son armée était au plus bas[3]. Les *doughboys* arrivèrent donc en « sauveurs » dans un pays déchiré par un terrible conflit. Et c'était de beaux jeunes hommes, grands et forts.

Comme l'ont souvent remarqué les historiens militaires, guerre et activité sexuelle vont généralement de pair. Des deux côtés de l'Atlantique, on s'inquiétait beaucoup de la possible « fraternisation » entre soldats américains et jeunes femmes françaises, en majorité des prostituées, redoutant surtout la propagation des maladies vénériennes et leur effet néfaste sur les troupes.

Du côté américain, le mouvement « d'hygiène sociale[4] » battait son plein et le général Pershing a publié plusieurs décrets s'en inspirant. Dès le 2 juillet 1917 par exemple, un ordre général en appelait au patriotisme des soldats pour prôner l'abstinence. « Vous devez vous abstenir de toute relation sexuelle pendant que vous êtes là-bas », insistait le message. Ce qui n'empêcha pas l'armée de dispenser une éducation sexuelle et d'enseigner la prophylaxie à ses hommes, surtout quand il devint notoire qu'ils fréquentaient les bordels de Nantes et de Saint-Nazaire[5].

En février 1918, le président du Conseil, Georges Clemenceau, écrivit à Pershing pour lui proposer de créer des maisons closes médicalement contrôlées et autorisées sous licence. Le général, qui lui-même n'aurait peut-être pas rejeté la proposition, fit préalablement envoyer la lettre au secrétaire à la Guerre, Newton Baker, qui s'exclama : « Mon Dieu, [...] ne montrez pas ceci au président, il arrêterait la guerre[6] ! » On en resta donc à l'ordre du 18 décembre 1917, interdisant les bordels, qu'ils soient contrôlés médicalement ou non, aux soldats américains. Le gouvernement français comme les autorités de Saint-Nazaire et de Nantes se plaignirent dès lors de l'attitude américaine, qui favorisait la prostitution clandestine et encourageait les *doughboys* à des relations avec la première venue rencontrée dans la rue. Ils s'inquiétaient particulièrement de la « dépravation » de ces hommes, qui corrompaient des catégories respectables de femmes, outrés d'un succès dû, pensaient-ils, à l'argent et à l'impudence[7]. Et il est vrai que nombre de femmes françaises, qu'elles fussent veuves, célibataires ou séparées de leurs poilus de maris, succombèrent aux invites des Américains uniquement par manque d'argent.

Les autorités, outre les décrets qu'elles publièrent, organisèrent une « propagande » contre la fraternisation avec les Françaises. La crainte des maladies vénériennes n'était pas seule en cause. L'armée et le gouvernement américain redoutaient également l'influence néfaste qu'exercerait toute Française s'accrochant à un soldat américain. Le front occidental étant relativement stable, les soldats montaient à Paris ou en d'autres lieux de permission pour récupérer avant de regagner le front. Toute Française avec laquelle ils noueraient une relation risquait de les empêcher de retourner au combat, ou même de les y suivre et de les distraire pendant l'action.

À ces considérations s'ajoutait un aspect financier. En épousant un *doughboy*, les Françaises acquéraient le droit à une allocation prise sur sa paye et mettaient l'armée américaine dans l'obligation, à la fin de la guerre, de leur payer leur voyage aux États-Unis. En outre, si le soldat était tué au combat, son épouse bénéficierait de ses indemnités d'assurance[8].

Voilà pourquoi l'armée fit officieusement tout son possible pour empêcher ces unions. Les officiers limitaient les permissions de leurs hommes, ou refusaient de signer les papiers autorisant leur mariage. Les aumôniers militaires, les journaux de l'armée et les affiches de sa *Social Hygiene Division* faisaient ouvertement campagne contre toute relation des *doughboys* avec des femmes de vie douteuse, qui les séduisaient par intérêt. Les formalités et la bureaucratie compliquaient encore la chose. La loi française exigeait que le soldat américain présentât un certificat de naissance et publiât ses bans de mariage dans sa ville natale. Ces obligations furent ensuite supprimées, mais les officiers de l'armée américaine devaient signer des déclarations sous serment attestant qu'à leur connaissance, le soldat n'était pas déjà marié[9].

La YMCA *(Young Men's Christian Association)*, association évangélisatrice très influente dans le monde anglo-saxon, se mêla également de l'affaire, en essayant elle aussi de refréner toute fraternisation entre *doughboys* et jeunes femmes françaises. De concert avec l'armée, elle entreprit d'occuper le temps libre des soldats lors de leurs permissions ou, après la guerre, pendant leur attente du retour aux États-Unis.

L'armée et la YMCA inventèrent donc pour les *doughboys* toutes sortes de divertissements, excursions touristiques, activités sportives ou distractions diverses dans les lieux de permission. Ainsi Aix-les-Bains accueillit entre quarante-huit mille deux cent quatre-vingt-dix-huit (selon la YMCA) et cent treize mille (selon la municipalité) soldats américains. Après l'Armistice, alors que les soldats attendaient le bateau pour rentrer aux États-Unis, l'AEF leur offrit la possibilité de suivre des cours gratuits, allant de l'orthographe à l'architecture, dispensés par les universités de Bordeaux et de Paris, mais aussi par celle des AEF à Beaune, où quarante mille soldats se seraient inscrits[10].

À la YMCA, se joignirent son homologue féminine, la YWCA, la Croix-Rouge américaine, les *Knights of Columbus*, le *Jewish Welfare Board* et l'Armée du salut. Avec l'approbation du gouvernement et de l'armée, environ six mille jeunes volontaires américaines furent envoyées en France, sans doute pour détourner les *doughboys* des Françaises[11]. Elles œuvraient dans les cantines de l'armée, qui servaient de centres sociaux dans les camps, en pratiquant des activités religieuses ou éducatives, ou encore comme bibliothécaires. Elles travaillaient aussi dans les villes de permission où elles devaient, entre autres, jouer aux cartes, danser, se mêler aux soldats, et parler avec eux[12].

Les deux églises américaines de Paris, l'American Cathedral et l'American Church, qui entretenaient des liens étroits avec l'American Ambulance Hospital (devenu depuis l'Hôpital américain de Paris), la YMCA, la Croix-Rouge et la YWCA, s'engagèrent elles aussi. Outre leur travail d'aide aux victimes de la guerre, elles entreprirent d'occuper les *doughboys* pour leur éviter de tomber dans des situations malheureuses. Leur but était de créer un lieu de rencontre « sain » dans la Ville des Lumières.

C'est ainsi que le doyen Beckman, recteur de l'American Cathedral, reçut le 19 octobre 1917 du général Pershing l'autorisation d'ouvrir, rue Royale, l'American Soldiers and Sailors'Club :

> « Le club se composait d'une salle de réception, de salles de lecture et d'écriture, d'une bibliothèque, d'une salle de billard, d'un restaurant de cantine, de bureaux, etc. Pendant quinze mois, tous les mercredis et samedis soirs, des distractions étaient organisées. Et pendant de nombreux mois, on y distribua quotidiennement et gratuitement des glaces et des cigarettes tandis qu'un service proposait des livres aux soldats américains blessés dans les hôpitaux parisiens. Des soldats anglais et français bénéficiaient aussi de cette organisation, de façon plus restreinte. En tout et pour tout, ce Club distribua les neuf dixièmes des glaces offertes aux blessés de la région parisienne. Il organisa des excursions touristiques pour les convalescents américains pendant toute la durée des combats. Des excursions à Versailles avaient lieu tous les mardis et vendredis[13]... »

Quant à l'American Church de Paris, elle devint, elle aussi, la « maison à l'étranger » des soldats américains, ceci à tel point qu'on la surnomma *l'église kaki*[14]. L'introduction en France de la fête des Mères, dont le général Pershing avait décrété la célébration par les AEF, aurait ainsi beaucoup dû au Dr Goodrich pasteur de l'American Church, et à son épouse :

> « C'est ainsi qu'eut lieu, le 2 mai 1918, au cours de ce printemps de tensions et d'angoisse, la fête des Mères. Ann Jarvis, qui est à l'origine de cette célébration, demanda à Madame Sharp, la femme de l'ambassadeur, qu'on observe ce jour de façon très marquée pour les Américains à Paris. Lors d'une

réunion à ce sujet à l'ambassade, Madame Goodrich fut nommée présidente d'un comité de femmes chargées de travailler à cet effet. Elles devaient organiser des distractions et jouer le rôle d'hôtesses dans tous les centres de réunions de soldats le dimanche après-midi. Pour s'assurer la coopération du clergé catholique français, aux messes duquel certains soldats pourraient assister ce jour-là, il fut demandé à Madame Robert Woods Bliss, épouse du conseiller de l'ambassade, et au Dr Goodrich de voir auprès de l'archevêque Amette ce qu'il pourrait faire. Son Éminence les reçut avec grande courtoisie et, malgré la nouveauté de l'idée, sembla en saisir toute la portée. Il leur assura qu'il ferait de son mieux pour que partout où des soldats américains assisteraient à des messes dans les églises catholiques françaises, il en soit dite une à cette intention[15]. »

L'après-midi de ce dimanche de mai, tous les centres de *doughboys* distribuèrent des repas et organisèrent des distractions. On y demandait aux soldats : « Quand avez-vous écrit pour la dernière fois à votre mère ? » Ce qui provoqua un flot de missives vers les foyers américains.

Les thèmes « Souviens-toi de ta mère » et « Ne fais jamais rien dont ta mère aurait honte » abondaient dans la presse de l'armée et de la YMCA. *The Stars and Stripes** et *Coming Back*, le journal de l'association, qui étaient distribués gratuitement aux *doughboys*, publiaient photos, dessins et devises martelant les principes dont ils devaient se souvenir pendant leur service en France. On revenait vers sa mère, comme l'illustre la photo d'un soldat étreignant la sienne, avec cette légende : « De retour à la maison chez Maman[16]. » Autre thème puissant, celui du combat pour *Lady Liberty*, symbolisée par la célèbre Statue de la Liberté. Dernier motif récurrent : « La fille que tu as laissée là-bas ». Un dessin paru dans *Coming Back* en avril 1919 montre une jeune femme tenue à bout de bras par la Grande

---

* Quotidien du corps expéditionnaire américain, publié en France de février 1918 à juin 1919. Il fut recréé en 1942, dans plusieurs éditions à destination des troupes engagées en Afrique du Nord, en Méditerranée et en Europe. Il disposait d'un supplément hebdomadaire, *The Stars and Stripes Magazine*.

Dame. Il est accompagné de cette légende : « La torche que brandit la Liberté est la fille que tu as laissée là-bas[17]. »

Malgré tous ces efforts – les décrets officiels de l'armée et du gouvernement américains, les « saines » activités de la YMCA et autres organisations, la campagne de dissuasion –, les *doughboys* ont bel et bien frayé avec les Françaises. *Mad'moiselle from Armentières*, la chanson très populaire chez les AEF, faisait allusion de façon très crue aux relations galantes de certains *doughboys*. Abondant en connotations sexuelles – par exemple le refrain, « *Hincky Dinky Parlay Voo* » –, elle présentait la Française comme facile et infidèle, avec des plaisanteries obscènes sur la *mademoiselle* à qui on laisse un bébé en souvenir.

Mais les relations des *doughboys* avec les Françaises n'étaient pas toutes aussi désinvoltes. Environ dix mille membres des AEF épousèrent des Européennes, dont les trois cinquièmes étaient, pense-t-on, des Françaises[18]. Effectivement, ces dernières étaient souvent des femmes seules, auxquelles un mari américain apparaissait comme un assez bon parti. Du fait de l'hécatombe due à la guerre, il ne restait qu'environ un homme pour quatre femmes en âge de se marier[19].

Les soldats américains blancs – les autorités américaines et françaises auraient interdit tout contact entre soldats de couleur et Françaises – rencontraient et courtisaient des filles respectables, issues surtout de la classe ouvrière, dans des villes ou des bases militaires dispersées partout en France. Il arrivait qu'ils soient invités dans des familles ou qu'ils fassent connaissance avec un milieu français plus aisé dans des lieux de permission élégants. L'auteur d'un article paru dans *The Stars and Stripes* en mai 1918, « Mon ami américain a fait grande impression », relate une telle rencontre entre un *doughboy* et les parents de sa petite amie française[20]. Après l'Armistice, un article de mai 1919 du même journal, décrit ainsi la zone de permission de Saint-Malo : « Comme toute la région est un lieu de villégiature pour les Français, qui ont la bonne habitude d'emmener leurs filles en vacances avec eux, il ne manque ni de charmantes partenaires de danse [au Grand Casino municipal, occupé par la YMCA] ni de compagnes pour les quelques excursions en bateau ou randonnées vers l'intérieur des terres qui sont proposées ici[21]. »

Quant aux soldats de couleur, Tyler Stovall raconte qu'un document de l'armée américaine, intitulé « Renseignements secrets sur les troupes américaines noires », circulait parmi les Français, considérés comme « exempts de préjugé racial » pour les mettre en garde contre l'établissement de relations intimes entre *doughboys* et jeunes femmes françaises. Le même auteur décrit aussi la sévérité des sanctions prises contre des soldats noirs surpris dans une relation avec une Française, ou même contre ceux qui avaient accepté une invitation dans une famille. Un régiment noir avait reçu une ordonnance interdisant aux soldats de « parler ou de se trouver en compagnie d'une femme blanche, même si celle-ci le demandait », et plusieurs soldats de couleur furent fusillés par la police militaire américaine pour avoir fréquenté des Françaises[22].

Stovall ajoute cependant :

> « Malgré tous les efforts de l'armée américaine, les soldats américains noirs et le peuple de France se sont rencontrés pendant la Première Guerre mondiale. Ces contacts n'ont pas toujours été faciles, mais la plupart des Afro-Américains trouvaient que les Français se comportaient envers eux beaucoup plus correctement et respectueusement que les autres Blancs. Le souvenir de ces rencontres agréables a perduré longtemps après la guerre[23]... »

C'est ainsi que, malgré les difficultés administratives et les différences culturelles, de nombreuses histoires d'amour (moins qu'on ne l'avait craint au départ) ont mené au mariage. On a enregistré six mille mariages franco-américains dans les mairies de France, peut-être même un peu plus, sans compter ceux qui ne furent pas archivés officiellement[24].

En épousant un *doughboy*, une étrangère devenait citoyenne américaine, ce qui lui octroyait le droit d'entrer aux États-Unis sans visa[25]. La guerre terminée, l'armée lui payait le voyage sur ses navires de guerre. Ceci valait pour les femmes aux moyens limités, car des officiers et d'autres soldats ont fait venir leurs femmes sur des bateaux de passagers[26].

Les jeunes épouses étaient d'abord conduites à Brest, Bordeaux ou Saint-Nazaire, où elles étaient hébergées et nourries dans des Maisons d'accueil originellement créées par la YWCA pour leurs bénévoles et salariées. Leur nombre augmentant, l'armée américaine créa des « camps pour jeunes mariées » transitoires, où des employées de la YWCA et de la Croix-Rouge américaine les prenaient en charge et les assistaient dans leurs démarches administratives. Elles suivaient également des cours d'anglais et acquéraient quelques notions sur le pays où elles allaient vivre[27].

Les *war brides* payaient un dollar par jour, somme qui couvrait le transport du domicile au point d'embarquement, l'hébergement et la pension, enfin la traversée et le trajet en train jusqu'à la destination finale[28]. Les grands ports de débarquement étaient New York, Norfolk, Newport News et Boston. Sur place, des employées de la YWCA et la Croix-Rouge américaine les hébergeaient, les nourrissaient, s'occupaient des formalités administratives et de la poursuite de leur voyage. Elles avaient parfois du mal à retrouver leur mari, celui-ci ayant pris peur. Il arrivait aussi que l'époux attendu ait déjà une femme aux États-Unis. La grande majorité des arrivantes ne restaient pas sur la côte Est, que leur mari les attende à leur arrivée au port, ou bien qu'elles aillent le rejoindre en train dans les États du Middle West ou de la côte Ouest[29].

Une fois installées dans leur nouvelle maison, certaines de ces femmes s'inscrivirent dans des sections locales de la YWCA, qui les aidaient à s'adapter à un nouveau pays et leur dispensaient des cours d'anglais. D'autres rejoignaient des groupes de Françaises ou créaient des associations locales de *war brides*, qui prenaient souvent le nom de « Groupe des Françaises », de « Société de Bienfaisance » ou autres appellations de ce genre. On trouve mention de ces associations dans la correspondance des consuls français en fonction à New York, Chicago, Detroit, La Nouvelle-Orléans, Houston, San Francisco ou Los Angeles[30]. En 1932, des Françaises se réunirent à Portland, Oregon, et fondèrent une association nationale de *war brides*[31].

Il est en réalité impossible de savoir combien de ces mariages franco-américains se sont terminés par un divorce et combien de femmes sont retournées en France. Selon le *New*

York Times du 2 septembre 1919, soixante-deux de ces *war brides* françaises étaient rentrées dans leur famille après avoir obtenu le divorce, faute d'avoir réussi à s'adapter au mode de vie américain[32]. Un incident dramatique survint, par ailleurs, en décembre 1921, trois Françaises ayant supplié le maréchal Foch, en visite dans l'Idaho, de les aider à revenir au pays. Cependant, le 14 décembre 1919, le même *New York Times* faisait l'éloge des jeunes mariées étrangères, qui avaient su se lancer dans leur nouvelle vie et gagner le pain du ménage en travaillant comme couturières ou cuisinières, pendant que leurs époux sans le sou cherchaient désespérément un travail à leur retour de guerre. Le journal titrait fièrement : « Jeunes mariées françaises heureuses en Amérique ». Avec cette citation de Miss Kiler, de la YWCA : « Les rapports montrent que la majorité des jeunes *war brides* font preuve d'un grand courage et s'adaptent bien à la vie en Amérique[33]. »

*
* *

En 1939, la guerre éclata en Europe, et cette fois encore, les États-Unis tardèrent à secourir ouvertement les démocraties européennes. Le 8 décembre 1941, lendemain de l'attaque japonaise sur Pearl Harbor, le président Roosevelt demanda au Congrès de reconnaître l'état de guerre avec le Japon, et le 11 décembre, Hitler et Mussolini déclarèrent la guerre aux États-Unis. Peu après, les soldats américains, qu'on n'appelait plus *doughboys* mais « GI's »[*], furent envoyés au combat en Asie, en Afrique du Nord et en Europe.

Dans le Pacifique et en Extrême-Orient, les Américains, placés sous le commandement de l'amiral Chester Nimitz, rejoignirent les Britanniques, les Néerlandais, les Australiens, les Chinois et autres alliés dans la lutte contre le Japon. Une *French Connection* intéressante s'établit à l'époque dans le

---

* Le terme de « GI » viendrait des mots *« government issue »* imprimés sur les vêtements et l'équipement des soldats. À moins qu'il n'ait été forgé à partir des mots *« galvanized iron »*, le métal galvanisé des boîtes de conserve utilisées par l'armée américaine.

Pacifique sud. En effet, de nombreux GI's furent envoyés en Nouvelle-Calédonie, territoire qui s'était déclaré en faveur de la France Libre en septembre 1940. En avril 1942, les autorités locales autorisèrent le *Marine Corps*, ainsi que les autres forces armées américaines, à utiliser l'île comme base stratégique pour leurs opérations, surtout pour la campagne de Guadalcanal, qui dura d'août 1942 à février 1943[34].

Dans *Tales of the South Pacific**, ouvrage en partie autobiographique de l'écrivain américain James Michener, un officier vétéran des campagnes d'Afrique du Nord, de Sicile et de France demande au narrateur à quoi ressemblait la guerre dans le Pacifique Sud. « Notre guerre a été une guerre d'attentes, répond-il. On pourrissait en Nouvelle-Calédonie dans l'attente de la campagne de Guadalcanal. Puis, on perdait dix kilos à transpirer à Guadal dans l'attente de la bataille de Bougainville. Il y avait bien des batailles, évidemment. Mais c'était les épisodes les plus ardents des meilleurs moments[35]. »

Cependant qu'ils « attendaient » et « pourrissaient » en Nouvelle-Calédonie, beaucoup de GI's fraternisèrent avec des femmes de l'archipel, d'origine française ou mélanésienne. Ils en épousèrent quelques-unes, qu'ils ramenèrent avec eux aux États-Unis après la fin de la guerre, survenue le 15 août 1945.

Quant au Théâtre européen des opérations (TEO), les troupes américaines n'arrivèrent en Grande-Bretagne qu'à partir de janvier 1942, mais quelque vingt mille Américains servaient déjà dans l'armée britannique avant même Pearl Harbor. Des quatre millions et demi de GI's envoyés en Europe pendant la guerre, trois sont passés en Angleterre[36]. Les GI's rejoignirent les Britanniques de Montgomery en Afrique du Nord en novembre 1942 et contribuèrent à la défaite de Rommel en Tunisie en mai 1943. Ils débarquèrent avec les Alliés en Sicile en juillet 1943, et à Naples en septembre de la même année, et partirent à la conquête de la péninsule Italienne. Le 6 juin 1944, cent cinquante mille soldats américains, britanniques et canadiens, sous la conduite du général Eisenhower, quittèrent les ports anglais et débarquèrent en Normandie (opération

---

* Adapté en comédie musicale, puis au cinéma en 1958 par Joshua Logan, sous le titre *South Pacific*.

Overlord). Conjointement avec les forces françaises, les Alliés anglo-saxons libérèrent Paris le 25 août 1944, et continuèrent leur avancée au nord et à l'est. D'autres soldats américains débarquèrent en Provence le 15 août 1944 (opération Dragon). La capitulation allemande ne devait survenir que les 7 et 8 mai 1945.

Le bilan des pertes humaines, militaires et civiles, de la Seconde Guerre mondiale est très lourd. Contrairement à la Première Guerre mondiale, les « populations civiles ont été massivement affectées par la maladie, la sous-alimentation, les exodes, les massacres systématiques ou les bombardements[37] ». Il faut aussi mentionner une autre conséquence de la dernière guerre : le grand nombre de viols commis par les soldats de tous les bords sur tous les fronts. La violence sexuelle en temps de guerre existe, hélas, depuis l'Antiquité, et le dernier conflit mondial n'a pas fait exception. Les nazis ont commis des viols dans les territoires occupés, l'Armée rouge en Allemagne, les Français en Italie et en Allemagne, et les Japonais en Corée et en Chine. Un ouvrage récent de J. Robert Lilly a mis l'accent sur les « actes répréhensibles perpétrés en Grande-Bretagne, en France et en Allemagne » par des GI's[38]. Malgré leur réputation mythique de « grande génération », il y avait dans la conduite des combattants américains, selon Lilly, une face cachée, passée sous silence après le conflit. Dans sa préface, Fabrice Virgili rappelle que les GI's ont également violé des Japonaises pendant la conquête de certaines îles du Pacifique.

J. Robert Lilly estime qu'entre 1942 et 1945, des GI's ont violé environ dix-sept mille femmes et enfants en Grande-Bretagne, en France et en Allemagne. En signalant que c'était le plus souvent les soldats de couleur qui étaient jugés et condamnés, Lilly souligne le racisme de l'armée et de la société américaine à l'époque. Il a, selon lui, influencé la justice militaire. Ces viols s'expliqueraient par un ensemble de facteurs, notamment la forte consommation d'alcool, les effets destructeurs de la ségrégation raciale, et l'absence d'exutoire sexuel (par exemple, de maisons de prostitution sous contrôle militaire) pour des hommes jeunes et virils, confrontés à la mort et à la brutalité, et livrés à eux-mêmes à des milliers de kilomètres de chez eux.

*
* *

Le viol est un aspect très déprimant de la guerre et de la culture militaire. Mais loin d'être tous des violeurs potentiels, beaucoup de GI's s'engagèrent dans ce qu'on peut appeler la « fraternisation amicale ». Cette fraternisation et les mariages entre soldats américains et femmes du pays en guerre ont eu lieu partout où ils ont combattu : en Europe, en Afrique du Nord et en Asie. Et comme pendant la Première Guerre mondiale, le ministère de la Guerre américain, l'armée, la Croix-Rouge, la YMCA, la YWCA et d'autres organisations s'en mêlèrent.

Dès mars 1942, l'armée et le ministère de la Guerre américain publièrent divers règlements et circulaires sur ces unions, imposant par exemple aux soldats l'obtention d'une permission de leur officier, une période d'attente de trois mois (réduite plus tard à deux), et la conformité avec droit civil local.

En 1942, les autorités militaires demandèrent à la Croix-Rouge américaine de mener une enquête sur le milieu social des épouses potentielles. À l'époque, cela concernait surtout les Britanniques et les Australiennes. Mais cette pratique eut un effet si déplorable dans l'opinion que la Croix-Rouge y renonça vite, se contentant de soutenir le moral des soldats et de les aider dans les démarches administratives. Plus tard, en septembre 1945, la Croix-Rouge américaine définit un programme d'assistance aux personnes à charge étrangères vivant en dehors des États-Unis. Comme elle l'avait fait pendant la Première Guerre mondiale, elle s'engagea dans le transport et l'assistance des *war brides* des soldats américains, mais cette fois-ci en Asie comme en Europe.

Le 28 décembre 1945, le Congrès américain adopta la Loi 271 *(War Brides Act),* suivie le 29 juin 1946 par la Loi 471 *(Fiancées Act).* La première autorisait les jeunes mariées étrangères, sauf les femmes originaires de l'Inde et de l'Asie du Sud-Est*, à entrer aux États-Unis avec un visa d'immigrantes

---

* Selon l'article 303 de cette loi, les femmes originaires d'Inde et d'Asie du Sud-Est n'étaient pas « racialement éligibles » pour l'immigration aux États-Unis.

hors quota. La seconde stipulait que des femmes dont l'« origine raciale » était acceptée dans le pays et présentant la preuve de leur intention de se marier pouvaient entrer aux États-Unis avec un visa de visiteur temporaire et de non-immigrant.

En janvier 1946, le ministère de la Guerre annonça que des bâtiments de l'US Navy seraient rapidement mis à disposition pour transporter les jeunes mariées aux États-Unis. Ce programme officiel dura jusqu'en décembre 1946. La grande majorité de ses bénéficiaires européens traversèrent l'Atlantique entre janvier et octobre 1946. D'autres payèrent le voyage. Enfin, certains GI's décidèrent de rester dans le pays de leur épouse. Le *War Brides Act* expira officiellement en décembre 1948, mais du fait de la législation restrictive sur l'immigration, certains mariages furent retardés et de jeunes épouses durent patienter plusieurs années avant de pouvoir entrer aux États-Unis. Les Japonaises, par exemple, attendirent jusqu'en 1952[*].

Pendant cette période de l'immédiate après-guerre, le nombre de navires disponibles étant très limité, le transport des nouvelles épouses provoqua de nombreuses controverses des deux côtés de l'Atlantique. En Grande-Bretagne, où des milliers de femmes attendaient parfois depuis deux ou trois ans de rejoindre leur mari GI's, la situation devint si tendue qu'en octobre 1945, plusieurs centaines d'entre elles organisèrent des manifestations à Londres. Mais à Washington et parmi les soldats et leurs familles aux États-Unis, on se demandait pourquoi les jeunes mariées partaient les premières. La priorité fut donc donnée aux soldats blessés, aux ex-prisonniers de guerre, aux combattants, et plus généralement à ceux qui avaient acquis le nombre de points donnant droit au retour[**]. Des milliers d'autres GI's durent eux aussi attendre leur tour pour embarquer.

---

[*] Du fait de mesures restrictives décrétées en 1942 et abrogées en 1952 par le *McCarran-Walter Act*, qui rendit possible l'immigration aux États-Unis et la naturalisation des citoyens japonais.

[**] Un système de points, l'*Adjusted Service Ranking*, déterminait si un soldat serait maintenu dans les troupes d'occupation en Europe, déployé dans le Pacifique ou libéré du service et renvoyé aux États-Unis. Chaque soldat gagnait un point par mois de service depuis septembre 1940, un par mois de service outre-mer complexe, cinq points par décoration, etc. Il fallait 85 points (44 pour les femmes) pour être éligible au retour.

Finalement, le 26 janvier 1946, le premier groupe de femmes britanniques quitta Southampton sur le *SS Argentina*. Six semaines plus tard, le 6 mars 1946, 426 *war brides* européennes et une quinzaine de bébés embarquèrent au Havre sur le *SS General W. Goethals*. Au total, entre janvier et juin 1946, une trentaine de navires convertis[39] transportèrent environ cent mille *war brides* d'Angleterre et d'Europe continentale. Ces chiffres n'incluent pas les nombreuses Anglaises et leurs enfants déjà entrés aux États-Unis par leurs propres moyens avant la fin des hostilités ni celles qui, la paix signée, voyagèrent grâce au programme de transport gratuit.

Quel a été le nombre de *war brides* qui entrèrent aux États-Unis après 1945 ? Selon Jenel Viren, utilisant le rapport de 1950 d'une commission judiciaire (*Systèmes d'immigration et de naturalisation aux États-Unis*), leur nombre total a été environ de cent quinze mille. Selon les standards américains, ce chiffre comprend en fait toutes les personnes, hommes, femmes et enfants, entrés aux États-Unis à la fois grâce au *War Brides Act* de 1945 et au *Fiancées Act* de 1946. Il est difficile de parvenir à un nombre exact, en partie à cause de la variété des moyens de transport et des diverses catégories d'admission aux États-Unis[40].

Citant de nombreuses sources, Jenel Virden estime le nombre des *war brides* britanniques émigrées aux États-Unis à environ soixante-dix mille. En effet, les soldats américains sont arrivés très tôt en Grande-Bretagne (certains dès janvier 1942) et y sont restés pendant une période très longue. Une célèbre expression anglaise décrit bien la présence des GI's en Angleterre : trop d'argent, trop de sexe et ici depuis trop longtemps (*Overpaid, Oversexed and Over Here*). Ce chiffre s'explique aussi par le partage de la même langue. Viennent ensuite environ sept mille femmes originaires d'Australie et de Nouvelle-Zélande.

Quant aux Françaises, dont il s'agit dans ce livre, leur nombre est, là encore, très difficile à déterminer. Dans une note du 5 août 1946 sur le transport des personnes à charge, W.S. Renshaw, chef du département du Personnel militaire, estime à cinq mille sept cent quatre le nombre total des jeunes épouses et de leurs enfants arrivés par bateau aux États-Unis[41]. Ronald Creagh, auteur du livre *Nos Cousins d'Amérique*, avance le chiffre de six mille cinq cents, mais sans citer ses sources[42]. Dans une lettre adressée au président du Conseil, Léon Blum, le 8 janvier 1947, l'ambassadeur à Washington, Henri Bonnet, écrit qu'outre les quatre mille jeunes femmes transportées aux États-Unis par l'armée américaine, beaucoup sont arrivées par des bateaux de passagers civils. Selon lui, le nombre total est de six mille[43]. Cette estimation est probablement assez juste. Curieusement, c'est à peu près le même que celui de la guerre de 1914. Mais, répétons-le, il s'agit d'approximations.

*
* *

Les jeunes femmes françaises quittaient un pays qui avait subi six années de guerre et de privations. Adolescentes au début des hostilités, elles avaient partagé l'humiliation de leurs compatriotes lors de l'armistice de 1940. Elles avaient vécu dans la zone occupée ou, jusqu'en novembre 1942, dans la zone dite « libre » du gouvernement de Vichy. Dans l'une comme dans l'autre, régnait une atmosphère lugubre et pesante. En zone occupée, c'était le règne des réquisitions allemandes, du couvre-feu, des rafles, des arrestations, des déportations et des exécutions. En zone libre, l'État français tentait d'imposer la morale « Travail, Famille, Patrie » du maréchal Pétain.

La plupart des Français, à moins qu'ils ne se nourrissent des produits de la ferme ou n'aient les moyens d'en acheter au marché noir, ont souffert de la faim pendant la guerre. « Pendant l'Occupation, le Parisien typique a subsisté avec moins du tiers de sa ration normale et perdu de deux à neuf kilos[44]. » Les Français passaient des heures à faire la queue ou à attendre le retour de l'électricité. Ils manquaient de charbon pour le chauffage, de vêtements et de chaussures. Une Américaine, épouse d'un prisonnier de guerre français, qui vivait en Île-de-France, à Brunoy, pendant l'Occupation avec sa belle-famille, se souvient :

> « Avec les tickets de rationnement, qu'on obtenait tous les mois à la mairie, on pouvait acheter des pommes de terre et des

carottes, et pendant la saison, des fruits. Mais parfois, tout était vendu avant qu'on n'arrive en tête de la queue. Nous n'avons jamais vu le plus petit morceau de chocolat ou la moindre orange de toute l'Occupation. Les femmes enceintes et les bébés exceptés, on n'avait pas droit au lait et mes beaux-parents achetèrent une vache en commun avec une autre famille. L'essence était réservée à ceux qui en avaient vraiment besoin pour des taches spécifiques. Les Allemands pouvaient réquisitionner les voitures quand ils estimaient qu'elles leur étaient utiles. Le chauffage était vraiment un problème. Nous avions un fourneau que nous n'allumions que deux fois par semaine en hiver pour éviter que la maison ne devienne trop humide[45]... »

Même si l'atmosphère changea avec l'arrivée des GI's, la pénurie ne cessa pas immédiatement après la Libération.

Dès leur débarquement en Normandie, le 6 juin 1944 les Alliés furent reçus avec joie par la population, malgré les milliers de civils pris dans un feu croisé, et malgré les villes et villages bombardés par l'aviation et l'artillerie alliées. Normands, Bretons et tout le peuple français libéré sortirent de leurs maisons et de leurs cachettes pour accueillir les libérateurs, qui le plus souvent étaient des GI's.

Évoquant l'été 1944 à Cherbourg, deux frères français racontent combien les soldats américains semblaient plus sympathiques, plus beaux et plus joyeux que les Allemands. Ils distribuaient du chewing-gum et des bonbons, et jouaient avec les enfants ; ils conduisaient leurs jeeps avec « classe et beaucoup de panache[46] ». Les Normands et les Américains fraternisèrent immédiatement. « On exhuma des bouteilles cachées et les fit passer à la ronde. » Les soldats furent invités dans les maisons normandes et eurent « un succès incroyable auprès des jeunes Françaises[47] ». De la grande place de Cherbourg, « on voyait un nombre incroyable de *liberty ships** et des montagnes de fournitures militaires... » Libérée le 27 juin sans avoir subi

---

* Navires de transport américains, produits à grande échelle et sur un modèle standard dès 1941, pour transporter hommes, armes et matériels en Europe.

trop de bombardements, Cherbourg devait quelques mois plus tard fourmiller de soldats, d'aviateurs et de marins. Les grands magasins de la ville furent pour un temps transformés en un PX (*Post Exchange*, cantine de l'armée américaine)... interdit aux civils[48].

Certains Américains se mirent à boire trop de calvados et à harceler les femmes de la région, à tel point que les fermiers normands et bretons, et d'autres plus avant dans les terres vers Paris, cachaient leurs filles et leurs épouses dès que des GI's s'arrêtaient dans leurs fermes ou traversaient leurs villages[49]. D'autres jeunes gens se montraient au contraire très inhibés. Sim Copans, officier américain qui après la guerre a animé une émission de jazz très populaire à la radio française, décrit l'un d'eux :

« Mon chauffeur était un garçon du sud des États-Unis et appartenait à un groupe religieux qui interdisait la consommation d'alcool. Après la libération de sa ville, un professeur d'anglais de lycée, un veuf, nous invita à un repas fantastique. Il sortit trois bouteilles de bordeaux, deux de blanc, une troisième de rouge, deux bouteilles de cidre bouché, un bon calvados et une bouteille d'armagnac, qu'il a ouvertes juste pour nous. Et le refus du soldat à chaque verre qu'il lui offrait le rendait vraiment très malheureux[50] ! »

Le 25 août 1944, six jours après le soulèvement des Parisiens contre les Allemands, la 2e DB rejoignait la capitale par le sud, tandis que la 4e division américaine entrait par la porte d'Italie. Malgré les quelques poches d'Allemands restés dans Paris, la population locale sortit accueillir les Américains, ivre de joie et de reconnaissance – la plus grande explosion de joie qu'il y a jamais eu », selon le correspondant de guerre Ernie Pyle[51].

Un journaliste du *New York Herald Tribune* décrit la scène :

« Les troupes américaines reçurent ce jour-la plus d'affection et d'adulation que dans toutes les villes où elles étaient déjà entrées. Les véhicules de l'armée qui descendaient les boulevards étaient accueillis par des hurlements de joie. Dès que les convois s'arrêtaient, les femmes et les jeunes filles grimpaient sur les tanks et les jeeps, serraient les soldats dans leurs bras ou les embrassaient sans la moindre retenue. Les visages des GI's se retrouvèrent barbouillés de rouge à lèvres. Hommes et femmes arrivaient en foule pour leur lancer des fleurs, des fruits, du pain, des bouteilles de vin, des cigarettes et toutes sortes de cadeaux. Les femmes et les filles montaient sur les tanks et insistaient pour y rester juchées malgré les tirs qui pouvaient intervenir à n'importe quel moment[52]. »

Dans l'euphorie qui suivit la libération de Paris, des histoires d'amour commencèrent, et beaucoup de jeunes femmes françaises, qui avant la guerre n'étaient jamais sorties qu'en groupe d'amies ou accompagnées, se mirent à fréquenter des GI's.

Détail surprenant, selon Ernie Pyle, la plupart des soldats qui avaient combattu, « ceux qui méritaient le plus d'être applaudis », n'étaient pas là ce jour-là.

« Seuls un régiment d'infanterie et une unité de reconnaissance américains traversèrent rapidement Paris pour repartir immédiatement au combat. Les premiers Américains à séjourner dans la capitale furent les non-combattants, le personnel des services psychologiques ou des affaires civiles, des relations publiques ou les correspondants de guerre. Les garçons qui avaient brisé l'armée allemande et permis la libération de Paris continuaient à se battre sans être encouragés par des baisers ou des applaudissements[53]... »

Paris a donc bien été « interdite » à beaucoup de combattants jusqu'à la capitulation de l'Allemagne en mai 1945. Ils allaient y revenir plus tard, avec en poche des dollars et des laissez-passer de deux ou trois jours. Et ils s'attendaient à se trouver aussi bien accueillis que ce fameux jour d'août 1944. Certains rêvaient aussi d'autre chose. Ils se rappelaient les histoires de leurs prédécesseurs, des *doughboys* de la guerre de 14-18, et espéraient bien visiter les night-clubs de Montmartre et découvrir les charmes des prostituées parisiennes.

Après la guerre, la situation économique de la France resta catastrophique. La Ville des Lumières n'a pas retrouvé son

brillant. Pendant l'automne de 1945, « les habitants étaient...
vêtus sans recherche ; les étalages – sauf exception – vides et les
prix exorbitants. Le passant ne s'arrêtait pas devant les devan-
tures dégarnies... il courait vers une file d'attente interminable
où il espérait trouver quelque nourriture rare... entre l'Opéra et
la Madeleine... certains civils s'occupaient à vendre des "souvenirs" et certaines femmes à monnayer leurs charmes (aux soldats
américains). Dans les rues adjacentes, la pénurie avait fait se
développer un marché noir florissant : on y troquait tout[54] ».

Dans une conférence donnée au club de la Croix-Rouge à
Paris au printemps 1945, l'écrivain américain Gertrude Stein
conseillait aux GI's :

> « Chacun de vous devrait avoir l'esprit scout et sourire au
> moins une fois par jour aux Français. Les Français... sont
> absolument épuisés par la tension de leur campagne spirituelle
> contre les Allemands. Les Américains ne se rendent pas
> compte de leur profonde lassitude. Pendant l'Occupation, ils
> s'imaginaient qu'un jour, les Américains viendraient et que
> tout serait merveilleux[55]... »

Or, un an après la Libération, tout était loin d'être merveilleux en France. Et les Américains ne se comportaient pas en
scouts. Les conditions de vie étaient aussi mauvaises ou même
pires qu'elles l'avaient été. Le pays avait été « pillé et détruit et
il lui faudrait beaucoup de temps avant de se reconstruire[56] ».

Quant aux GI's, ils rêvaient du « joyeux Paris » *(gay Paree)*,
et la gaieté sembla bien y régner pendant un temps, mais la
capitale redevint vite un lieu triste où tout était très cher, où les
maisons n'étaient pas chauffées et où l'on manquait de tout[57].
Les GI's entretenaient de nombreux griefs contre les Français.
Ceci à tel point que l'armée américaine intervint. En 1945, sa
division de l'Information et de l'Éducation publia à Paris un
petit ouvrage intitulé : *112 Gripes about the French* (« 112
Griefs contre les Français ») où étaient énumérées, selon les
rédacteurs, « les critiques et les plaintes les plus fréquemment
formulées par nos soldats en Europe, dès que le sujet des Français venait sur le tapis. Certaines réponses sont assez brèves,
parce que la problématique est simple. Certaines autres sont

beaucoup plus longues, parce que les "questions" soulevées n'en sont en réalité pas, mais qu'elles sont des accusations fondées sur des préjugés complexes et répandus[58] ».

Dès l'été 1945, la déception gagna les deux côtés*. Les Français étaient choqués et leur gouvernement exaspéré par la conduite scandaleuse de certains militaires américains dans la capitale et en province. Les causes de scandale allaient de l'ivresse et des bagarres aux hold-up et aux trafics. Des soldats peu scrupuleux achetaient dans les cantines militaires du café, de l'essence, des pneus, des cigarettes, des bottes, du savon, des cartouches, de la morphine, du *spam* (sorte de mortadelle en boîte) et du whisky qu'ils revendaient au marché noir. Malgré le risque d'un passage en cour martiale, ces trafiquants se procurèrent même, et vendirent, des armes, des munitions, de l'équipement et du matériel de guerre américain[59].

Beaucoup de Français trouvaient que les Américains avaient épuisé leur capital de bienvenue. Ils se rebiffaient devant la réquisition de leurs bâtiments, de leurs usines et de leurs hôpitaux et supportaient mal la charge financière des services qu'ils procuraient aux troupes alliées[60]. Ils n'appréciaient pas non plus qu'on les traite comme s'ils étaient encore une fois occupés. Un article du *Time* du 19 novembre 1945, intitulé « Les mauvais ambassadeurs », critiquait l'attitude des GI's en France qui « se pavanaient comme des conquérants, et qui plus est, des conquérants irrésistibles[61] ». Un écrivain français décrit une scène où « une armée de conducteurs de voitures sans indication de grade... jetait des cigarettes aux passants comme à une foule d'Africains[62] ».

Les Français étaient las et nombre d'entre eux souhaitaient le départ des GI's. Ces derniers, de leur côté, désiraient tout

---

* L'auteur a découvert un rapport de treize pages à diffusion restreinte sur les relations franco-américaines au milieu des années quarante à la bibliothèque du ministère français des Affaires étrangères. Écrit par un officier américain anonyme trois mois après le jour de la Victoire, il analyse les facteurs responsables de la détérioration des relations entre les deux pays. Il est surprenant de constater que ce qu'il attribuait à l'état des affaires de l'époque vaut encore aujourd'hui en ce qui concerne les difficultés des relations diplomatiques et de la situation interculturelle entre les deux pays.

autant rentrer chez eux, impatients de retrouver leur femme ou leurs petites amies. Mais bien que la guerre en Europe se soit terminée en mai 1945, ce n'est qu'en février 1946 que le rapatriement en bateau des Américains commença sur une base régulière. Et en attendant, il y eut tout le temps voulu pour la « fraternisation ».

Munis de préservatifs et d'« instructions d'hygiène sociale » par l'armée, qui tentait de contrôler les maladies vénériennes[63], les GI's fréquentèrent des prostituées ou nouèrent des relations avec des Françaises.

En ce qui concernait la prostitution, les bordels de Paris et des autres villes de France marchaient bien. Après la Libération, les uniformes kaki remplacèrent les uniformes vert olive dans les maisons de prostitution[64]. Par ailleurs, comme cela s'était déjà produit aux États-Unis[65] et en Angleterre, des femmes et même des jeunes filles commencèrent à traîner auprès des camps de l'armée américaine[66]. En réponse au grief n° 57 sur le nombre élevé de prostituées en France, la division de l'Information et de l'Éducation de l'armée américaine expliquait aux GI's que, malheureusement, c'était une conséquence de la guerre. Ayant tout perdu, des milliers de Françaises, comme dans d'autres pays d'Europe, ont cherché dans la prostitution une source de revenus[67].

Cependant, les GI's fraternisèrent aussi avec des Françaises issues de milieux très variés. Les occasions de rencontre ne manquaient pas. Dans la joie de la Libération, cela pouvait être à bord d'un char ou d'une jeep, autour d'un verre de cidre ou de champagne. Pour certaines Françaises, ce fut lors de l'invitation par leurs parents d'un libérateur américain à déjeuner ou à dîner. Ou pendant les célébrations de la Victoire, dans des bals ou des événements organisés par la Croix-Rouge américaine, parfois sur une base de l'armée. Des rencontres eurent lieu sur des lieux de travail, de nombreuses Françaises étant employées par l'US Army et les divers bureaux de l'administration américaine en France. Il arrivait enfin que GI's et Françaises fassent connaissance par hasard. Roger Lantagne se rappelle avoir fait celle de Myriam dans le métro, au cours d'une permission de trois jours à Paris, juste avant d'être rapatrié aux États-Unis.

Leur idylle a commencé lorsqu'il lui a offert sa place assise[68]. Et Arthur, médecin militaire, a rencontré Reine, sa petite amie française, le jour où elle est venue donner son sang dans un dispensaire[69].

Certains cercles se plaignaient que les GI's appâtaient les femmes en leur offrant de la nourriture ou des bas en nylon. Selon la division de l'Information et de l'Éducation, les Français considéraient que les GI's avaient « une manière choquante de parler aux personnes du sexe faible et que beaucoup trop de femmes respectables ont vécu des expériences déplaisantes avec des soldats américains ivres ou soi-disant amoureux ».

Mais, à moins que les Françaises ne parlent anglais, la plupart des GI's éprouvaient de plus grandes difficultés à « communiquer » avec elles qu'avec les Anglaises, avec lesquelles ils partageaient une langue et un héritage culturel communs. Ceci d'autant plus que dès l'été 1944, faussement instruits par leurs prédécesseurs *doughboys*, ils imaginaient la *mademoiselle* sensuelle et « facile », en fait tout l'inverse de ce qu'étaient la plupart des femmes rencontrées en Normandie ou en Bretagne, deux régions à l'époque « essentiellement rurales, catholiques et traditionnelles[70] ».

Il faut cependant préciser que les Françaises n'étaient pas toutes d'innocentes « victimes » de la séduction. Selon certains auteurs français, beaucoup d'entre elles cherchaient avidement à rencontrer et fréquenter un GI. Simone de Beauvoir écrit à propos d'une jeune femme habitant le même hôtel qu'elle à Paris, que « son amusement principal était de partir à la chasse aux Américains[71] ». Et dans son roman *Les Trois Quarts du temps*, Benoîte Groult raconte comment, en 1945, les bourgeoises de Saint-Germain-des-Prés, élèves d'écoles religieuses, prirent tout naturellement l'habitude de passer quelques heures avec des GI's en échange de savon, de boîtes de conserve et de cigarettes. Encouragées par leurs « innocentes » de mères, les filles se laissaient enjôler par Don ou Steve, mais comme elles vivaient encore avec leurs parents, leur flirt ne menait pas à un « passage à l'acte », et elles préservaient leur sacro-sainte virginité ! Situation hypocrite, s'indigne l'écrivain, alors que des milliers de femmes avaient été tondues pour avoir fréquenté des Allemands : « On avait tondu sous les applaudissements des bien-pensants de pauvres filles qui s'étaient trompées d'uniforme et voilà qu'on encourageait ces bourgeoises bien élevées à laisser parler leur cœur et leurs appétits[72]. »

Ce n'était pas toutes les Françaises, bien sûr, qui allaient à la « chasse aux Américains ». Selon Beevor et Cooper, « à partir du 1945, l'ardeur américaine n'attirait guère plus les Parisiennes, qui n'appréciaient pas l'arrogance qui l'accompagnait[73] ». Une Française interviewée par la revue *Time* en novembre de cette année, se plaint : « Je ne sais pas pourquoi les Américains s'imaginent que les Françaises feront l'amour avec n'importe qui[74]. » En effet, les jeunes filles, de milieux très divers, avaient reçu des éducations fort différentes. Mais les Parisiennes se conduisaient peut-être avec plus de perspicacité que les autres dans leur relation avec les jeunes soldats américains.

Les comptes-rendus sont contradictoires. Néanmoins, il semble y avoir eu différents niveaux de séduction et de flirt des deux côtés. Et naturellement, quelques cœurs brisés, car si certains GI's sont restés en France, ou y sont revenus plus tard en tant que civils sous le Plan Marshall, la plupart partirent en 1946 pour ne plus revenir. Si bien que de nombreuses Françaises furent abandonnées sans jamais pouvoir revoir « leur » GI ou l'informer de la naissance d'un enfant. D'autres eurent plus de chance, leur histoire d'amour s'étant terminée par un mariage et une nouvelle vie en Amérique.

*
* *

Quelque six mille Françaises, ou plus, ont épousé des GI's après la fin de la guerre et sont parties aux États-Unis pour y vivre, avant ou après la démobilisation de leur mari. Ces Françaises qui, en 1946, immigrèrent sous le régime du *War Brides Act* ou du *Fiancées Act*, bénéficièrent d'un voyage offert par l'armée américaine, avec toutes leurs dépenses payées « de porte à porte » par le gouvernement américain.

La plupart, que rejoignaient les épouses de guerre des États-Unis ou d'autres pays européens, embarquaient au Havre. Marseille était un autre port français utilisé comme *staging area* (zone de ravitaillement). En août 1946, Bremerhaven remplaça Le Havre comme principal port d'embarquement.

Avant de partir pour Le Havre, la majorité des Françaises séjournaient d'abord à Paris. Elles étaient logées à l'Hôtel de Paris, où le *Rainbow Corner*, ancien club de la Croix-Rouge, avait été transformé en lieu de transit[75]. Le 26 février 1946, le premier groupe à quitter Paris assista à une messe en l'église de la Madeleine, en présence de Jefferson Caffery, l'ambassadeur américain[76]. Deux jours plus tard, les jeunes femmes partaient en train de la gare Saint-Lazare en direction du Havre. Un orchestre de l'armée leur donna la sérénade, tandis que la Croix-Rouge distribuait du café et des *doughnuts*. À leur arrivée, elles furent transportées en autocar jusqu'au camp Philip Morris de Gainneville, reconverti en *staging area*.

Le camp Philip Morris était l'un des célèbres *cigarette camps* (baptisés de noms de marques de tabac) installés en Seine-Maritime (alors Basse-Seine) par l'armée américaine. La guerre finie, la plupart devinrent des lieux de transit pour les soldats retournant aux États-Unis. Juste avant que les contingents d'épouses de guerre ne commencent à arriver, le camp Philip Morris était utilisé pour héberger des infirmières ou des membres du *Women's Auxiliary Corps*[77]. Les *war brides* françaises, comme d'autres Européennes, y passaient de trois à cinq jours, pendant lesquels l'armée et les employées de la Croix-Rouge les préparaient à leur départ, les aidant dans les formalités d'entrée aux États-Unis et leur donnant quelques notions sur la vie dans ce pays.

L'armée transportait les jeunes femmes sur des transatlantiques ou des navires de guerre reconvertis, comme le *SS George W. Goethals*, le *SS Zebulon Vance*, le *SS Santa Paula*, le *SS Cristobal* et le *SS Bridgeport*. À bord, la Croix-Rouge et les femmes du *Women's Auxiliary Corps* organisaient des distractions, tenaient une crèche, dispensaient quelques soins médicaux. Selon les rapports de la Croix-Rouge, les activités comprenaient : un service religieux du matin, des entretiens avec l'aumônier, des visites à la bibliothèque, des rencontres avec des conseillères de la Croix-Rouge, une formation culturelle, le déjeuner, des jeux et de l'artisanat, des informations filmées, le dîner à cinq heures et demie, des concerts, une séance de cinéma et divers divertissements*. Le logement à bord était loin d'être luxueux : huit femmes ou plus, parfois même avec des enfants, partageaient une même cabine.

Les *war brides* européennes débarquaient généralement à New York. Elles y étaient accueillies par leur mari, quand il était déjà rentré dans son pays, mais parfois par leur belle-famille qui les emmenait « à la maison ». Si personne ne les attendait, la Croix-Rouge ou la YWCA les hébergeaient pour quelques jours dans des centres d'accueil, et quelques employées ou bénévoles de la Croix-Rouge les accompagnaient en train jusqu'à leur destination finale, aussi lointaine soit-elle dans le pays. Les jeunes femmes recevaient une allocation journalière pour couvrir leurs frais de nourriture pendant le voyage.

À leur arrivée dans l'Alabama ou le Michigan, elles s'installaient de leur mieux dans leur nouvel environnement. Nombre de mariages ont bien tourné, mais beaucoup de ces femmes de l'immédiate après-guerre, jeunes et naïves, s'étaient mariées hâtivement, si bien qu'à leur arrivée en Amérique, elles retrouvaient presque un inconnu. Le couple découvrait alors son incompatibilité et une communication difficile du fait de la différence de langue, de culture et de milieu socio-économique. Le beau soldat en uniforme n'était plus qu'un paysan inculte ou un alcoolique. Certains souffraient de troubles post-traumatiques et ne se tenaient à aucun travail. En outre, la grande pénurie de logements aux États-Unis contraignit de nombreux couples à habiter dans la famille du mari. Toutes ces difficultés menaient parfois à de graves problèmes conjugaux ou au divorce.

Dans les grandes cités, les jeunes femmes se retrouvaient entre elles ou s'inscrivaient dans un club d'épouses françaises, ce qui les aidait à s'adapter à leur nouvel environnement. Souvent, leurs aînées de la guerre de 14 les accueillaient et facilitaient leur insertion dans leur communauté locale. Dans de

---

* Ce programme concernait les épouses de guerre britanniques embarquées sur le *SS Santa Paula*, mais selon des interviews avec des épouses de guerre françaises et des rapports de membres de la Croix-Rouge américaine, des programmes similaires existaient sur tous les navires transportant des épouses de guerre.

nombreuses villes, la Croix-Rouge américaine et la YWCA donnaient des cours d'anglais et de *homemaking* (économie familiale) aux *war brides* françaises et d'autres nationalités.

Mais celles qui arrivaient dans des endroits isolés ne bénéficiaient pas d'un tel soutien, et la transition était pour elles beaucoup plus difficile – d'autant que la réalité ne correspondait pas toujours aux promesses des beaux GI's ou aux films d'Hollywood. Un dessin de l'époque montre une scène qui a dû se produire souvent dans l'Amérique d'après-guerre. Il représente une pauvre cabane en bois avec un panneau écrit à la main : « Bien Venu à Wally et la mariée », et un GI (Wally) revenant chez lui et s'exclamant devant l'étonnement de sa femme : « Mais chérie, où as-tu été chercher l'idée que tous les Américains vivent dans des gratte-ciel[78] ! »

*
* *

De tels dessins, ainsi que nombre de films et de livres, et une pléthore d'articles et de photos donnent une idée intéressante, et souvent distrayante, de la façon dont les GI's et les gens de « chez eux » percevaient la *mademoiselle*. Par exemple, la célèbre comédie d'Howard Hawks *I Was a Male War Bride* (« Allez coucher ailleurs », 1949), où le capitaine français Robert Bochard (Cary Grant) épouse le lieutenant Catherine Gates (Ann Sheridan), du *Women's Army Corps*, donnait de la « mariée » (en l'occurrence, un homme !) une image tout à fait ridicule. Les médias aussi bien français qu'américains décrivent comment, des deux côtés de l'Atlantique, on considérait ces rencontres et mariages franco-américains et l'atmosphère que la *mademoiselle* devait affronter à son arrivée aux États-Unis.

L'ordre chronologique dans lequel le GI's et la *mademoiselle* entraient en contact est lui aussi illustré dans la presse de l'armée. Souvent avec humour, *The Stars and Stripes* et l'hebdomadaire de l'armée, *Yank*, préparaient les GI's en cours d'entraînement dans les camps britanniques à ce qui les attendait en France.

Par exemple, un article du 15 juin 1944 de *Warweek* intitulé : « Ainsi, vous partez en France » déclare : « Ce n'est pas vrai, les Françaises ne sont pas toutes faciles. Si vous vous imaginez que pour entrer en contact avec elles et les impressionner, il suffit de s'approcher tout près de la première jolie fille venue et de lui mettre la main aux fesses, vous aurez des ennuis. » Sur la même page, un dessin montre une jeune fille française courtisée par un GI que poursuit toute une bande de la famille de la belle. La légende avertit : « Les mignonnes petites Françaises sont bien protégées[79]. »

Il y avait d'autres moyens d'avertir les GI's. L'un d'eux était de leur apprendre comment communiquer avec une Française. « Parley-voo for Busy GI's – en une seule leçon facile » : « Stop ! » – « Venez ici » – « Je suis américain » – « Où sont les Allemands ? » – « Où est Paris ? » – « Montrez-moi s'il vous plait » (ils regardent une carte) – « Je ne comprends pas » – « J'ai faim ». Puis, le GI demande : « Oui ? Non ? », en essayant d'embrasser la jeune fille, et enfin supplie un passant : « Aidez-moi s'il vous plait », car il a été repoussé et jeté à terre par un père qui emmène sa fille[80].

Quelques jours après le Débarquement, de nombreuses photos de presse montrèrent de jeunes Françaises courant à la rencontre des libérateurs américains. Sur un cliché de *Warweek* de juin 1944, par exemple, quelques parachutistes boivent du cidre en trinquant avec l'une d'elles. (« Une version de la mademoiselle d'Armentières »)[81]. Une autre photo est accompagnée de cette légende : « Des civils se rassemblent autour des troupes américaines dans un village de Normandie. Une jeune Française offre une bouteille de vin fait maison à plusieurs *doughboys*[82]. » Le 28 septembre 1944, une caricature de *Warweek* représente Hubert, un GI mal rasé et ridicule, en train d'essayer de s'entendre avec une famille de la campagne française[83]. C'était le début de l'invasion et ce sont des filles de la campagne qu'on voit sur les dessins, mais au fur et à mesure que les GI's s'approchent de Paris, on découvre des filles de plus en plus chics.

Mais, arrivés aux abords de la capitale, beaucoup des soldats appelés à continuer leur route vers l'est de la France et l'Allemagne, se voient refuser le droit d'y entrer. Un dessin de *Yank* montre le *Sad Sack* (Pauvre Pierrot) dans sa traversée de la Normandie, avec pour but la capitale. Les panneaux indiquent : Paris, 250 km. Puis, 200, 150, 100. Lorsqu'il n'en est plus qu'à 50 km, *Sad Sack* s'imagine déjà en train de boire avec une Française et de la caresser. Mais lorsqu'il se trouve enfin à la porte d'Orléans, un MP lui annonce : Paris, zone interdite[84].

En revanche, quelques soldats de la 3e armée américaine sont bien entrés dans Paris où, le jour de la Libération, ils ont descendu les Champs-Élysées. D'innombrables photos en témoignent, où des filles courent vers les chars ou même grimpent s'y asseoir à côté d'un GI's. La première page du *Stars and Stripes* du 28 août 1944 claironne en gros titre : « Les Yankees arrivent à Paris. » La légende plaisante : « Joie de la Libération exprimée du bout des lèvres » et « Les mademoiselles de Paris accueillent leurs libérateurs avec d'ardents baisers[85]. »

De nombreux clichés de ce genre furent publiés dans la presse civile, et la liberté avec laquelle les Français, les femmes surtout, embrassaient choquèrent beaucoup d'Américains. Même s'il ne s'agissait le plus souvent que de baisers donnés sur les deux joues, pour le public américain des années quarante, embrasser et étreindre en public ne se faisait pas. Un autre titre constatait : « Dans Paris libéré, baisers en toute liberté[86] ». Dans l'article qui l'accompagne, le reporter du *Stars and Stripes* écrit : « En arrivant avec la deuxième division française, j'ai été embrassé si souvent qu'on aurait dit un jeu de *post office**. » Plus loin, il ajoute : « Après tout le mal que je me suis donné pour essayer de convaincre les Américaines qu'un baiser est une très bonne façon de commencer une relation, les filles de Paris, elles, me demandaient la permission de m'embrasser ! Mon Dieu, quelle guerre[87] ! »

On peut imaginer l'effet de toutes ces photos de baisers et de femmes sur les jeunes Américaines restées au pays. Un gros titre du *Stars and Stripes* signale le 25 septembre 1944 : « Les baisers de la Libération présagent d'ennuis à la maison. » L'article commence ainsi : « Quand Johnny sera de retour, il devra s'expliquer à propos de ces photos où on le voit embrasser des

---

* Jeu d'enfants où l'on échange des baisers contre de prétendues lettres.

Françaises dans les jeeps et sur les tanks dans Paris libéré... » Il poursuit en citant une fille de l'Indiana âgée de dix-huit ans : « Si les Françaises tuent de vieux types comme Ernie Pyle*, que vont-elles faire des jeunes [88] ? »

Ces images et articles de la presse américaine illustrent l'atmosphère que les jeunes Françaises allaient trouver aux États-Unis. Mais elle avait été précédée par l'image que la Première Guerre mondiale avait déjà donnée de la Française, présentée comme une prostituée ou une femme de petite vertu, et par la campagne de dissuasion menée auprès des *doughboys* pour qu'ils ne s'en approchent pas.

Après la victoire d'août 1945, de plus en plus de GI's purent entrer dans Paris où ils se sentirent de mieux en mieux accueillis. Mais, malgré leurs salaires élevés en comparaison de ceux des Français, ils trouvaient les prix – surtout ceux des parfums et des divertissements – très élevés et ils accusaient les Parisiens de tricherie. S'il est vrai que c'était le cas dans beaucoup de magasins, il faut dire aussi que les *boys* n'étaient pas aussi roublards que les Parisiens.

Dans un dessin du *Stars and Stripes*, trois jeunes GI's regardent la vitrine d'un magasin de parfums. « L'un d'eux demande à ses compagnons : « Je me demande comment on dit *eau de cologne* en français [89]. » Sur un autre, deux GI's débraillés regardent des femmes passer dans la rue, pimpantes sur leurs hauts talons, arborant coiffures et chapeaux élégants. Le soldat de première classe Hubert s'exclame : « Un type m'a dit qu'il suffisait de se poster à un coin de rue et de les poursuivre avec une matraque [90]. »

En novembre 1945, dans un long article illustré de *Life*, de nombreux clichés montrent la scène parisienne et décrivent la débauche des soldats américains à Pigalle, surnommé par eux : *Pig Alley* (l'allée des cochons). *Life* décrit cet endroit comme un « petit quartier de Paris consacré aux divertissements de mauvais

---

* Ce célèbre correspondant de guerre avait dû quitter la France pour les États-Unis au début de septembre 1944, suite à une dépression nerveuse. Il fut effectivement tué en avril 1945, mais par une mitrailleuse japonaise sur le front du Pacifique.

genre pour les étrangers. Ses bars vulgaires, ses galeries de jeux, ses boîtes intimistes et ses filles accueillantes attirent presque tous les GI's de Paris avides de plaisir. On les y reçoit comme on y recevait leurs pères de la guerre de quatorze, comme de braves fêtards qui dépensent facilement leur argent[91]. »

On devine la réaction des Américains « restés au ranch » devant ces photos accompagnées de légendes telles que celle-ci : « Un GI embrasse une *entreteneuse* (sic) qu'il a séduite avec une bouteille de champagne d'une valeur de mille francs. On rencontre les entreteneuses dans les bars, jamais dans la rue[92]. » Sur un cliché, une jeune femme en jupe courte et tourbillonnante danse avec un GI : « Une Française dansant le *jitterbug* virevolte avec un GI à l'Heure Bleue, les jeunes Françaises sont devenues des expertes en swing américain[93]. » D'autres photos montrent des Françaises très légèrement vêtues, sur la scène d'une boîte de nuit où les GI's paient un « prix exorbitant pour un divertissement de troisième ordre[94] ».

Le chic des Françaises préoccupait également la presse américaine. Le stéréotype voulait la Française généralement très jolie, bien habillée, avec un « look français » que *Life* décrivait ainsi : « Plus sexy et moins naturel que le look américain, il demande du travail et de l'ingéniosité[95]. » Et la légende d'une photo explique : « Les Françaises d'aujourd'hui portent des jupes larges et légères découvrant de jolies jambes. La mode est aux cheveux longs qui tombent sur les épaules. Cinq de ces filles ont les cheveux teints[96]. » Un article d'un *Stars and Stripes* de 1945 admire le style de leurs maillots de bains qu'il trouve « de plus en plus osé[97] ».

Mais il y avait un article d'habillement que les Américaines ne leur enviaient pas, leurs chaussures. Le cuir étant très rare en France pendant et après la guerre, les femmes portaient de lourdes chaussures à semelles de bois qui résonnaient bruyamment sur le sol. Si bien que, dès leur arrivée à New York, nombre de *war brides* se sont jetées sur d'onéreux souliers en cuir.

*
* *

Dans les années quarante, la ségrégation raciale sévissait encore dans certains États. Un rapport militaire sur le mariage, écrit entre juin 1945 et janvier 1946 et adressé aux aumôniers de l'armée rappelle :

« Environ la moitié de nos États ont édicté des lois contre le mélange de certaines races. Le mariage de toute personne avec une personne d'une autre race est interdit dans le Dakota du Sud. Le mariage d'une personne blanche avec une personne de couleur est interdit en Louisiane et en Virginie. L'Oklahoma interdit le mariage d'un Noir avec toute personne d'une autre race, tandis que le Maryland n'autorise pas le mariage d'un Noir avec un Malais*. »

Le rapport continue :

« Les membres des races blanche et noire n'ont pas le droit de se marier dans le Delaware, le Missouri, le Nevada, la Virginie-Occidentale et dans le Wyoming. Les Blancs, les Noirs ou les personnes d'ascendance noire ne sont pas autorisés à se marier en Arizona, Alabama, Montana et au Texas. Les Blancs et les personnes de sang noir, y compris les descendants à la troisième génération, n'ont pas le droit de se marier dans le Maryland, la Caroline du Nord et le Tennessee. Les Blancs et les personnes métisses n'ont pas le droit d'épouser en Caroline du Sud et en Oregon des personnes avec un quart de sang noir, et en Floride, dans le Mississippi, le Nebraska et la Dakota du Nord, des personnes avec un huitième de sang noir. Le mariage entre les Blancs et les Noirs ou les mulâtres est interdit en Arkansas, en Californie, dans le Colorado, l'Idaho et le Kentucky[98]. »

On imagine, dans ce contexte, quel émoi pouvait soulever, dans certaines familles américaines, l'information suivante :

« La discrimination raciale n'existe pour ainsi dire pas en France, surtout parmi les artistes et les gens du spectacle de

---

* La théorie raciale distinguait une race malaise, incluant les Polynésiens, les Mélanésiens et les indigènes d'Australie.

Montmartre. Au Frisco's, un *nightclub* en étage minablement décoré proche de la place Pigalle, des soldats nègres dansent avec des Françaises, noires pour quelques-unes, mais pour la plupart blanches. Les filles vont au Frisco's, le club préféré des GI's noirs, parce qu'elles raffolent du pas sophistiqué de *jitterbug*[99]. »

Beaucoup de Françaises ont fréquenté les soldats noirs après la guerre. Elles étaient choquées par l'attitude des Américains blancs, qu'elles considéraient comme du racisme et associaient parfois au nazisme[100]. Les Afro-Américains composaient environ 8,7 % de l'armée, mais ils ont été rares à combattre au front. Soixante-dix-huit pour cent d'entre eux travaillaient dans la logistique. À la fin de la guerre, certains ont préféré rester en France plutôt que de retrouver la ségrégation qui existait encore aux États-Unis[101]. Et la légende d'une photo de *Life*, en avril 1946 explique : « Dans l'hôtel des officiers où il vit maintenant, Paul Bates, vingt-six ans, ancien GI, se détend. Il est le seul homme de son unité à s'être installé en France. Avant la guerre, Bates gagnait trois cents dollars par an dans le Tennessee. Aujourd'hui, il travaille comme factotum dans un magasin *(Post Exchange)* de l'armée avec un salaire annuel de deux mille deux cent soixante-douze dollars. Il n'a vraiment pas le mal du pays[102]. »

À défaut d'une interview avec une *war bride* ayant épousé un Noir, voici une partie du dossier concernant un GI noir et sa fiancée française :

« 21 septembre 1946, Livourne, Italie

« Chers Messieurs,

« Je vous prie de me faire savoir si, en vous écrivant cette lettre, j'enfreins le règlement de l'armée. À ce que je comprends, en tant que citoyen et soldat des États-Unis, j'ai encore le droit de vous demander votre décision concernant toute question délicate dépendant directement de l'administration de la Cour suprême. Cette institution n'étant pas une institution [dépendant du ministère] de la Guerre mais une agence civile, je ne crois enfreindre aucun règlement.

« Je suis un soldat de première classe de l'armée, qui s'est réengagé pour trois ans. J'ai déjà trois ans et cinq mois de service honorable dans l'armée, dont vingt-neuf mois passés outre-mer. J'ai quatre étoiles[*] officielles et une quatrième qui ne l'est pas. Pendant ces vingt-neuf mois, j'ai mis ma vie en grand danger. Pardonnez-moi ces détails ennuyeux, mais ils servent mon propos.

« Une Française, avec laquelle je suis fiancé depuis environ six à dix mois, a donné naissance à mon enfant le 16 juillet 1946. En janvier, pendant sa grossesse, je m'étais réengagé dans l'armée à Mourmelon en France, dans l'intention expresse de l'épouser. Ma demande d'autorisation de l'armée pour ce mariage a été refusée par une provision du formulaire *Allied Military Marriage*, qui décrète : tout membre des forces armées demandant une autorisation de mariage avec une étrangère doit se conformer aux lois du mariage de l'État où il habite. Autrement dit, si l'on est originaire d'un État du Sud, on ne peut épouser quelqu'un d'une race différente de la sienne, même si ces mariages mixtes sont autorisés en Europe et en France. Est-ce que cela veut dire que je suis encore sujet à la ségrégation, bien que je sois un soldat américain ? Une circulaire du ministère de la Guerre de 1945 affirmait que toute forme de discrimination dans les forces armées américaines est contraire à la constitution.

« En tant que citoyen américain et membre de nos forces armées, qui respecte et fait respecter les principes de la Constitution des États-Unis d'Amérique, et de notre grande démocratie, je vous implore de veiller à ce que la justice soit respectée et que la Constitution soit appliquée à la lettre.

« La Constitution déclare qu'il est contraire à la loi de discriminer un homme à cause de sa race, de sa couleur ou de sa religion. On m'a refusé d'épouser la mère de mon enfant, Mlle Paulette Hyberger, Reims, France, par ce que je suis originaire de Virginie-Occidentale et que je suis noir.

« Étant soldat, et soldat d'outre-mer en outre, je suis handicapé dans ma quête d'égalité et de respect des droits tels qu'ils sont définis dans la Constitution. Puis-je avoir l'assurance que la Constitution et les principes de la démocratie que nous avons

---

[*] La *Silver Star* et la *Bronze Star*, décorations militaires américaines.

défendus pendant ces cinq dernières années en face d'un grave danger, et que nous nous sommes engagés à défendre, seront appliqués et qu'ils protégeront les minorités dans leur quête de liberté et d'égalité ?

« Je vous supplie de me représenter en mon absence et de veiller à ce que justice me soit rendue.

« Puis-je avoir l'assurance que ce mal sera corrigé et qu'on me donnera l'autorisation d'être le père légal de mon enfant ?

« En vous remerciant dans l'intérêt de la démocratie, je reste respectueusement vôtre.

« Pfc. Lawson Day, 35658773696 Port coAPO 790, c/o Postmaster, New York N.Y. »

****

BUREAU DU MARSHAL
DE LA COUR SUPRÊME DES ÉTATS-UNIS
WASHINGTON D.C.

Soldat de première classe Lawson Day, 35658773
696 Port Co
APO 790, c/o Postmaster, New York

« Cher Soldat Day,

« La Cour suprême des États-Unis a chargé mon bureau de répondre à la lettre que vous lui avez adressée.

« Par la présente, je suis au regret de vous informer que la Cour n'est pas autorisée par la loi à assister, conseiller ou répondre à propos d'affaires qui ne lui sont pas présentées selon les statuts et règlements appropriés. Nous avons donc transmis votre lettre au Bureau des Affaires personnelles, 2C-230 Pentagon Building, Washington, D.C., qui la traitera.

« Sincèrement vôtre,
«/S/Thomas E. Waggaman, Commissaire. »

****

« Memo [du Bureau des Affaires personnelles] pour dossier : Lettre du soldat de première classe Lawson Day, 35658773, 696 Port Co., APO 790, c/o Postmaster, New York, New York, datée du 21 septembre 1946, adressée à la Cour suprême, se plaignant qu'on lui avait refusé l'autorisation d'épouser la mère de son enfant parce qu'il était noir, transférée par la Cour suprême au Bureau des Affaires personnelles, et ensuite transmise à cette division pour renseignement sur la manière d'y répondre.

« 16 octobre 1946

« 1 – Le mariage du personnel militaire sur le Théâtre européen est à présent régi par les provisions de l'article. IV, circulaire n° 128, Quartier général, USFET*, datée du 12 septembre 1946. Le paragraphe 9 de cet article, intitulé : "Procédure de gestion des demandes d'autorisation de mariage", qui souligne les conditions d'une telle demande, spécifie l'action qui sera prise à ce sujet par l'officier autorisé à l'accorder. Le sous-paragraphe i du paragraphe 9, précise : en cas d'approbation, l'officier commandant la compagnie s'assurera que le candidat comprend bien que... (3). Dans plusieurs États, la loi ne reconnaît pas la validité de mariage entre personnes de race différente, nonobstant la validité du mariage lorsqu'il a été contracté.

« 2 – D'après la lettre du soldat sujet, il semblerait que l'officier commandant sa compagnie et à qui cette demande d'approbation de mariage a été soumise, a mal interprété la provision susmentionnée de la circulaire. (Si la demande avait été faite avant le 12 septembre 1946, elle aurait été régie par la circulaire n° 51, datée du 15 avril 1946, qui contenait une provision semblable.)

« 3 – Nous croyons que l'intention d'UFSET n'était pas d'établir une discrimination contre le personnel militaire résidant dans les États interdisant les mariages mixtes, mais seulement de s'assurer que tout soldat d'un tel État épousant une personne de race différente soit conscient de sa position, car ce

---

* UFSET : Forces armées américaines en Europe (United States Forces on European Theater).

mariage pourrait entraîner pour lui l'interdiction de retourner vivre dans son ancien lieu de résidence avec son épouse si la loi de l'État interdit aux membres de race différente de vivre ensemble. Le mariage, s'il a été contracté de façon valide, serait reconnu par toutes les législations, sauf celles du domicile du soldat.

« 4 – Il est recommandé de porter à l'attention de l'officier commandant la compagnie du soldat sujet que le paragraphe 9 i (3) de la circulaire n° 128, Quartier général, USFET, du 12 septembre 1946, ne doit pas être interprété comme une interdiction des mariages mixtes. »

****

*
* *

Les navires de transport étant rares, beaucoup de soldats ont dû attendre de longs mois avant de rentrer aux États-Unis ou d'être envoyés dans le Pacifique. Après la Seconde Guerre mondiale, l'armée américaine créa donc à Biarritz une université pour GI's, surnommée *Sweat-it-out* (Prendre son mal en patience). Elle comprenait trente-huit départements qui dispensaient 241 cours, dont la plupart furent ensuite validés par les universités américaines[103].

Certains soldats, profitant du *GI Bill*[*], restèrent en France pour étudier dans des institutions françaises. Une photo du *Stars and Stripes* montre deux anciens GI's en train de sculpter une femme nue : « C'est de l'art », dit la légende. « L'enthousiasme règne à la Sorbonne, où huit cents étudiants GI's sont inscrits dans des cours de langue, de sciences, de journalisme, de couture, de coiffure et de… sculpture. Le cours de dessin d'après modèle mène à des carrières artistiques et illustre comment on peut profiter d'une affectation stérile dans l'armée[104]. »

Selon Tyler Stovall, le *GI Bill* contribua indirectement au développement de la communauté noire d'après guerre à Paris.

---

[*] Le *GI Bill of Rights* (22 juin 1944), par lequel le gouvernement accordait la gratuité des cours et une aide aux vétérans désirant reprendre leurs études.

Près de cinq cents Afro-Américains ont choisi Paris pour poursuivre leurs études après la guerre. « À la fin des années quarante, les vétérans recevaient un traitement de soixante-quinze dollars par mois, ou environ deux fois plus que le salaire moyen d'un ouvrier français, pour payer leurs frais de scolarité et leurs dépenses quotidiennes[105]. »

*
* *

La société américaine qui attendait les *war brides* françaises à la fin des années quarante contrastait beaucoup avec son homologue française. On y trouvait abondance de nourriture, des millions de voitures sur les routes, pléthore de vêtements et d'appareils ménagers dans les vitrines. Les gens vivaient dans des lotissements de maisons standardisées construites en banlieue et allaient faire des courses dans des centres commerciaux. Le « retour à la normalité » de l'après-guerre consacra le triomphe des conventions familiales et des valeurs traditionnelles.

Et les médias en rendaient compte. Une photo du *Life* du 3 décembre 1945 montre un GI de l'Indiana accueilli par sa famille à son retour de la guerre. La légende commente : « Il a passé vingt-six mois outre-mer, gagné un ruban à quatre étoiles dans le Théâtre européen, une citation présidentielle. À sa famille et ses amis qui l'entourent avec affection et veulent "tout savoir", la première chose dont il parle est du froid et de la boue en Italie[106]. » Parfois aussi, le soldat annonçait l'arrivée prochaine de sa fiancée européenne ou asiatique, nouvelle que la famille accueillait avec des sentiments mitigés.

Il n'y avait pas que leurs parents qui attendaient les GI's, mais aussi leurs petites amies et leurs épouses. Une publicité de l'époque montre un soldat étreignant sa blonde fiancée (qui vient de choisir le service d'argenterie de l'annonceur comme cadeau de mariage), avec les mots « Rentré pour de bon » en grosses lettres. Sur une autre, une mariée souriante sur les marches de l'église est au bras d'un GI : « Et maintenant son sourire est un soleil radieux qui chassera toutes les ombres du chemin de leur vie – car regardez, il est de nouveau à son côté… Le diamant qui scintille joyeusement à son doigt et témoigne de cette fidélité doit être d'un éclat sans pareil. »

Les hommes étaient évidemment très impatients de rentrer aux États-Unis, de retrouver leurs familles et leur pays, et de reprendre leur vie là où ils l'avaient laissée. Malheureusement pour certains, les terribles épreuves subies pendant la guerre avaient beaucoup altéré leur personnalité. Et ils ne furent pas tous capables de se réadapter. D'autres se rendirent compte qu'ils s'étaient mariés trop hâtivement avant leur départ pour la guerre. Une photo de *Life* de décembre 1945 montre une scène dans une salle d'audience : « Un mariage de guerre se termine par un divorce. Le caporal Kenneth Dickey explique au juge comment, marié en 1943 après des fiançailles très courtes, il est parti outre-atlantique, a été fait prisonnier, et comment, en rentrant chez lui, il a retrouvé une femme qui ne l'aimait plus[107]. » Dans certains cas, aussi, le GI avait rencontré une autre femme à l'étranger.

Le roman de MacKinlay Kantor (1945) *Glory to me*, dont William Wyler a tiré son célèbre film *Best Years of Our Lives* (« Les Meilleures Années de nos vies »), raconte éloquemment l'impossible réadaptation à leur ancienne vie de trois GI's à Boon City, une ville imaginaire du Middle West. Par exemple, les médailles de guerre du lieutenant Fred Derry ne l'aident pas à trouver un bon travail. Il redevient marchand de glaces et de boissons et il découvre que sa femme, épousée juste avant son départ outre-atlantique, travaille dans une boîte de nuit et reçoit chez elle d'autres hommes.

La fin des années quarante et les années cinquante marquent aussi le début de l'ère de la consommation en Amérique. Les visiteurs et les immigrants (dont les *war brides*) étaient sidérés par l'abondance de produits et d'appareils en tout genre. Raymonde Cole, une épouse de guerre française, a été engagée par un photographe professionnel pour vendre certains de ces produits. Dans une publicité de 1952, elle présente un nouveau poste de télévision. Dans une autre, typique des années cinquante, elle incarne la mère dans une famille qui vient d'acheter un break : en arrière-plan, une maison de banlieue style ranch et, au premier plan, sur la pelouse, la famille nucléaire – le père, la mère et deux enfants – admirant la nouvelle voiture[108].

*
* *

Quant à la presse française d'après-guerre, elle reflète souvent l'inquiétude du public devant ces relations ou mariages franco-américains. Pierre Lazareff, le fondateur de *France-Soir*, écrivit à ce sujet un article qui parut dans *The Stars and Stripes Magazine* en septembre 1945. Voici la traduction libre d'un passage :

« Les malentendus étaient inévitables. Il y avait d'un côté les soldats américains, qui avaient le mal du pays et qui, dans leur nostalgie, établissaient des comparaisons qui ne pouvaient pas tourner à notre avantage. De l'autre côté, les Français, qui venaient de vivre quatre ans d'occupation et de privations et qui espéraient vaguement que chaque soldat américain arriverait avec son fusil sur l'épaule, un sac de farine sur le dos, un petit manteau dans une main et du chocolat dans l'autre.

« Au lieu de cela, ils virent les Américains s'installer dans des bâtiments d'où ils venaient de chasser les Allemands et réquisitionner les mêmes hôtels et restaurants pour leurs troupes. Évidemment, les Français comprenaient les nécessités de la guerre, mais on ne peut attendre de gens sur lesquels on a marché de ne pas avoir les doigts de pied sensibles et de ne pas grimacer lorsqu'un ami leur marche dessus.

« Ce qui évoque mon récent voyage sur la Côte d'Azur, qui est devenue une USRRA [lieu de récupération et de repos de l'armée américaine]. Et je vous assure que là-bas, tout le monde est heureux de voir des officiers, des sous-officiers et des soldats américains appréciant les distractions qu'ils ont si bien méritées. Pratiquement tous les lieux de plaisir leur ont été réservés. Ils ont tous droit à un invité et, ce qui est assez naturel, cet invité est le plus souvent une fille. Mais comme ces femmes sont parfois les épouses ou fiancées des habitants du pays, on ne peut empêcher le mari ou le fiancé de l'avoir saumâtre en voyant la dame de son cœur tourbillonner dans les bras d'un soldat, ce soldat serait-il un héros américain[109]. »

La presse féminine française fait, elle aussi, écho aux rencontres et mariages avec les GI's. La colonne des lettres à l'éditeur abonde en demandes de conseils : « Dois-je épouser un étranger ? » questionne une lectrice dans le numéro de septembre 1945 de *Marie-France*[110]. Une petite blonde en souffrance écrit : « Il y a deux ans, un Américain s'est fiancé avec moi. Mes parents étaient consentants. Je ne reçois plus rien de lui. Je sais qu'il est vivant. Puis-je savoir ce qu'il est devenu[111] ? » En mars 1946, *Elle* publia des photos de *war brides* françaises arrivant à New York, accompagnées de ces mots : « Sommes bien arrivées, vous embrassons. Les Françaises de GI[112]. »

Après la contraction des mariages et l'établissement des jeunes épousées aux États-Unis, les milieux officiels français s'inquiétèrent de leur rapatriement éventuel aux frais du gouvernement. La correspondance conservée aux archives du Quai d'Orsay montre effectivement que dès le mois d'août 1946, la Compagnie générale transatlantique a reçu des demandes de rapatriement de la part de plusieurs consulats français aux États-Unis. Il y est fait allusion à la déception des épouses devant leur mari et leur belle-famille, ainsi qu'à leur situation financière précaire[113].

Entre août 1946 et janvier 1947, eut lieu un échange de lettres et de notes entre les représentants français à Washington et le ministère des Travaux publics et des Transports, ainsi que le ministère des Affaires étrangères, sur ce sujet et sur la prise en charge du voyage. L'ambassadeur Henri Bonnet écrivit au président du Conseil, Léon Blum, en janvier 1947, pour lui demander un budget d'environ vingt-cinq mille dollars et l'avertir qu'il avait reçu une cinquantaine de demandes de jeunes épouses déçues, et qu'il en attendait une centaine pour l'année suivante. Même s'il comprenait la charge financière que cela représentait, l'ambassadeur estimait « qu'il est difficile pour la France de laisser sans secours des compatriotes en détresse. Ces jeunes femmes sont souvent très dignes d'intérêt et généralement mères d'un ou deux enfants qui sont également français[114]. »

Mais ces cas étaient rares : cent cinquante retours au pays sur six mille départs. Et même si certaines rentrèrent au pays par leurs propres moyens, on peut supposer que la majorité d'entre elles se trouvait bien aux États-Unis. Dans sa lettre, l'ambassadeur Bonnet reconnaissait que « la plupart se sont adaptées facilement à la vie américaine[115] ». Des photos parues dans *Marie-Claire* en 1954 montraient ainsi une *war bride* française en train de préparer un repas dans sa cuisine américaine, puis à table avec son mari et ses enfants, devant leur nouveau poste de télévision[116].

Les comparaisons entre les deux pays étaient inévitables. *Elle* publia en 1946 une liste de ce que les Françaises appréciaient aux États-Unis et de ce qui leur manquait[117]. Ce qu'elles aimaient ? Le côté pratique de la vie quotidienne, les grands appartements, les laveries automatiques, les catalogues de commande par correspondance, les boîtes et produits de conserve, le système de crédit et l'hospitalité américaine. Ce qui leur manquait ? Le style de vie à la française, les bistrots, les terrasses de café, les plats mijotés, les gâteaux faits maison, la conversation, les écoles françaises, les films français et autres formes de distraction.

*
* *

On ne peut clore cette saga des *mademoiselles* épousant des soldats américains sans écouter le récit que ces femmes-elles mêmes en ont donné. Adepte de l'histoire orale, je crois que les témoignages personnels apportent un complément valide à ce que les archives nous révèlent. Non seulement, ils permettent aux participants de ce vécu de le partager, mais ils rendent l'histoire plus proche et plus vivante pour l'auditeur ou le lecteur. En outre, tout le monde aime écouter une histoire, et une « histoire honnête captive d'autant mieux qu'elle est dite simplement ». Évidemment, les souvenirs ne donnent pas toujours une version exacte des faits. Certaines personnes âgées, pas toutes, ont du mal à se rappeler leur passé, et leur témoignage ne permet pas toujours d'avoir « une vision d'ensemble » des choses. Néanmoins, à mes yeux, les différentes perceptions des événements et les sentiments qu'ils ont suscités ont aussi leur place dans l'histoire racontée. En me narrant leur histoire, les femmes qui ont vécu la Seconde Guerre mondiale et ensuite émigré apportent une point de vue sur ces expériences qui, jusqu'à tout récemment, manquait dans les livres d'histoire.

Les récits de première main publiés ici ont été choisis dans un ensemble de vingt-cinq interviews que j'ai menées pendant six ans avec des épouses de guerre françaises qui se sont mariées après la Seconde Guerre mondiale. Je suis très contente d'avoir pu également interviewer les filles de trois *war brides* de la guerre de 14-18. De ces vingt-huit femmes, neuf venaient de Paris, trois de Normandie, trois de Nouvelle-Calédonie, deux de Lorraine, deux du Périgord, deux de Marseille, deux d'Algérie, enfin une respectivement du Nord, des Ardennes, du Poitou, du Limousin et de la Côte d'Azur.

La majorité (treize) de celles que j'ai interviewées habitent en Californie, bien que, comme beaucoup d'habitants de cet État, elles aient vécu ailleurs auparavant. Et, fait intéressant, j'ai découvert tout à fait par hasard en Californie, une petite « colonie » d'épouses de guerre françaises originaires de Nouvelle-Calédonie, qui semblent toutes se connaître. Parmi les autres femmes de mon échantillon, quatre habitent dans le Michigan, trois à Washington, et une dans chacun de ces États : le New Jersey, l'Iowa, l'Illinois, le Kentucky et l'Arkansas. Deux sont retournées vivre à Paris. Pour la génération de la Première Guerre mondiale, leurs filles habitent dans l'Ohio, en Pennsylvanie et à Paris.

C'est un effet boule-de-neige qui m'a permis de trouver ces femmes. Je disais autour de moi que je m'intéressais aux *war brides* françaises des deux guerres mondiales. Or, il s'est trouvé que la mère d'une amie en était une, ainsi que la sœur et la voisine de deux autres. Après avoir placé une annonce dans le *Journal français d'Amérique*, aux consulats français et aux Alliances françaises de San Francisco, Los Angeles, New York et Washington, j'ai voyagé aux États-Unis pour interviewer les femmes qui m'avaient répondu. Mes contacts avec la communauté française de Detroit m'ont amenée à celles qui vivent dans le Michigan. En outre, les femmes interviewées m'ont communiqué le nom d'autres personnes et ont amené d'autres contacts.

Je sais bien, évidemment, qu'un échantillon de vingt-cinq épouses de guerre de la Seconde Guerre mondiale sur six mille n'est pas significatif d'un point de vue quantitatif. Mon objet n'était pas de faire une analyse systématique. Mais plutôt d'interviewer des femmes de diverses régions de France, issues de milieux différents et aux expériences variées, afin de mieux comprendre ce que cela représentait d'être une jeune épouse de guerre et de s'adapter à une nouvelle vie en Amérique à la fin des années quarante. J'ai pu recueillir des témoignages de trois filles d'épouses de guerre du conflit de 1914-18, mais je regrette que me manquent des récits de Françaises ayant épousé des GI's de couleur, ou quelques témoignages de celles qui, déçues, sont rentrées en France presque immédiatement après leur arrivée.

Environ la moitié de ces femmes ont divorcé, mais, sauf trois, elles sont restées aux États-Unis. Certaines se sont remariées avec des Américains, d'autres sont demeurées célibataires. Plusieurs m'ont avoué qu'il leur avait été impossible de rentrer en France après la dissolution de leur couple. Très souvent en effet, elles s'étaient mariées malgré la désapprobation de leurs parents et amis. Revenir, c'était reconnaître qu'elles avaient fait une énorme erreur et affronter les reproches de leurs proches. Elles sont donc restées en Amérique, et comme le dit l'une d'elles, elles se sont « débrouillées ».

« Se débrouiller », c'était souvent affronter les difficultés conjugales et les reproches de la belle-famille, c'était s'adapter à une autre culture, une autre langue et adopter une nouvelle nationalité. Bien qu'issues pour la plupart de milieux modestes et plutôt stricts, les femmes de ce livre ont dû se battre contre les stéréotypes de la Française « *Ooh-la-la-Girl* » (dévergondée) ou de la séductrice en quête d'un riche mari américain*.

Ces *war brides* ne sont ni des personnages connus ni des héroïnes, mais simplement des femmes ordinaires qui ont eu la vie dure, mais qui ont survécu malgré les obstacles.

---

* Dans le film récent de Steven Spielberg, *Catch Me If You Can* (« Arrête-moi si tu peux », 2002), la mère (Nathalie Baye) du héros (Leonardo DiCaprio), est une *war bride* que le père (Tom Hanks) a rencontrée en France juste après la Seconde Guerre mondiale. Le portrait qui en est fait correspond tout à fait au stéréotype de la « chasseuse d'homme riche ».

NOTE SUR LES ENTRETIENS, LE LANGAGE ET L'ÉCRITURE DES RÉCITS

Les récits de ce livre sont tous basés sur des interviews enregistrées au magnétophone[*]. À l'exception de quelques-uns, réalisés au téléphone ou dans un lieu public, j'ai mené ces entretiens au domicile des personnes interrogées. M'appuyant sur les « principes » établis par l'Association américaine d'histoire orale *(Oral History Association)* et l'Association internationale d'histoire orale (*International Oral History Association*, IOHA), je leur ai expliqué mon projet en leur demandant de signer, avant ou après l'entretien, une autorisation de publication. Pendant les années qui ont suivi, ces femmes et moi sommes restées en contact. Elles ont pu, par la suite, lire le récit les concernant et corriger les erreurs ou imprécisions éventuelles.

Malgré le fait que j'ai mené presque toutes ces interviews aux États-Unis, seules quatre d'entre elles l'ont été en anglais. En apprenant que je vivais à Paris et que j'avais épousé un Français, la plupart de ces femmes ont préféré s'exprimer dans leur langue maternelle, Même si elles maîtrisaient toutes l'anglais, cela leur a semblé plus naturel, surtout lorsqu'il s'agissait de leur passé. J'ai également eu l'impression que, du fait que je vive en France et que je parle leur langue couramment, le recours au français pendant l'entretien créait un certain

---

[*] J'espère qu'un jour les cassettes et leurs transcriptions seront versés dans un établissement ayant des archives d'histoire orale.

lien entre nous : elles me considéraient comme l'une d'entre elles, et me jugeait donc plus capable de les comprendre que quelqu'un de l'extérieur.

D'un point de vue linguistique, il serait intéressant de mener une étude sur des interférences entre les deux langues à partir des cassettes originales et de leur transcription. En effet, les quatre femmes qui m'ont parlé en anglais utilisaient souvent une construction syntaxique et un vocabulaire français. De même, celles qui se sont exprimées en français avaient souvent recours à un équivalent anglais quand elles ne connaissaient pas, ou avaient oublié, un terme ou une expression. En outre, beaucoup d'entre elles faisaient des fautes de temps et de syntaxe, sans doute provoquées par leur pratique de l'anglais.

Les femmes que j'ai interviewées aux États-Unis parlaient donc chacune leur propre version de *franglais*. Parfois, elles parsemaient l'entretien d'expressions ou de mots dialectaux, ou de termes datant des années cinquante ou soixante et aujourd'hui démodés. À d'autres moments, elles avaient recours à l'argot américain ou à des « américanismes ». Aucune d'elles ne faisait le même genre de fautes, et je suis pratiquement sûre qu'elles ne se rendaient pas compte de leurs emprunts ou de leur utilisation particulière de l'autre langue. En tant qu'intervieweur et correcteur, par la suite, des transcriptions, j'ai eu la chance de connaître les deux langues et les deux cultures et de pouvoir ainsi, lorsque c'était nécessaire, « déchiffrer » ce qu'elles me disaient.

Pour faciliter la lecture de ce livre, j'ai mis en italique les termes et expressions de l'« autre » langue en les traduisant entre crochets. Parfois, lorsqu'ils étaient compréhensibles, j'ai laissé un mot ou une expression incorrects tels qu'ils étaient utilisés, suivis de : *(sic)*. Ou encore, j'ai expliqué ces mots et expressions dans des notes infrapaginales. Enfin, à plusieurs reprises, j'ai jugé nécessaire de remplacer le terme utilisé dans la transcription par un autre plus approprié.

Un aspect de la langue absent des transcriptions et des récits est l'accent de ces femmes. Même après un demi-siècle passé aux États-Unis, la plupart d'entre elles ont gardé un accent français très prononcé. En effet, acquérir l'accent d'une autre langue est une entreprise très difficile, surtout quand les gens du pays d'adoption vous disent que votre accent français (ou mon accent américain, dans mon cas !) est « charmant » et qu'il ne faut pas le perdre. Mais cet accent peut provoquer des difficultés, comme plusieurs de ces femmes l'expliquent dans leur récit. Soit qu'il crée un sentiment de différence, soit qu'il interdise d'être pris au sérieux, avec pour conséquence le risque d'être classé, stéréotypé ou caricaturé. Et finalement, il peut empêcher une assimilation complète dans la nouvelle culture.

J'ai moi-même transcrit les quatre interviews en anglais. Deux Françaises compétentes se sont chargées des autres. Les transcriptions terminées, je les ai vérifiées en réécoutant les cassettes. Puis, j'ai arrangé l'information dans un ordre essentiellement chronologique, supprimé mes questions, corrigé certaines fautes de vocabulaire et de syntaxe, et effacé les répétitions et les tics (« tu sais », « hum », etc.).

Puis, à partir de ces transcriptions, j'ai réécrit chaque récit en laissant les femmes raconter leur histoire selon leurs propres mots, sans commentaire ni intervention de ma part. Le choix de la première personne est délibéré. Je voulais que le lecteur connaisse chaque femme personnellement et qu'il perçoive sa personnalité dans sa façon de raconter sa vie et ses aventures.

Lorsque les femmes ont eu des trous de mémoire ou commis un lapsus, je les ai représentés par une ellipse entre crochets. Parfois, je me suis permis de combler les mots manquants, entre crochets, par des termes qui me semblaient correspondre au fil de la pensée de mon interlocutrice. Certaines femmes ont, de temps à autre, cédé à la « vantardise » (par exemple, « J'étais l'épouse de guerre la plus jeune du bateau. ») ou ont commis des erreurs (dans les dates, les noms ou les événements). Quand j'ai pu vérifier les faits, j'ai ajouté une note infrapaginale, et de même quand il m'a semblé nécessaire de préciser certains éléments historiques ou culturels.

Enfin, en général, les prénoms des femmes interviewées ont été conservés, mais leurs noms de famille anonymisés, par respect pour leur vie privée et celle de leurs proches.

REMERCIEMENTS

Je tiens à remercier ici toutes les « sacrées femmes » que j'ai interviewées, qu'elles figurent ou non dans ce recueil ; ma merveilleuse traductrice et amie, Annick Baudoin ; Maguy L. et Nathalie M., qui ont magnifiquement transcrit la plupart des cassettes ; Marie-Pierre Robert, pour ses conseils précieux ; les membres de mon groupe d'écriture, de Open Source et de SIE-TAR France pour leurs encouragements ; mes collègues de l'IUT de Sceaux pour leur soutien ; Bernard Vincent, pour ses suggestions éclairantes ; l'Association AAWE, qui m'a récompensée par le Prix AAWE en 2002 – grâce à leur aide financière, j'ai pu terminer cet ouvrage ; Tom pour sa patience et sa compréhension ; *last but not least,* Éric, Sébastien et Marc, pour leurs encouragements et leur amour filial.

RÉCITS D'ÉPOUSES
DE LA PREMIÈRE GUERRE MONDIALE

« SAINT JOSEPH ÉTAIT AVEC NOUS... »

Madeleine M. est une war bride *de la Grande Guerre qui a rencontré son* doughboy *de mari le jour de la fête de saint Joseph. Elle vivait encore en 1996 et habitait à Philadelphie, où j'ai d'abord pris contact avec sa fille, Thérèse H., par téléphone. Comme Madeleine avait quatre-vingt-dix-sept ans, qu'elle était en mauvaise santé et ne pouvait soutenir un entretien prolongé, Thérèse m'a suggéré de lui envoyer un questionnaire écrit qu'elle soumettrait à sa mère à un bon moment. C'est ce que j'ai fait, et Thérèse a très gentiment interviewé sa mère à ma place. Elle a rempli le questionnaire et me l'a renvoyé en février 1997. Madeleine est décédée deux mois plus tard. Thérèse et moi avons été en contact récemment, et elle m'a fourni des renseignements complémentaires, y compris quelques extraits de lettres que Madeleine a écrites il y a de nombreuses années. Comme sa mère avant elle, Thérèse est elle-même mère d'une famille nombreuse. Voici l'histoire que j'ai reconstituée sur Madeleine, racontée par sa fille Thérèse.*

Ma mère est née en août 1898 à Clermont-Ferrand. Son père était capitaine commandant dans la cavalerie française, et sa famille était mutée quelque part en France tous les deux ans, mais elle a passé la plupart de ces années dans le Sud, à Montauban. Pendant la Grande Guerre, elle a vécu à Angers, et après la guerre, elle est retournée à Clermont-Ferrand, d'où sa famille était originaire. Elle avait quatre frères et trois sœurs, mais deux de ses frères sont morts très jeunes.

Elle est allée au lycée et a étudié deux ans aux Beaux-Arts. Pendant la guerre, elle a donné des leçons à un enfant qui avait des difficultés de prononciation et a enseigné le catéchisme à des petits de cinq et six ans. Elle a rencontré son mari, Kenrick, en 1919 à Royat, une petite ville proche de Clermont-Ferrand. Il venait d'une famille irlandaise de Philadelphie et avait fait ses études à l'université de Pennsylvanie. Il avait été mobilisé dans l'armée, dans le 312ᵉ régiment d'artillerie de campagne. Pendant qu'il était en poste près de Clermont-Ferrand, lui et un de ses amis sont venus dîner chez ma grand-mère tous les soirs pendant environ trois mois. Mon grand-père était déjà mort à ce moment-là.

Ma mère a écrit le texte suivant il y a longtemps :

« Toute la ville de Clermont, ainsi que les villes avoisinantes, comme Royat, étaient occupées par les troupes américaines.

« La guerre continuait, tout le monde parlait d'un armistice, qui ne fut finalement signé que le 11 novembre 1918. Le 19 mars 1918, le jour de la fête de saint Joseph, j'ai dû descendre du premier étage au rez-de-chaussée pour payer le charbonnier. La propriétaire me parla de deux soldats américains qui voulaient quelque chose, mais elle ne savait pas quoi. Elle me les présenta. Ils avaient déjà pris possession d'une chambre qu'ils louaient au premier étage. La propriétaire pensait que je pourrais peut-être comprendre ce qu'ils voulaient. À grand mal *(sic)*, Ken et son ami, Joe Muldowney, réussirent à m'expliquer qu'ils cherchaient un endroit où prendre régulièrement leur repas, de préférence dans une famille. Mes connaissances en anglais étaient presque nulles, surtout en conversation. Ils m'ont montré leur chapelet en guise de référence.

« Je ne sais pourquoi, j'ai senti que c'était des gens bien, honnêtes et sincères. Après ces laborieuses explications, j'ai pu dire à ma mère de quoi il s'agissait, et elle a accepté que ces deux garçons prennent leurs repas chez nous. Évidemment, saint Joseph était avec nous dans cette décision.

« Entre-temps, ils sont allés à l'université de Clermont pour y apprendre rapidement le français. Nous ne cuisinions pas très bien, la bonne que nous avions avec nous à cette époque non plus. Mais nous avons passé de bons moments à jouer du piano, à chanter, lire, faire des promenades en montagne, visiter des lieux intéressants, toujours accompagnés par un membre de la famille.

« Nous sommes allés visiter la taillerie de Royat avec sa collection de pierres semi-précieuses, taillées sur les lieux et ramassées dans les mines d'Auvergne. Entre autres, l'améthyste, le lapis-lazuli, l'"œil-de-chat" et de très beaux granits. L'améthyste est une variété de quartz, de couleur violette et portée par les évêques. Le lapis-lazuli (mot arabe) est bleu azur. L'œil-de-chat est une pierre où se mêlent plusieurs teintes entre le vieil or et le vert. Le granit est une roche qui se forme lors d'une éruption volcanique. Une fois, Ken a vu le panneau : "Taillerie de Royat". Pour lui, le mot avait à voir avec "tailleur". Aussi, il s'est dit qu'il pourrait faire réparer *(sic)* son costume. Vous imaginez sa surprise lorsqu'en entrant, il a vu partout des pierres semi-précieuses taillées ou en train de l'être. Il a été déçu de voir qu'il ne pourrait faire réparer son costume en cet endroit.

« Quand Ken et son ami Joe Muldowney étaient avec nous, Ken ne semblait pas faire particulièrement attention à moi, aussi j'ai été très surprise quand il m'a demandé de l'épouser ! Je n'étais pas sûre d'avoir bien compris, je ne me souviens plus dans quelle langue il a parlé, anglais ou français. J'ai répondu que j'en parlerai à ma mère, parce que je ne prendrai jamais une pareille décision sans au moins la mettre au courant. Elle a évidemment été d'accord, mais nous nous demandions si c'était raisonnable. Personne ne savait combien de temps la guerre allait durer.

« Ken était apprécié de toute la famille. Cependant, comme cela se faisait et que c'était nécessaire, il fallait prendre des renseignements sur lui et sa famille auprès de personnes qui le connaissaient bien, surtout qu'il s'agissait de quelqu'un venant d'un autre pays, si lointain. Ma mère écrivit à sa paroisse de Philadelphie, d'où nous avons reçu un excellent rapport. Un saint prêtre de Clermont, l'abbé Germain, le connaissait bien. Il nous a dit que Ken était de loin le meilleur soldat américain qu'il ait rencontré. Il avait même pensé qu'il pourrait avoir la vocation de devenir prêtre.

« Ken et son ami prirent leur repas chez nous pendant environ trois mois, puis ils furent envoyés autre part et enfin repartirent pour les États-Unis. Nous nous sommes promis de nous écrire, ce que nous avons fait. Il devait revenir l'année suivante,

en juin 1920, pour notre mariage à Royat. Ken avait alors vingt-
six ans et j'en avais vingt-deux. La mère de Ken est venu à
notre mariage qui a été célébré au Sacré-Cœur, une simple
église proche de notre appartement. »

Avant de se marier à l'église, mes parents se sont mariés à la
mairie de Clermont-Ferrand. Puis, ils sont partis avec ma
grand-mère paternelle sur le *Rochambeau* pour l'Amérique.
Comme ma grand-mère ne parlait pas du tout le français, et ma
mère pas très bien l'anglais, mon père faisait l'interprète entre
elles deux. Ma mère écrit ceci à propos de son voyage à Paris :

> « En route pour Paris, avant de prendre le transatlantique
> pour les États-Unis, nous avons été invités à un dîner très
> conventionnel chez mon oncle Charles de Chalaniat, le cousin
> germain de ma grand-mère Charlotte. Ken et sa mère furent
> très impressionnés d'être reçus comme des rois. Nous fûmes
> servis à table par son valet, qui portait une livrée et des gants
> blancs, nous passait d'innombrables plats en changeant
> d'assiette à chaque fois. »

Ma mère dit qu'elle a été merveilleusement reçue aux États-
Unis. Les gens ont été très gentils envers elle, mais elle a
trouvé que la ville de Philadelphie était vraiment laide. Les
maisons n'étaient pas jolies, comparées aux françaises, et ce
n'était pas un lieu artistique. Pendant deux ans, mes parents ont
vécu chez mes beaux-parents dans une de ces maisons toutes
semblables, alignées en rangées et attenantes les unes aux
autres, au sud-ouest de Philadelphie, et je crois que cela a été
dur pour elle. Sa belle-mère s'est révélée très difficile.

Mes parents voulaient beaucoup d'enfants, et ma mère m'a
dit qu'ils se sont inquiétés quand, au bout d'un an et demi, ils
n'ont rien vu venir. Mais une fois qu'ils ont commencé, la
famille n'a cessé de s'agrandir sans problème. Mes parents ont
eu neuf enfants, mais pas les douze qu'ils désiraient ! Ma mère
n'a jamais compris pourquoi les femmes veulent se faire avor-
ter. Elle trouvait que les gens ne se rendent pas compte qu'ils
renoncent à leur propre bonheur pendant leur vieillesse en tuant
des enfants non nés.

Mon père a toujours été un vrai *gentleman*, qui ne parlait jamais durement et ne jurait jamais. Il avait beaucoup d'autorité sur ses enfants sans jamais se mettre en colère ou perdre le contrôle de lui-même. Il s'occupait beaucoup de nous à la maison, bien avant que ce soit la mode de le faire. Il croyait en l'économie de l'énergie et ne nous laissait pas gaspiller l'eau, l'électricité, la nourriture, etc. Il était partisan du recyclage avant que le gouvernement ne l'encourage.

Nous n'avions pas le droit de parler anglais à la maison. Ma mère voulait que nous apprenions le français, car elle savait que nous aurions toutes les occasions possibles d'apprendre l'anglais. Ses oreilles se dressaient dès que l'un de nous ne parlait pas français. Elle pouvait être au grenier tandis que nous étions à la cave, elle nous entendait et elle criait : « Parlez français ! » Je crois que mes frères et sœurs plus âgés parlaient mal anglais quand ils ont commencé l'école.

Nous habitions dans une maison à trois niveaux, plus un grenier et une cave. J'étais la petite dernière, et quand je suis née, ma sœur aînée s'apprêtait à se marier et mon frère aîné à entrer dans la marine. Avant de pouvoir me rendre compte de ce qui se passait autour de moi, un autre de mes frères est parti pour l'armée. Je ne me rappelle donc pas que toute la famille ait vécu au complet.

Ma mère m'a appris à coudre quand j'avais dix ans. J'adore coudre et je le fais depuis ce moment-là. Mon père et elle m'ont inscrite dans un cours de danse quand j'avais huit ans, et j'ai été danseuse professionnelle jusqu'à ce que je sois enceinte de cinq mois de mon premier enfant. Ma mère m'a aussi appris à aimer les langues, et heureusement, je parle encore assez bien français pour me sentir à l'aise quand je rends visite à mes cousins en France et que je parle avec eux. Je n'aimais pas être « différente » quand, enfant, je DEVAIS parler français, mais j'en suis reconnaissante maintenant.

Tandis que nous, les enfants, nous grandissions, Maman n'a pas pu voyager, aussi c'est sa famille qui est venue nous voir. Elle n'est retournée en France pour la première fois qu'en 1946 et plusieurs fois ensuite. La France et sa famille lui manquaient beaucoup, mais elle a appris à se débrouiller et à se faire des amis aux États-Unis. Je ne crois pas qu'elle ait rencontré d'autres épouses de guerre, mais elle connaissait des Français par l'intermédiaire de l'Alliance française. Elle s'est tout de suite mise à enseigner le français parce qu'elle ne parlait pas bien l'anglais. Ses premiers étudiants et elle sont restés amis pendant toute leur vie. Ensuite, elle a enseigné le français dans des écoles privées et échangé des cours de français contre des cours d'art.

Ma mère a reçu la nationalité américaine en 1920 et elle a toujours voté républicain. Elle est morte à l'âge avancé de quatre-vingt-dix-huit ans le 7 avril 1997. Je crois qu'elle se sentait américaine parce qu'elle a vécu presque toute sa vie aux États-Unis. Mais elle se sentait aussi française, parce que son éducation est toujours restée une partie d'elle-même.

UNE JEUNE FEMME ENTREPRENANTE

C'est grâce à une relation commune que j'ai pu interviewer par téléphone Myriam H., la fille de Marie-Jeanne J., war bride *de la Première Guerre mondiale. Mme H. m'a aussi fait parvenir beaucoup de documents sur sa mère : des copies de photos, d'articles de journaux, de lettres écrites par elle. Et le musée historique de Fremont, dans l'Ohio, m'a fourni des documents sur son père,* doughboy *en France et en Italie en 1918. Voici l'histoire d'une femme remarquable racontée par sa fille.*

Ma mère est née à Fontan, à côté de Saorge, dans les Alpes-Maritimes, le 3 juillet 1898. Son père, mon grand-père, originaire du pays Basque, travaillait à la douane à la frontière franco-italienne lorsqu'il a rencontré ma grand-mère. Ils ont ensuite emménagé à Nice. Ma grand-mère faisait de lui tout ce qu'elle voulait, mais il se croyait le maître de la maison. Ils ont eu trois filles, qui ont été élevées très strictement. Elles ne sortaient jamais seules de la maison. Elles ont étudié chez les sœurs, et quelqu'un les emmenait à l'école et allait les chercher.

Ma mère s'appelait Marie-Jeanne. Elle était archi-intelligente. Après avoir fait des études en France et en Italie, elle a enseigné, de 1917 à 1919, le français, l'italien, les mathématiques et la psychologie à Nice. Et c'est à Nice, en 1919, qu'elle a rencontré mon père.

Mon père venait de Fremont, dans l'Ohio. Ses amis l'appelaient « Shorty ». Son père, mon grand-père, était propriétaire de la grande quincaillerie de Fremont. Papa, qui, selon un article d'un journal local de l'époque, était un garçon très aimé et faisait partie de la *Sunday School* [le catéchisme] de l'Église méthodiste locale*, avait commencé des études universitaires à l'université d'Oberlin**. Mais vers 1916, il s'est engagé comme soldat dans la compagnie K. Après avoir servi à la frontière entre le Texas et le Mexique, dans le sixième régiment, il a été fait officier et engagé, avec plusieurs autres jeunes gens, dans l'aviation. Après sa formation aux États-Unis, il a été envoyé avec dix autres militaires en Italie pour y recevoir des instructions du corps de l'armée aérienne italienne. Il a ensuite combattu en France. Dans une lettre au journal de Fremont datée du 10 avril 1918, il écrivait :

> « Cela fait bien longtemps depuis que j'ai vu la Statue de la Liberté disparaître à l'horizon – huit mois exactement... Un jour, quand j'aurai vu un peu plus la France, je vous raconterai mes impressions sur ce pays. Pour ce qui est de maintenant et de ce que je fais, je ne peux rien vous dire à cause de la censure très stricte pratiquée ici, simplement que j'ai fait mes premiers vols en Italie... Je m'amuse tant avec le petit avion que je pilote en ce moment que je suis content d'être venu... Faire un looping est quelque chose de ringard ici et ce n'est pas exigé. Une des acrobaties est le vol piqué en vrille, ce qui est plus ou moins dangereux ou pas toujours voulu. Aussi nous avons baptisé le camp « *the land of the vrille and the home of the grave**** [« la terre de la vrille et la maison de la tombe »]. »

Pendant qu'il était en poste à Foggia, en Italie, Papa a eu un accident d'avion. Il y avait du brouillard, son avion a atterri sur le haut d'un arbre et Papa a été blessé. Après un séjour à l'hôpital en Italie, il a été envoyé en convalescence, en R et R *[Rest and Recuperation]*, à Nice. Papa et Maman se sont rencontrés

---

* L'Église méthodiste réunit depuis 1937 les Églises nées du mouvement du Réveil, au sein de l'anglicanisme, au XVIIIᵉ siècle.
** Oberlin College est une université très connue pour son conservatoire de musique. John Kender, auteur de la bande originale de la comédie musicale *Chicago*, y a fait ses études.
*** Jeu de mots sur *« Land of the Free and Home of the Brave »*, paroles de l'hymne national américain.

là-bas à une grande réception donnée pour des soldats américains par le colonel et Mme Hayes. La famille Hayes venait
aussi de Fremont, et un des Hayes, celui qui a été président des
États-Unis*, habitait tout près de chez mes grands-parents.

C'est toute une histoire, comment ma mère a pu aller à cette
réception. Comme je disais, ma mère et mes tantes ne sortaient
jamais seules. Un soir, mon grand-père les emmène au carnaval
du mardi gras à Nice. Maman trouve un petit porte-monnaie par
terre, avec quelques bricoles dedans, et aussi la carte d'une certaine Mme Hamilton avec le nom de son hôtel à Nice. Le lendemain, mon grand-père emmène sa fille, ma mère, à cet hôtel
rendre le porte-monnaie. Maman est très belle, très intelligente,
elle parle couramment l'anglais. Mme Hamilton la trouve char-
mante. Elle demande à mon grand-père : « Est-ce que votre fille
ne pourrait pas venir prendre le thé avec moi de temps en
temps ? »

Puisque Mme Hamilton est une dame très distinguée, il
accepte. Du coup, Maman va de temps en temps discuter avec
Mme Hamilton. Peu après, Mme Hayes demande à son amie
Mme Hamilton, si elle connaît des jeunes filles françaises qu'elle
peut inviter à sa réception pour les soldats américains.
Mme Hamilton lui dit : « J'en connais une, mais cela m'étonne-
rait que son père permette qu'elle assiste à cette réception. Je
peux toujours demander. » Puisque mon grand-père trouve
Mme Hamilton très bien et puisqu'il n'a aucune idée de ce qui
va se passer, il permet à Maman d'aller à la réception.

Et c'est là que mes parents se sont connus. Maman était très
vivante, très vive. Elle avait des yeux verts très foncés, des
cheveux très noirs, une peau absolument ravissante, et de belles
dents blanches. Mon père est immédiatement tombé éperdu-
ment amoureux.

Alors, le lendemain, voilà mon père devant chez mes
grands-parents, avec des douzaines de roses dans les bras. Ma
grand-mère ouvre la porte et voilà ce jeune homme avec des
fleurs. C'était très mal pris, vous pensez, à l'époque ! Enfin, on
l'a laissé rentrer, je ne sais pas comment cela s'est passé. Papa

---

* Rutherford B. Hayes, président républicain des Etats-Unis (1877-1881).

est retourné en Italie, et il a commencé à écrire à Maman. Mais mon grand-père lisait les lettres avant de les donner à sa fille. Et puis, après quelque temps, ma grand-mère s'est mise du côté de Maman. Elle guettait le facteur et interceptait les lettres afin de les donner à Maman. Et le roman s'est donc poursuivi comme ça.

Je ne sais pas exactement combien de temps tout cela a duré. Probablement près d'un an. Finalement, il l'a demandée en mariage. Je pense, mais je n'en suis pas sûre, qu'il a réussi à venir à Nice plusieurs fois. Mais jamais mes parents n'ont été seuls, jusqu'au jour de leur mariage. À vrai dire, ma mère était destinée au fils d'une famille amie qui devait devenir ambassadeur. Et mon grand-père avait déclaré : « Jamais ma fille n'épousera un soldat américain. Pas question. » Mais Maman a dit : « Mais non, c'est celui-là que je veux, je veux mon petit soldat américain. » Alors, toute la famille s'y est mise pour essayer de convaincre mon grand-père, mais avant, mon grand-père a exigé que mon père lui donne une lettre, une lettre de référence de sa famille à Fremont et de son église. Papa venait d'une famille protestante très pratiquante. Ils étaient tous méthodistes.

Donc, tout ça s'est poursuivi et le mariage a eu lieu le 4 août 1919 à Nice. Maman avait dix-neuf ou vingt ans, et Papa, cinq ans de plus. J'en ai une merveilleuse photo. On y voit une famille française très distinguée, toute la *wedding party*. Papa est en uniforme, les hommes portent des hauts-de-forme et des redingotes.

Et puis, au mois de septembre, ils sont partis sur un bateau avec beaucoup d'autres couples pour New York. Ils sont arrivés à New York avec d'autres soldats et leurs femmes françaises. Je me souviens d'une petite histoire. Puisque les garçons avaient parlé à leurs femmes de *corn on the cob*[*], ils ont décidé d'aller un restaurant déguster du maïs. Et ils ne disent rien, ils veulent voir comment leurs femmes s'y prendront. Le *corn on the cob* arrive. Aucune des femmes n'en avait jamais vu, parce qu'on ne mange pas de *corn on the cob* en France. Maman

---

[*] Épis de maïs bouillis, servis entiers et nappés de beurre fondu.

prend son courage à deux mains, elle essaie d'attraper l'épi de maïs avec sa fourchette. Mais l'épi se met à rouler, rouler, rouler jusqu'au bout de la table. Et, bien sûr, tout le monde éclate de rire.

Mes parents se sont installés à Fremont. Ils ont été accueillis au début chez mes grands-parents paternels. Maman a dû tomber enceinte dès le premier mois, parce je suis née dix mois plus tard. Son premier hiver chez mes grands-parents n'a pas dû être facile. Mais selon mes eux, elle ne s'est jamais plainte de quoi que ce soit. D'ailleurs, si je me souviens bien, la seule chose américaine dont Maman se soit jamais plainte dans sa vie était la sauce pour la viande : « *American gravy tastes like library paste* » [« La sauce américaine a un goût de colle de bibliothèque »], elle disait.

Papa est devenu *airmail pilot* [pilote d'avion postal]. Il a inauguré la ligne entre Chicago et Kansas City. À l'époque, piloter un avion postal, c'était vraiment très dangereux. Au début, ma mère a accepté, mais un soir, quand il n'est pas revenu à l'heure, elle lui a fait une scène. Elle est arrivée à le persuader d'abandonner ce travail. Surtout parce qu'elle allait avoir un enfant. À la fin de l'hiver, ils ont eu leur petite maison à eux, et puis moi je suis née au mois de juin.

Papa a été *City Service Director* [directeur des services municipaux] pendant des années. Plus tard, pendant la Seconde Guerre mondiale, il s'est encore engagé, mais pas comme pilote, comme administrateur chez McDonnell à Memphis, dans le Tennessee, où ils fabriquaient des avions. Papa était un vrai ange. De toute sa vie, je ne l'ai jamais entendu critiquer qui que ce soit, et je ne l'ai jamais vu se mettre en colère. Il n'était pas mou, pas du tout, non au contraire. Il avait de la personnalité. Et s'il se laissait faire par ma maman, c'est parce qu'il l'admirait et l'aimait. Il avait aussi un sens très fin de l'humour L'histoire préférée de ses amis à Fremont était celle-ci : un jour Maman ferme la portière de la voiture, et mon père lui dit : « *Wait a minute, please, Sweetheart. You got my hand in the door* » [« Attends une seconde, s'il te plaît, ma chérie. Tu m'as coincé la main dans la portière »].

Il y avait trois autres *war brides* à Fremont, dont une qui a eu son enfant trois mois après maman. Elles devaient être à peu près une douzaine de *war brides* dans la région, parce que je me souviens qu'elles se réunissaient de temps en temps, et elles nous emmenaient, les enfants. On jouait ensemble pendant que les mamans prenaient le thé ou déjeunaient. Elles voulaient surtout se voir pour parler français et faire connaître un peu la France à leurs enfants. Elles n'étaient peut-être pas toujours heureuses, mais en tout cas, elles n'étaient pas battues. Parmi tous les maris, aucun n'était une brute dans ce petit groupe que j'ai connu. Je me rappelle qu'il y avait une *war bride* qui s'appelait Paulette. Elle était très jolie, très gaie. C'était une vraie allumeuse, une vraie *flirt*. Elle s'est mariée deux fois.

Nous, les trois familles de Fremont, sommes restées très liées. France, la fille qui est née trois mois après moi, est devenue une très bonne amie. La pauvre, toute sa vie elle a souffert de son prénom, surtout parce que sa maman le prononçait à la française et qu'on se moquait d'elle à l'école. J'aimais beaucoup sa maman, elle était mignonne, très petite. C'était une famille très modeste, et France et sa maman n'ont pu aller qu'une seule fois voir leur famille en France. Ça coûtait très cher, à l'époque, de faire le voyage en Europe par bateau.

Quant à moi, j'étais privilégiée. Maman m'a emmenée trois fois en France chez mes grand-parents. Elle voulait vraiment que j'apprenne le français. Mais moi, je n'aimais pas ça au début. Comme tous les enfants de l'époque, je ne voulais pas être différente des autres dans ma classe. Je ne voulais pas parler français, ni porter de rubans dans les cheveux ou de robe courte comme les petites Françaises.

Maman enseignait alors dans une école privée de jeunes filles à Toledo. Elle avait compris tout de suite que mon père n'allait pas être en mesure de l'envoyer chez ses parents en France tous les étés. Puisque c'était une *liberated woman* très futée, et puisque mon père l'adorait et la laissait faire tout ce qu'elle voulait, elle a trouvé une solution. Elle devint guide pour une agence de voyages, Varsity Tours, qui partait tous les étés de Boston faire le tour de l'Europe. Et c'est comme ça qu'elle a trouvé le moyen de rendre visite à ses parents tous les étés. Elle l'a fait pour la première fois au mois de juin quand j'avais sept ans. Nous sommes parties d'abord pour Paris, où mon grand-père est venu de Nice me chercher, et elle continuait le circuit avec son groupe. Moi, je ne parlais pas encore le français, et mes grands-parents ne parlaient pas l'anglais. Au bout de trois mois, lorsque Maman est venue me chercher, je ne parlais presque plus l'anglais ! Ça va vite chez les enfants. Maman m'a renvoyée chez eux pendant six mois quand j'avais neuf ans, et puis pendant quinze mois quand j'avais quatorze ou quinze ans.

Lorsque Maman avait vingt-neuf ans, le département de français à Oberlin College, dans la ville d'Oberlin, dans l'Ohio, a décidé de créer une Maison française, et ils ont demandé à Maman de créer cette Maison et d'en devenir la directrice. Maman y est restée pendant onze ans. Je pense que c'était la deuxième Maison française universitaire aux États-Unis après celle de Middlebury[*].

Vingt et une jeunes filles habitaient dans cette Maison française, et vingt-trois jeunes gens venaient y prendre les repas. Au rez-de-chaussée, on ne parlait que le français. Les jeunes filles habitaient aux premier et deuxième étages, où elles avaient le droit de parler anglais. Maman faisait tout pour encourager des échanges franco-américains. On fêtait les fêtes françaises, on chantait des chants de Noël en français. Je me souviens qu'au printemps, il y avait toujours un grand thé où tout le monde de l'université était invité. C'était à l'époque du muguet, ce devait être le 1er mai.

Maman trouvait toujours des astuces pour essayer de mieux faire connaître la France. De plus, la Maison française était connue pour être la Maison à Oberlin où l'on mangeait le mieux ! On avait une cuisinière noire américaine. Et lorsque la chanteuse Lily Pons[**] est venue chanter à Oberlin, on lui a organisé une grande réception à la Maison française. C'est à ce moment-là que j'ai eu ma première robe longue. Je n'avais que onze ans. Maman a influencé beaucoup d'étudiants, elle les dirigeait vers les études françaises. D'ailleurs, en 1935, elle a été décorée par le gouvernement français et a reçu les palmes académiques.

---

[*] Université de l'État du Vermont, réputée pour son enseignement des langues étrangères.
[**] Lily Pons (1898-1976), célèbre soprano américaine d'origine française.

Maman parlait un anglais érudit et parfait, mais elle avait toujours un accent. Par exemple, elle avait du mal à prononcer le mot *encouraging*. Avec mon grand-père américain, je m'amusais toute petite à essayer de le lui faire prononcer des mots. Elle ne savait rien du football ni du bridge quand elle est arrivée aux États-Unis, mais elle est devenue un *crack* au bridge, et elle adorait le football puisque des joueurs de l'équipe prenaient leurs repas à la Maison française.

Malheureusement, c'est à cause d'un match de foot qu'elle est décédée. Un samedi après-midi où il tombait un mélange de pluie et de neige et faisait très froid, malgré un rhume, Maman est quand même allée au match. Le mardi, elle était à la clinique avec une pneumonie. C'était le début des *sulpha drugs* [sulfamides], et on lui en a donné, mais elle ne les a pas supportés. Dix jours plus tard, elle était morte. C'était en 1938, elle n'avait que quarante ans.

Plusieurs centaines de personnes ont assisté à ses obsèques. Maman était très connue à Oberlin et aussi très aimée. Toute la ville l'appelait « Madame ». Lors des éloges à la First Church, un des professeurs a souligné le fait que Maman pouvait parler de n'importe quel sujet intelligemment. Et c'était vrai. Elle était vraiment très érudite. Elle se tenait au courant de tout ce qui se passait en Europe dans les années trente, par exemple, et elle se posait beaucoup de questions.

D'ailleurs, j'ai trouvé des lettres très intéressantes qu'elle a écrites à un ami de la famille, Paul Penciollelli, qui était le directeur de cabinet de Clemenceau. Dans une de ces lettres, datée du 13 octobre 1938, elle dit :

« Quel cauchemar, cette conférence de Munich, avant, pendant et après. J'ai passé des heures, des journées clouée devant la TSF. Naturellement, j'ai pensé tout de suite […] à vous tous à Paris qui serez naturellement le premier objectif des bombes allemandes. […] La France, disent les journaux, est désormais descendue parmi les nations de deuxième ordre. L'Allemagne d'Hitler est maintenant l'influence prépondérante, l'astre nouveau dans l'orbite duquel viendront se ranger les petits pays de l'Europe centrale. Que tout cela me fait mal à entendre ! Surtout quand je ne sais guère comment y répondre. Pourquoi l'attitude si ferme de Daladier s'est-elle soudain transformée en acceptation molle ? Pourquoi pour la première fois dans son Histoire, la France a-t-elle laissé tomber une nation alliée ? Que dit-on en France ? Que pensez-vous ? Et que pense-t-on de la validité du communiqué de la Déclaration de Chamberlain et d'Hitler au sujet de l'attitude de leurs pays vis-à-vis l'un de l'autre en cas de guerre ? Et du discours récent du Führer ? Et de l'attitude d'Hitler depuis Munich[1] ? »

Lorsque Maman est décédée, je venais d'avoir dix-huit ans. J'étais étudiante à Oberlin College. Cela a été très dur pour moi, mais pour mon père, cela a été épouvantable. Il l'adorait, et il comptait sur elle pour tout. C'était elle le *managing director* [directeur général].

Grâce à Maman, j'ai appris le français, et tous les jobs que j'ai eus après mes études, c'était toujours parce que je parlais français. D'ailleurs, un ami m'a dit un jour que j'étais la seule personne de sa connaissance à avoir fait carrière de parler français ! J'ai été hôtesse de l'air entre les USA et le Canada parce que je parlais français. Ensuite, j'ai fait partie du corps diplomatique, et ai été envoyée d'abord à Saigon, puis à Paris, en Côte-d'Ivoire, et à Yaoundé au Cameroun.

Je suis très fière de ma maman et de tout ce qu'elle a fait pendant sa courte vie. Comme l'a dit le journal *Oberlin Review* juste après sa mort : « Elle a apporté en Amérique et à Oberlin ce que la culture française a de meilleur. [...] Madame vivra aussi longtemps que des hommes s'efforceront de traverser les océans et les frontières pour rapprocher les peuples du monde et les réunir dans une meilleure compréhension les uns des autres. »

PAULETTE REVIENT

War bride *de la Grande Guerre, Paulette n'a passé que deux ans aux États-Unis avec son doughboy de mari, Robert J. Ils sont revenus vivre en France en 1920, un mois avant la naissance de leur fille Lillian*. Paulette n'a jamais plus habité l'Amérique.*

Présentée à Liliane par un ami commun, j'ai pu l'interroger au sujet de sa mère. C'est au cours de notre entretien que j'ai appris que Paulette et Liliane ont été toutes les deux résistantes pendant la Seconde Guerre mondiale ! Elles sont décorées de la croix de guerre. Liliane a reçu en outre la médaille de la Résistance, puis la Légion d'honneur, en reconnaissance de son travail de rassemblement de documents pour les Archives nationales.

Mère et fille... deux femmes fortes et patriotes. Voici l'histoire de Paulette, racontée par sa fille, aujourd'hui une énergique grand-mère de quatre-vingt-trois ans.

Maman est née en 1900 à Rochefort-sur-Mer. Elle avait été conçue dans une très jolie propriété qui est toujours dans la famille, un genre de petit manoir situé près de Marennes, où l'on élève des huîtres, les huîtres de Marennes. Elle était de la bonne bourgeoisie, mais sa famille n'était pas particulièrement riche, et les hommes étaient souvent absents. Son papa était

---

* Prénom déclaré par son père à l'état civil, mais changé officieusement par la suite en « Liliane ».

parti au Sénégal comme administrateur colonial au début du siècle. Il est mort là-bas de la fièvre jaune quand elle avait dix ans. Ma grand-mère est donc restée veuve avec trois enfants, deux filles, dont ma mère, et un garçon. Elle a dû se débrouiller sans pension parce qu'il lui manquait trois mois de présence aux colonies. Elle a laissé ses enfants à Rochefort chez sa mère, elle-même veuve d'un officier de marine qui a « coulé avec son bateau » en 1870, et elle est montée travailler à Paris chez des amis, comme gouvernante.

Au début de la guerre, ma grand-mère est revenue à Rochefort. Ensuite, elle est partie avec ses filles, c'est-à-dire Maman et ma tante Danièle, chez des amis à Saint-Raphaël. À cette époque, il y avait un grand hôtel à Saint-Raphaël où l'on envoyait les premiers blessés du front, pour leur convalescence. Elles se sont tout de suite engagées dans cet hôpital comme infirmières bénévoles. Maman n'avait que quinze ans. J'ai une photo où on la voit en infirmière. Cela a duré de 1915 à 1917. Elles sont ensuite remontées en Charente, et l'été 1918, elles sont allées à Royan, chez des amis qui avaient un hôtel et qui leur ont proposé d'y passer quelques jours de vacances.

Ma grand-mère, ma mère, son frère et sa sœur vont donc à Royan en vacances à l'hôtel Richelieu. Ils se promenaient au bord de la mer, les trois dames portant de grandes capelines et des robes blanches. Un jour, ma grand-mère et Maman ont rencontré sur la promenade un marin américain. Je vais lire un passage sur cette rencontre qui apparaît dans mon livre :

« Mon père, né aux États-Unis en 1897 de parents très récemment arrivés d'Écosse, servit au cours de la Grande Guerre, dans la Marine américaine comme radio sur un navire assurant la protection des convois qui aboutissaient en Gironde.

« Le 9 juillet 1918, en permission, il rencontra une très jeune fille née à Rochefort en 1900, qui se trouvait avec sa mère déjà veuve d'un administrateur colonial décédé à Saint-Louis du Sénégal de la fièvre jaune, sa sœur et son frère, en villégiature à Royan chez des amis propriétaires de l'hôtel Richelieu, Anna et Henri L.

« Sans doute pour engager la conversation, en anglais bien sûr, langue qu'elle ne connaissait pas plus qu'il ne connaissait le français, il lui demanda un renseignement qu'elle s'efforça, un peu intriguée, de lui donner lorsqu'ils furent arrivés à l'hôtel. Il voulait faire de l'escrime !

« Après mûre réflexion, on comprit enfin qu'il s'agissait plus simplement de trouver de l'"ice-cream[2]" ! »

Et c'est comme ça que Maman a rencontré mon père.

Daddy venait du Michigan. Ses parents, des Écossais de Kilburny, avaient émigré en Amérique tout de suite après leur mariage pour chercher du travail dans l'industrie automobile, qui démarrait à fond à ce moment-là. Daddy est né en 1897. Il n'a pas fait énormément d'études avant de s'engager dans la marine. Il s'est construit un poste de radio tout seul. Très fier, il nous racontait comment, à dix-huit ans, il avait entendu, le 7 mai 1915, les appels de secours du *Lusitania*[*], mais que personne ne l'avait cru.

Pendant toute la guerre, Daddy tenait un journal de bord. C'est en anglais, et j'ai un peu de mal à le lire, mais voici le passage où il parle de Maman. Je traduis :

« **Mardi 9 juillet [1918].** J'ai rencontré Madame G. et ses filles Paulette et Danièle. Des gens merveilleux. Elles vivent à Paris et sont à Royan pour l'été.

« **Mercredi 10 juillet.** J'ai dîné avec Paulette et Danièle et leur mère...

« **Vendredi 12 juillet.** À bord du *USS Maine* aujourd'hui.

« **Samedi 13 juillet.** J'ai dîné avec mes amies.

« **Dimanche 14 juillet.** Royan, à bord toute la journée.

« **Mardi 16 juillet.** Après une nuit de contrôle, je retourne à Royan et arrive à 8 heures. Pas de temps libre...

« **Jeudi 18 juillet.** Je passe un moment avec Paulette. À cinq heures, j'assiste à l'anniversaire de Mademoiselle H. Son père est présent. Son père est ministre de police *(sic)* à Paris[3]... »

---

[*] Paquebot britannique torpillé par un sous-marin allemand le 7 mai 1915, au large de l'Irlande. Cent vingt des mille deux cents victimes étaient américaines.

À un moment dans le journal, Daddy écrit qu'il va demander quelque chose à Maman. Mais je ne sais pas ce qu'il lui a demandé. Une jeune fille de dix-huit ans à l'époque ne sautait pas au cou des gens, elle n'avait pas de petits amis à tort et à travers.

Ma grand-mère et ses enfants sont probablement rentrés à Paris fin août [1918]. Les deux jeunes filles, qui avaient dix-huit et vingt et un ans, ont été engagées dans une banque. Maman se rappelait que le jour de l'Armistice, on leur avait dit de cesser le travail et d'aller se réjouir avec la population dehors. Daddy, lui, est resté à bord de son bateau. Je crois qu'il est monté à Paris une ou deux fois pour les voir. Dans son journal, il parle de Plymouth. En octobre, il est allé à Londres, puis à Brest. En novembre, il est à Bordeaux. Puis, c'est l'Armistice. Il dit que le 14 novembre, il y eut une fête et qu'il y avait des belles femmes partout. Le 27 novembre, il dit : « J'arrive à Paris à 10 heures. Le soir, dîner avec Paulette et sa famille[4]. »

Mes parents se sont mariés le 11 janvier 1919 à la mairie de Neuilly-sur-Seine. J'ai encore le menu du repas de mariage et une photo où Maman a écrit au dos : « Je suis très heureuse. » Ils se sont mariés à l'église, mais le mariage n'était pas valable parce que Daddy n'était pas catholique. Ça avait de l'importance à l'époque. Il était protestant, mais comme il disait souvent : « Je suis protestant, mais je ne proteste pas beaucoup. » Ma mère était catholique, comme la plupart des gens à l'époque. Il fallait aller voir le curé. Mon père ne parlait pratiquement pas français. Voici une des bonnes histoires de la famille : Daddy va voir un brave curé qui, probablement, parle un peu anglais. Ne sachant pas trop quoi dire, et n'ayant jamais entendu parler de confession et de choses comme ça, Daddy dit au prêtre : « Écoutez, j'ai vingt et un ans, je suis marin américain, je suis ni meilleur ni pire qu'un autre. » Et le prêtre lui a donné l'absolution et mes parents ont pu se marier !

Très peu de temps après leur mariage, fin janvier ou en février, je crois, ils sont partis en bateau pour l'Amérique. Il y avait à bord des soldats encore mobilisés et huit *war brides* françaises, c'est ce que Maman m'a raconté. Une fois arrivés aux États-Unis, ils sont allés directement chez mes grand-parents américains. Maman m'a dit qu'elle n'avait pas été très bien acceptée, surtout par la belle-mère, qui était un peu jalouse.

Il y a une petite anecdote assez drôle sur la grand-mère écossaise qui avait rejoint sa fille en Amérique et qui parlait encore avec l'accent écossais. Maman me racontait souvent cette histoire. La grand-mère était assez respectueuse des lois et des principes religieux, dont l'interdiction de travailler le dimanche. Le samedi, quand elle savait que toute la famille allait venir le lendemain et qu'il fallait préparer le repas, faire des gâteaux, etc., elle se mettait à faire la cuisine. Mais quand elle voyait l'heure tourner, elle retardait sa pendule de quelques minutes pour avoir le temps de finir la cuisson des gâteaux. Et ainsi, elle se couchait la conscience tranquille.

Je ne sais pas quel était le premier job de mon père en Amérique, mais plus tard il a travaillé pour la Sparks Withington Company. Cette société fournissait l'industrie automobile en klaxons. Mes parents sont restés moins de deux ans aux États-Unis. Maman était heureuse là-bas, mais elle n'avait pas envie d'y rester toute son existence. Alors, dès qu'elle a su qu'elle attendait un bébé, elle a voulu absolument retourner en France pour retrouver sa mère et sa sœur.

Il y a quelques années, j'ai trouvé un paquet de lettres qu'elle a envoyées à sa grand-mère pendant qu'elle était en Amérique. Un jour, elle lui a écrit : « Je veux que tu sois la première à le savoir. J'attends un bébé. Mon petit Willy va très bien. » L'enfant à naître, c'était moi ! Puisqu'elle voulait rentrer en France, mon père lui a dit : « D'accord, nous repartons pour la France. » Ils sont arrivés au mois de septembre et je suis née au mois d'octobre 1920.

Daddy a travaillé pour la Sparks à Paris. Il était directeur européen de la société et il voyageait beaucoup. Il allait à tous les salons de l'automobile. Ensuite, la même compagnie a aussi lancé le pick-up pour les disques. On mettait une pile de disques, il y avait un bras et les disques tombaient. Il y avait toujours trois ou quatre pick-up à la maison, mon père les faisait marcher à n'importe quelle heure pour vérifier s'ils marchaient bien.

Daddy avait une belle situation, et ça aurait pu marcher très bien. Seulement, assez rapidement, au lieu d'aller à son bureau, il s'est mis à aller dans les bars chics de Paris. Il avait tendance à boire. Il paraît que c'est une habitude qu'ont les marins. J'ai appris que la première fois qu'on l'avait vu comme ça, c'était le jour de ma naissance. Tout le monde disait que c'était dû à l'émotion. « Robert a bu un petit coup, ce n'est pas grave. » Pourtant, ça a continué, malheureusement.

Pendant neuf ans, mon père a très bien gagné sa vie. Nous avions un bel appartement, mes parents recevaient beaucoup, maman était toujours très chic, il y avait une domestique. Et puis, un jour, Daddy a eu un grave accident. C'était en 1933, alors qu'il revenait d'Amérique en bateau. Ayant été marin, Daddy savait marcher sur un bateau. Mais un soir, il a dégringolé à la renverse. Il s'est tellement cogné la tête qu'il a sans doute fait une hémorragie cérébrale. Il ne savait plus où il était, il ne parlait presque plus. Il avait trente-cinq ans à peine.

Pendant plusieurs mois, il est resté à Neuilly dans notre appartement, assis sur une chaise sans rien faire. Je me rappelle que nous faisions des réussites ensemble, nous jouions aux cartes. C'est revenu petit à petit. Mais il n'était plus capable de mener une affaire, et d'ailleurs la compagnie a bien été obligée de se passer de ses services. Maman le gardait comme ça, mais elle s'inquiétait parce qu'il n'y avait plus du tout d'argent. Bien qu'Écossais, Daddy n'avait pas été le genre à en mettre de côté non plus.

Il fallait quitter l'appartement qu'ils louaient. Heureusement, ma tante Danièle, qui avait épousé elle-aussi un Américain – un ancien de l'escadrille Lafayette* qui travaillait à Paris – et qui avait deux fils, a bien voulu nous héberger. Maman a décidé de chercher un job et de réexpédier son mari en Amérique chez ses parents. Elle ne pouvait pas le garder chez ma tante dans l'état où il était.

Daddy est donc reparti en Amérique, et je ne l'ai revu qu'une fois après cela. C'était en 1958. Ma tante et mon oncle habitaient alors dans le Connecticut, et nous sommes allés leur rendre visite avec nos deux enfants et passer quelque temps au Cape Cod. Ils avaient invité mon père à venir passer un

---

* Escadrille de pilotes américains volontaires, formée en avril 1916. Elle fut versée en janvier 1918 dans l'armée américaine, dont elle constitua la première escadrille de chasse.

moment avec nous. Daddy allait mieux. Il s'était remarié avec une dame qu'il connaissait lorsqu'il était jeune homme. Elle l'avait pris en main et l'avait empêché de boire. Ils habitaient à Dayton, dans l'Ohio. Après cela, je lui écrivais à une adresse à Dayton, mais un jour, ma lettre est revenue avec la mention qu'il n'y habitait plus. Nous avons essayé de le retrouver, mais sans succès. Je ne sais ni quand ni où il est mort, sa femme ne nous a jamais prévenus. Nous avons essayé de nous renseigner au *City Hall** de la ville où il est né, mais l'état civil aux États-Unis n'est pas comme en France, et nous n'avons rien trouvé.

Donc, en 1935, lorsque mon père est parti aux États-Unis, il a fallu que Maman trouve du travail. Elle avait trente-cinq ans. Comme les jeunes femmes de cette époque, elle ne savait rien faire de spécial. Elle avait dû arrêter ses études à quatorze ans au moment de la Grande Guerre. Mais elle était jolie et intelligente, elle écrivait très bien, et elle était bien élevée. Tout le monde savait que Paulette cherchait un *job* quelconque. Et par des amis, elle est rentrée à *L'Officiel de la Couture* comme rédactrice. Dans ces temps-là, ça ne demandait pas de qualifications spéciales. Maman est restée à *L'Officiel* pendant toute la dernière guerre. Ensuite, elle est allée aux éditions Ponchon, où elle était rédactrice en chef. Et jusqu'à l'âge de quatre-vingts ou quatre-vingt-cinq ans, elle écrivait des articles sur la soie, sur les corsets et d'autres sujets. J'ai donné beaucoup de ses articles aux archives du musée Galliera après sa mort.

En 1945, Maman a reçu la croix de guerre. Voici son attestation de résistante, et ici, ce que *L'Officiel* a écrit sur elle :

« Notre sympathique rédactrice vient de recevoir la Croix de guerre à titre militaire pour service rendu aux Forces françaises et alliées au cours de ces dernières années d'un combat sans merci. *L'Officiel* s'honore de compter en son sein une équipe ardente qui fut au premier rang de la lutte contre l'oppression[5]. »

En fait, pendait la guerre, Maman et moi cachions chez nous des aviateurs alliés abattus au-dessus de la France. Notre

---

* La mairie.

appartement était près de la porte Champerret. Nous risquions d'être fusillées si nous étions prises. C'était moi qui les accueillait à la gare et faisait marcher la maison, mais Maman était tout à fait d'accord pour les héberger chez nous. C'est pourquoi elle a eu la croix de guerre, elle aussi. Je n'aurais pas pu faire tout ce que j'ai fait sans son accord.

Au début de l'Occupation, les Allemands sont venus arrêter Maman parce qu'elle avait un passeport américain. Son divorce n'avait pas encore été prononcé. Il a fallu que j'aille dans différents services allemands pour faire valoir que le divorce de Maman était en cours depuis plusieurs années, mais qu'elle n'avait pas encore les papiers officiels. Les Allemands l'ont gardée deux ou trois jours dans le bâtiment qui est maintenant le musée des Arts populaires. C'est là que l'on mettait toutes les Américaines, des Américaines mariées à des Français et des Françaises mariés à des Américains.

Dans mon livre, je raconte la Saint-Sylvestre que Maman et moi avons passée avec un de ces parachutistes, fin 1943. Imaginez la scène : un tout petit appartement, un deux-pièces avec la chambre où je dormais avec Maman, et le salon où il y avait un divan pour les gars que nous cachions. J'écris dans mon journal :

« Petit souper modeste avec ma mère [et George, vingt-trois ans, pilote américain de bombardier]... Dansé un peu, en écoutant la radio anglaise. Autant que je m'en souvienne, ce n'était ni triste ni romantique, c'était étrange, un peu oppressant. Et puis, sans nous attendrir davantage, après nous être souhaité Bonne Année, nous sommes allés sagement dormir. 1944 commençait[6]. »

Cinquante-quatre ans après, Maman est décédée dans le même appartement porte de Champerret. Elle avait quatre-vingt-dix-huit ans.

RÉCITS D'ÉPOUSES
DE LA DEUXIÈME GUERRE MONDIALE

À LA FERME...

J'ai interviewé Marcelle R. en 2003, chez sa fille, qui habite en banlieue parisienne. Marcelle est venue me chercher à la gare dans sa petite voiture, qu'elle conduisait en vraie Parisienne ! C'est une jolie femme, vive et chic. Qui aurait pensé qu'elle avait commencé sa vie maritale aux États-Unis dans une ferme de l'Alabama ! Joanne, la fille de Marcelle, a assisté à notre entretien et a ajouté quelques précisions lorsque sa mère avait des trous de mémoire.

Je suis née à Mussidan, une petite ville à côté de Bergerac en Dordogne. Mais quand j'avais un an, nous sommes montés à Paris vivre dans le XIIIe arrondissement, qui ressemblait à un petit village à l'époque. J'étais l'aînée de cinq enfants et un peu la seconde maman pour mon frère et mes sœurs. J'ai eu le certificat d'études.

Pendant la guerre, mais avant l'occupation de Paris par les Allemands, nous sommes retournés passer quelques mois en Dordogne à cause des bombardements. Après, nous sommes revenues sur Paris et j'ai travaillé dans un Monoprix. Nous n'habitions pas loin de l'usine Panhard, pas loin des chemins de fer, et les bombardements étaient fréquents, surtout la nuit. Nous allions dans les abris, par exemple dans la station de métro Place d'Italie, qui était très profonde, mais ces abris étaient loin et parfois on n'avait pas le temps d'y aller. Alors, nous allions dans les caves des immeubles.

Je me rappelle du jour de la libération de Paris. J'avais seize ans. Tout le monde était dans les rues. Les tanks américains arrivaient près de la statue de Jeanne d'Arc à Paris[*]. Il y avait la Milice, c'est-à-dire des policiers français qui collaboraient avec les Allemands et qui tiraient sur les Américains et les civils[**]. Il y avait des balles partout. On était vraiment inconscients de sortir dans la rue comme ça. À un moment, un Américain m'a fait m'allonger par terre et cacher ma tête sous son tank.

Je n'ai pas rencontré mon mari ce jour-là, mais en mai ou juin 1945, à une fête foraine place d'Italie. Il était avec des amis, et moi aussi. Il m'a parlé, et ça a commencé comme ça. Il était très beau, très grand, il faisait au moins deux mètres. Mes amis et moi, nous sortions tous ensemble avec des Américains. On avait beaucoup d'admiration pour eux, ils nous ont sortis du pétrin. D'ailleurs, la Croix-Rouge nous demandait d'aller dans les hôpitaux rendre visite à des soldats américains blessés, ce que j'ai fait aussi.

Je me rappelle qu'il faisait très chaud le jour où j'ai rencontré James. Il avait déboutonné le haut de son uniforme. Un MP est venu lui demander s'il était américain, car beaucoup de Français s'habillaient comme les Américains à l'époque. Quand James a répondu « oui », le MP lui a dit : « Soldat, tenez-vous correctement. Boutonnez votre blouson ! »

James avait fait le Débarquement. Il avait été à Omaha Beach. Il n'avait que vingt et un ans. Avant ça, il avait été en Angleterre et avant ça, au *CC Camp*[***] au Texas. Le *CC Camp* était un camp de jeunesse de formation militaire. Il s'était fait

---

* Il s'agit des chars Sherman de la 2e DB, donc de soldats français, entrés à Paris le 25 août, et dont plusieurs unités furent déployées rue de Rivoli. En revanche, c'est probablement à un Américain que Marcelle a affaire, puisque des unités de la 4e division pénètrent dans la ville le même jour par la porte d'Italie.

** Les miliciens n'étaient pas à proprement parler des policiers, mais une force paramilitaire, même si le chef de la Milice française, Joseph Darnand, était secrétaire général au Maintien de l'ordre du gouvernement de Vichy.

*** Camp du *Civilian Conservation Corps*, créé en 1933 sous la responsabilité de l'armée américaine et destiné à employer de jeunes hommes célibataires de dix-huit à vingt-cinq ans.

blesser à la jambe au Débarquement et il s'est fait soigner à la Salpêtrièrie, et puis à Villejuif. Il n'est pas retourné au front.

Nous sortions en groupe. Nous visitions Paris. Je parlais très peu d'anglais, et lui ne connaissait que quelques mots de français. Plus tard, lorsque je suis arrivée aux États-Unis, j'ai appris l'anglais très vite, parce que j'aime parler et je suis très bavarde !

Je suis sortie avec James pendant environ sept mois, et ensuite il m'a demandée en mariage. Pendant ce temps, j'habitais chez mes parents, et il retournait à l'hôpital tous les soirs. Il pouvait sortir dans la journée, et nous faisions des sorties au cinéma, nous visitions Paris. Pour le mariage, c'est lui qui s'est occupé de tous les papiers. Il fallait demander à l'armée, au capitaine, et faire des tas de démarches.

Je venais d'une famille très modeste, et je me rappelle que ma mère m'a dit : « Marcelle, tu sais, si tu es malheureuse là-bas, il y a très peu d'espoir qu'on puisse te faire revenir. On n'a pas les moyens. » J'avais à peine dix-huit ans, c'était une grande décision. Mais, d'un autre côté, j'en avais ras le bol de la guerre, de la privation et de m'occuper de mes trois sœurs et de mon frère tout le temps. L'Amérique offrait un autre horizon...

Je ne connaissais pas grande chose sur les États-Unis, juste ce que James m'avait expliqué. Petit à petit, j'arrivais à le comprendre. Il me disait que là où il m'emmenait, c'était sauvage, il y avait des serpents. Il me disait que ce n'était pas le paradis, que ça changeait de Paris.

Nous nous sommes mariés en mai 1946 à la mairie. Une dame nous a prêté un appartement pour la nuit de noces. Puis, James est parti en bateau quinze jours ou trois semaines après. Il m'écrivait souvent. Moi, je l'ai suivi en mai. J'avais de la peine de quitter ma famille, mais j'étais contente d'aller aux États-Unis. J'étais un peu inconsciente.

Je suis partie en train avec d'autres *war brides* pour Le Havre. Ça faisait tout drôle, mais il y avait une bonne ambiance avec les autres femmes. Nous sommes restées dans des baraquements quelques jours, puis nous avons pris le *SS America* pour aller à New York. James m'avait écrit en me demandant si je voulais qu'il vienne me chercher à New York. Le gouvernement l'avait contacté, il pouvait choisir. Ou il venait me chercher, ou le gouvernement me mettait dans le train pour Gordo [Alabama]. Je lui ai écrit que c'était mieux que je vienne par le train, que ce n'était pas la peine qu'il vienne jusqu'à New York

À bord du bateau, on nous a fait des piqûres et posé des questions. Il y avait aussi des réunions pour nous parler des États-Unis. Tout était en anglais, rien en français. Il n'y avait pas que des Françaises, il y avait aussi des Hollandaises, etc. La plupart allaient dans le nord des États-Unis ou en Californie. Il n'y avait pas beaucoup qui allaient dans le Sud comme moi.

Lorsque nous sommes arrivés à New York, beaucoup de maris attendaient leurs femmes. Certains des maris avaient une bonne situation, d'autres pas. C'était le coup de poker. Il y a eu des maris qui ne sont pas manifestés du tout. Certaines femmes sont reparties en bateau. Ça, c'était moche. La Croix-Rouge nous a fait visiter New York. C'était une grande ville grandiose, mais je me sentais moins dépaysée à New York que lorsque je suis arrivée en Alabama.

Je suis descendue du train à Gordo. Mais à Gordo, il n'y avait pas de gare, il y avait juste une cabane. Et quand j'ai vu mon mari, j'ai pensé : « Mon Dieu. Mais c'est comme dans les westerns ! Et voilà mon mari habillé en cow-boy ! » Gordo était quand même une petite ville, mais tout autour, c'était la *pampa*. C'était vraiment très, très isolé.

Nous avons vécu chez mes beaux-parents pendant trois ou quatre mois. Ils habitaient à une trentaine de kilomètres de Tuscaloosa et avaient une ferme et une scierie. James était l'aîné de trois frères et une sœur, c'était le contraire de nous. Ils travaillaient tous dur, ils se levaient à quatre heures et demie du matin à cause de la chaleur, et ils se couchaient tôt, morts de fatigue. Il n'y avait rien d'autre que le travail et la terre.

Je me levais avec eux. J'ai appris à traire les vaches. Je tombais de fatigue. On m'a amenée chez le docteur. Il avait fait la guerre de 14 et il connaissait le climat en France. Il leur a dit que je ne devais pas travailler autant, qu'il y avait trop de différence de climat. Mais ce n'était pas la faute de mes beaux-parents. Ils ne me demandaient ni de me lever si tôt ni de traire les vaches, je le faisais de bon cœur, pour les aider.

Puis, James a acheté sa propre ferme. C'était près d'un petit lieu qui s'appelle Ecol, et là aussi, j'aidais. J'allais dans les champs sarcler et cueillir le coton et le maïs, je m'occupais des animaux. On n'était que tous les deux pour travailler, et c'était très dur. Je me souviens que j'amenais ma petite fille avec moi aux champs.

Les femmes là-bas, y compris celles de ma belle-famille, avaient l'habitude de *chiquer*. Elles mâchaient du tabac toute la journée, puis elles la crachaient. Elles avaient les dents noires après. On m'a mise une fois dans la bouche pour essayer, mais je n'aimais pas ça. Mes voisines achetaient de la farine pour faire des biscuits. La farine venait dans des beaux sacs en coton, et ces femmes industrieuses les lavaient, les teignaient et en faisaient des robes. Mon mari et son père jouaient du *fiddle*, du violon. Quand je suis arrivé là-bas, ils m'ont souhaité la bienvenue en me jouant de la *country*.

J'aimais mon mari, mais il y avait vraiment une trop grosse différence de culture. James n'avait pas fait d'études et il ne voulait pas faire d'autre chose que rester à la ferme. Moi, je venais de Paris. Il ne voulait pas habiter plus près d'une ville.

Quand on avait trop de travail, mon beau-père nous envoyait parfois des gens de couleur de la scierie pour nous aider. Je m'en souviens, une fois on avait fait une bonne année, on avait planté du coton, et les Noirs sont venus nous aider à le cueillir. C'était comme dans les films : les grands sacs et les Noirs cueillant le coton avec nous, tout en chantant. Je regrette de ne pas avoir pris de photos. C'était très beau.

La première fois où je suis allée à la scierie, mon beau-père m'a présentée aux ouvriers noirs et je leur ai serré la main. Mon beau-père m'a fait savoir que ce n'était vraiment pas la chose à faire. C'était en 46. Maintenant, c'est différent. Certains ouvriers noirs prenaient leur paie le vendredi soir et partaient faire la fête. Après ça, ils revenaient samedi soir sans le sou demander un acompte pour la semaine. Mon beau-père n'aimait pas ça.

Il fallait toujours que je fasse attention à ce que je faisais vis-à-vis des Noirs. Mon mari était très raciste. Je me rappelle qu'il y avait une Noire qui gardait ma fille, Joanne, et elle l'aimait tellement qu'elle l'embrassait un peu en cachette. Une fois, je la vois faire et je lui dis : « Ce n'est rien. Mais faites attention de ne jamais le faire devant mon mari. »

Quelquefois, le samedi soir, mon mari et moi allions à Gordo. On n'avait pas encore de voiture, alors on allait avec la charrette et les chevaux ! Pendant que James cherchait à vendre le coton, il me laissait aller voir des amies ou faire des achats.

Je me rappelle qu'une fois, en passant devant le *drugstore*, j'ai vu tout le monde avec des *banana splits* et des *hot fudge sundaes*. Ça me faisait vraiment envie. Je suis entrée dans le *drugstore*, et je leur ai dit : « Je voudrais du *banana split* avec du chocolat. » Ils ne m'ont pas comprise du tout. Alors, j'ai pensé : « Ça alors ! En France, il n'y avait rien à manger, mais je pouvais parler, mais ici aux États-Unis, il y a plein à manger, mais je ne peux pas parler ! »

Avec tous mes défauts, j'étais quand même assez courageuse. Je me suis adaptée. Ça ne me déplaisait pas de travailler, mais il y avait vraiment beaucoup à faire.

Malgré tout le travail, nous ne gagnions pas suffisamment. Mon mari a alors vendu la ferme et s'est acheté un grand camion pour faire le routier à son compte. On est allé vivre à Gary, dans l'Indiana, pendant un an. Puis, on est revenu en Alabama et on a emménagé près de Tuscaloosa. James ne savait pas trop ce qu'il voulait. Il partait, il devenait bohème, il ne revenait que tous les deux ou trois mois. On ne savait jamais où il était. Il a dû fréquenter d'autres femmes, car mes filles ont une demi-sœur.

J'ai trouvé du travail à Tuscaloosa. Je travaillais à la réception dans un hôpital psychiatrique. Ensuite, j'ai pu m'acheter une petite voiture. Au début, James m'envoyait un peu d'argent, mais après, rien du tout. Mes beaux-parents ont été très gentils. Ils me prenaient les filles quand je travaillais le dimanche. Ils ne comprenaient pas leur fils. Leurs autres enfants n'étaient pas comme ça. Pour expliquer le comportement de son père, une de mes filles pense que, comme moi, il était l'aîné de cinq enfants et il avait trop eu de responsabilités quand il était enfant.

J'avais fait une grosse bêtise en épousant James, mais lorsque l'on fait une bêtise, on l'assume. J'avais deux filles, et je voulais qu'elles aient une autre vie que la mienne. Alors, je me suis mise à beaucoup travailler. Mes amies américaines ont été très solidaires. Elles avaient du cœur. Une d'elles m'a loué sa grande maison pour vingt-cinq dollars. Nous y étions bien.

Au bout de cinq ou six ans, j'avais vraiment envie de retourner en France avec mes filles, mais je n'avais pas les moyens. Je ne parlais plus de James quand j'écrivais à ma famille. Je n'osais pas leur dire, mais ils ont compris. Ma sœur en France m'a envoyé de l'argent pour payer notre passage – argent que j'ai remboursé plus tard.

Mes beaux-parents comprenaient ma décision de retourner en France. Ils m'ont dit que si quelque chose n'allait pas, je devais revenir. Ils prendraient en charge les enfants. C'étaient des gens très bien, très, très gentils. J'ai dû prendre un avocat parce que je ne voulais pas que mon mari m'empêche de partir avec les enfants. J'ai divorcé plus tard, mais en France. Ça a pris plusieurs années, mais en France, j'ai pu avoir l'assistance judiciaire, je n'avais pas besoin de payer un avocat.

Après quatorze ans aux États-Unis, c'était dur de rentrer dans mon pays. Je ne parlais presque plus le français. C'était très difficile de trouver un logement parce que c'était l'époque où les Pieds-Noirs rentraient. Ma sœur nous a hébergées un certain temps, puis nous avons pu trouver notre propre appartement. Mais le confort en France n'était vraiment pas celui des États-Unis, et parfois je regrettais d'être revenue.

Je n'ai jamais revu James. Mais mes filles sont allées le voir. Il vit tout seul dans une grande maison, toujours dans l'Alabama. La famille de James a accueilli mes filles plusieurs fois, et je les ai reçus ici à Paris. Ils ont les moyens, maintenant.

Je me suis remariée en 1983. J'ai pris ma retraite en 1986, après avoir travaillé longtemps aux Galeries Lafayette. Ma vie a été dure, mais je ne regrette pas d'avoir vécu aux États-Unis. Bien au contraire.

JACQUELINE, LA RÉSISTANTE

Jacqueline C. S. est née en 1922 à Châteaubriant, Loire-Inférieure (aujourd'hui Loire-Atlantique). Lorsqu'elle avait dix ans, ses parents ont déménagé à Saint-Malo, puis au Mans, où son père était ingénieur chez L'Air liquide. Elle a obtenu son brevet d'études supérieures à dix-huit ans et a commencé une licence d'anglais à la Sorbonne, « repliée au Mans ». Elle habite à Sacramento, en Californie, depuis 1947. J'ai eu son nom par une religieuse qui habite la même ville et qui la connaissait par le biais d'une association caritative. Jacqueline et moi avons parlé deux fois, la première en octobre 1996, et la deuxième en octobre 2003.

Mon père faisait partie de la Résistance. Il a tout d'abord commencé pratiquement par lui-même, avec un copain alsacien qui était interprète pour les Allemands. Ce copain avait obtenu des noms de personnes juives qui allaient être déportées. On ne savait pas exactement quelle serait leur fin. Il était question de camp, enfin d'extermination, mais vaguement. C'était, je crois, en 41 ou 42. Alors, comme mon père a eu cette opportunité d'obtenir ces noms de façon régulière, il s'est mis à prévenir ces personnes juives, un certain nombre de familles, et à leur dire : « Vous êtes en danger, quittez la ville. » Et Maman et moi l'avons aidé, mais seulement brièvement, lorsqu'il était débordé, parce qu'il s'était rendu compte qu'on pouvait être pris par les Allemands. Donc, ça a été son commencement dans la Résistance, ce n'était pas en tant que membre d'une organisation, c'était à cause d'une personne qu'il connaissait. Ce copain alsacien de mon père, qui était interprète, était très bon joueur d'échecs, il jouait aux échecs avec des personnes de la *Kommandantur*. Mais, ma foi, il a été ensuite capturé et tué. Ils ne l'ont pas envoyé en camp de concentration. Ils l'ont exécuté lorsqu'ils se sont rendu compte qu'il parlait. Mais, à ce moment-là, ils n'ont pas suspecté mon père d'être en liaison avec lui.

Papa ne nous racontait pas tout, mais il avait des amis qui travaillaient dans les bureaux où l'on préparait les cartes d'identité. Alors, dès le commencement, il a pu faire des faux papiers pour les personnes qui voulaient échapper aux Allemands, pour une raison ou pour une autre.

Il s'occupait aussi beaucoup de sabotage. Notamment, de faire sauter les voies de chemin de fer avant le passage des trains allemands. Et je l'aidais à le faire. Je l'aidais à transporter des bombes. À ce moment-là, ils utilisaient ce qu'on appelait des « plastiques » *(sic)* comme genre d'explosifs, et nous les cachions dans une fausse batterie de voiture. Papa s'en faisait fabriquer une ou s'en procurait une. Je ne sais pas où. Il pensait que si je me faisais arrêter, les Allemands ne se douteraient pas qu'elle était creuse et qu'elle contenait des explosifs.

En fait, mon père était affilié à l'OSS, *Office of Strategic Services**. Mais également le M6***, avec les Anglais, ce qui créait parfois des frictions. Tout ça se passait au Mans. Nous avons participé au sauvetage de quatre Américains, des aviateurs. On était en contact avec des Américains, des Canadiens, des Anglais, des gens qui étaient dans l'espionnage au Mans. Bien sûr, tous parlaient bien le français. Je me rappelle que l'un d'eux m'avait aidé un peu avec mes devoirs d'anglais.

J'étais impliquée dans de nombreuses activités. Je portais le courrier dans le guidon de ma bicyclette. Je retirais la poignée, qui était dans une espèce de caoutchouc. Je prenais le papier, qui était plié, et l'enfonçais dans le cadre de mon vélo et je le portais à différents membres du groupe. Je réussissais aussi à

---

* Les services de renseignements américains, prédécesseurs de la CIA.
** En fait la MI6 *(Military Intelligence 6)*, services britanniques de renseignements.

obtenir la signature du chef de police du moment. Comme celle du maire (également déporté) et d'autres personnes, des responsables dont il nous fallait la signature pour les fausses cartes d'identité, qui étaient, comment dire, pré-datées, de façon à ce que tout coïncide J'avais acquis un vrai talent de faussaire en signature parce qu'à l'école, je forgeais celles des parents de mes camarades qui devaient signer leurs relevés de notes. On ne songeait pas à me soupçonner, parce que j'étais *numéro uno* dans ma classe, dans toute l'école en fait. On ne me soupçonnait donc vraiment pas. À l'époque, j'étais très habile de la main gauche comme de la main droite parce que j'étais née gauchère. Mais ce n'était pas toléré, on m'a donc donné des coups de canne jusqu'à je renonce à cette habitude. Mais je pouvais quand même écrire des deux mains. Et l'on n'écrit pas du tout de la même façon de la main droite et de la main gauche. Il existe une communication dans le cerveau que j'ignorais à l'époque. Cela me servait de protection.

Malheureusement, mon pauvre Papa a fini par être arrêté par les Allemands. Ils sont venus l'arrêter à la maison. Et ils l'ont abattu au moment de l'arrestation. Ils ont tiré sur moi aussi, mais ils m'ont manquée. Ils m'ont vue, et j'étais si jeune et minuscule, et ils ont dit : « On t'a presque touchée », et je n'ai pas su quoi répondre. Mais ils ont tiré et mon père a reçu deux balles dans la tête. Si bien qu'il a perdu un œil. Puis, ils l'ont emmené. Ils avaient d'abord cru qu'ils l'avaient tué, qu'il allait mourir. Et je n'arrêtais pas de dire « Il faut aller chercher un docteur. » Bien sûr, les blessures à la tête saignent beaucoup. Et ma mère était hystérique. Nous connaissions un docteur qui habitait en face de chez nous, je leur ai donc demandé de me laisser aller lui demander de venir. Ils étaient environ onze hommes, un sacré contingent. Ils étaient tous allemands, mais il y en avait un qui m'a vraiment beaucoup parlé, il était interprète et il aurait pu être français. Il parlait si bien. Enfin... ils ont fini par me laisser aller réveiller cet homme et lui parler. Et sa femme n'arrêtait pas de lui dire : « Ne t'en mêle pas », des choses comme ça. La Gestapo a alors coupé court en disant au docteur : « Non, nous ne voulons pas de vous. » Et ils m'ont ramenée à la maison.

Puis, j'ai dit quelque chose comme « Vous savez, Hitler n'apprécierait pas votre attitude. La façon dont vous traitez un prisonnier blessé. » On dit dans ces moments tout ce qui nous passe par la tête, et c'est ce que j'ai fait. Mais ça les a surpris. Et l'un d'eux a dit : « Eh bien, nous allons vous montrer que nous sommes humains », et il a téléphoné pour faire venir un docteur allemand. Et ce médecin allemand a dit : « Je vais le soigner comme s'il était allemand, parce que je suis médecin. » Ils l'ont alors emmené dans un hôpital qui était français mais qu'ils occupaient en partie, et peut-être pour moitié. Il y est resté quelques jours.

Maman a obtenu, indirectement et sans le demander, elle a obtenu des informations sur son état de santé, par l'intermédiaire d'infirmières allemandes qui s'étaient liées d'amitié avec des infirmières françaises. Ces femmes ont contacté Maman et lui ont dit : « Nous sommes en relation avec le personnel soignant et l'on s'occupe de votre mari, etc. » Nous avons donc eu indirectement des nouvelles... Maman savait peut-être qui étaient ces femmes, pas moi. Mais c'était une façon astucieuse d'obtenir QUELQUES nouvelles.

Et de là, ils l'ont envoyé [en prison]. Je leur demandais, quand ils m'interrogeaient, je disais : « Où est mon père ? », et ils répondaient : « Vous n'avez pas le droit de savoir où il est. » En fait, on l'avait emmené à Angers. Il y avait une grande prison à Angers. J'ai su ça indirectement. Pendant un second interrogatoire, je leur ai demandé : « Est-ce que nous pouvons aller à Angers voir mon père ou au moins lui porter quelques colis de vêtements et de nourriture ? » Et ils ont dit : « Non, et vous n'avez pas le droit de savoir qu'il est là. Comment le savez-vous ? » Ça été un peu comme le téléphone arabe. Ce n'était pas des renseignements sûrs. Mais quand j'ai mentionné ce nom, j'ai su que c'était là qu'il était. J'ai alors demandé à d'autres personnes qui avaient de la famille dans cette prison : « Quand sont les visites ? » Et j'ai dû aller à la gendarmerie pour obtenir l'autorisation de prendre le train pour Angers parce que j'étais en résidence surveillée. Mais j'ai obtenu l'autorisation. Il fallait que je sois là-bas à six heures du matin ou quelque chose comme ça. Mais une fois qu'on était là-bas, on ne voyait personne. On réussissait parfois à faire passer un colis, parfois non. Il y avait des fois où ils disaient non, ils ne voulaient pas qu'on les embête. Et alors la Gestapo, qui était là, m'interrogeait. Ils me poussaient pour connaître l'histoire et en savoir plus.

En fait, Maman et moi avions été arrêtées aussi, puis emprisonnées pendant quelques jours. On nous interrogeait, on nous interrogeait constamment. Je devais essayer de dire mon historie correctement parce que je défendais une histoire forgée. Autrement, nous ne serions plus en vie. Et ils auraient arrêté plusieurs personnes qui aidaient mon père. Ils n'ont jamais obtenu ces noms de moi ou de ma mère, et ils auraient peut-être pu s'ils m'avaient torturée. En fait, j'ai eu beaucoup de chance, car un jour, la Gestapo avait fait venir un expert de graphologie pour étudier ma signature. Mais au moment où j'allais signer, le téléphone a sonné et ils ont tous tourné la tête. Ils sont devenus très agités, ils voulaient partir arrêter d'autres résistants. Certains sont partis tout de suite, peut-être quatre sur six. J'ai signé, donc, mais de la main gauche au lieu de la main droite, et à cause de l'interruption, l'expert et les autres n'ont rien remarqué. Ça m'a sans doute sauvé la vie. Ils ne m'ont pas torturée. Mais d'autres personnes, quelques membres du groupe, ont été torturées. On les a brûlées, on leur a arraché les ongles et toutes sortes de choses comme ça.

Ils avaient arrêté tant de personnes, qu'un jour ils ont décidé de nous mettre plutôt en *house arrest* [résidence surveillée]. Mais ils continuaient à nous interroger, deux fois par semaine. Même au moment de la Libération, nous étions encore en *house arrest*. Parce qu'ils voulaient nous isoler, ils ne voulaient pas qu'on communique avec qui que ce soit. Être en *house arrest* voulait dire qu'il y avait des règles explicites. Ils surveillaient notre maison. On n'avait pas le droit de sortir de la limite de la ville. Et les deux fois où j'ai voulu aller visiter mes grand-mères, l'une à Paris, l'autre à Châteaubriant, eh bien, il fallait demander un permis à la Gestapo. Il fallait partir, seule, dans tel train et revenir, seule, à telle heure. Il fallait avoir une raison très valable, autrement... On était donc très surveillées, de façon très étroite, et nous étions escortées jour et nuit par deux types de la Gestapo. C'est-à-dire, si nous allions au même endroit, nous avions deux hommes qui nous suivaient. Mais si nous étions séparées, Maman allant dans un endroit et moi à un autre, par exemple à mon travail ou à un cours, eh bien, nous étions suivies séparément. Et la nuit, il y avait une autre équipe, qui se relevait et qui gardait la maison.

Ce qui se passait, c'est qu'ils voulaient capturer « Oncle Georges », comme il s'appelait à ce moment-là. Son vrai nom était capitaine Fred Floege. Oncle George était son nom de résistant local. Je crois aussi qu'il avait un nom français Et c'était un type très haut placé au sein de l'OSS, peut-être le deuxième chef de toute la France. C'était un ami de mon père et de ma mère. Il s'était caché, il n'avait pas été capturé, mais il n'avait plus de contacts avec Londres. Parce que les Américains le suspectaient d'être... non pas corrompu, mais enfin d'avoir trahi par ses actions. Il y a eu tellement de gens arrêtés dans ce groupe. Et les Allemands voulaient l'avoir. Ils avaient capturé bon nombre d'espions, mais pas ce fameux Oncle Georges, qui a écrit ses mémoires[*] plus tard, et qui a dit qu'une nuit, il était tellement hanté... – il n'avait pas mangé depuis longtemps – qu'il mangeait des pommes de terre crues dans les champs, bref, des choses absolument horribles. Il voulait nous retrouver, Maman et moi, alors il est arrivé au coin de notre rue, mais il a eu l'impression qu'il y avait quelque chose de suspect et que s'il essayait de nous contacter et que nous étions surveillées, nous serions tous pris. Donc, il ne l'a pas fait, mais il a voulu le faire, et c'est pour vous dire comme tout tenait à un fil. Et, d'ailleurs, une des multiples raisons pour lesquelles je rêvais d'aller en Amérique était qu'Oncle Georges, que nous avons vu après la guerre, voulait absolument que je le fasse.

Après l'arrestation de mon père, ma mère a dû travailler comme caissière dans un grand magasin. Les Allemands avaient confisqué nos avoirs... C'était un changement de [mode de vie pour nous.] Cela a pris dix-neuf ans avant que ma mère obtienne les fonds qui avaient été confisqués à la banque

---

* Jacqueline s'est rappelé après notre entretien le nom du livre : *Un Petit Bateau tout blanc*, qui évoque, bien sûr, les groupes codés utilisés sur Radio Londres par les services de la France libre. Voir Ernest-Fred FLOEGE, alias Paul-Frédéric FONTAINE, *Un Petit Bateau tout blanc : la Résistance française vue par un officier américain*, s.l., 1962.

par les Allemands. D'ailleurs, lorsqu'ils ont été remboursés, c'était au taux de dix-neuf ans auparavant, c'était ridicule. C'est pour vous dire que notre situation avait beaucoup changé. D'ailleurs, lorsque j'ai quitté la France en 46, il y avait une pénurie de tout, une récession.

Ce fut très, très intéressant d'être en contact avec des acteurs de la Résistance. Plus nous étions sous l'Occupation, plus nous haïssions les Allemands. Mais ce qui fut très dur à accepter, c'était l'attitude des Français, vis-à-vis de Maman et moi. Une fois que mon père a été arrêté et puis envoyé en camp, et que nous étions sous résidence surveillée, il fallait aller à la Gestapo deux fois par semaine pour *interrogations* [interrogatoire]. Et les gens [les Français] ne nous parlaient plus, soit parce qu'ils disaient : « C'était des membres de la Résistance » en nous montrant du doigt, ou alors par peur, parce qu'ils pensaient : « Si on leur dit bonjour, les Allemands vont croire que nous sommes sympathisants. » Donc, nous avons connu plus d'une année, une année et demie, qui a été vraiment très, très dure au point de vue d'isolation *(sic)*. C'est une autre raison pour laquelle je voulais aller en Amérique, pour échapper aux mauvais souvenirs de l'Occupation et des mauvais Français.

Nous avions finalement appris, Maman et moi, que mon père était décédé en Allemagne, en s'échappant du camp de Buchenwald. Et nous n'avions pas été averties par qui que ce soit, et pour cause, c'était encore la guerre. Nous ne l'avions su que plus d'un an après, qu'il était décédé. Et ça a été un choc terrible. Parce que l'on l'attendait depuis si longtemps. Et puis, nous avons appris combien il avait souffert avec les deux balles dans la tête, qui n'avaient jamais été enlevées. Et j'ai aussi appris plus tard qu'une personne qui était aussi à Buchenwald, un Polonais, un chirurgien des yeux, l'avait examiné et lui avait dit : « Une fois que la guerre est finie, j'extrairai cette balle et tu iras bien. »

Et la façon dont nous avons appris qu'il avait été emmené à Buchenwald est aussi très intéressante. On avait trouvé un morceau de papier sur une voie de chemin de fer. Peut-être à Angers. Et il avait été transpercé, piqué, par une aiguille. On n'avait pas utilisé de crayon, soit que mon père n'y voyait pas assez bien, soit qu'il n'en ait pas eu un. Un employé de chemins de fer l'a trouvé en nettoyant la voie, ou quelque chose comme ça. Et j'aurais aimé qu'on garde ce morceau de papier, parce que c'était vraiment important. Cet employé nous l'a envoyé. Je suppose que mon père avait indiqué notre adresse sur ce papier. Et l'employé a écrit une petite note en l'envoyant, disant qu'il l'avait trouvé sur une voie de chemin de fer et qu'il espérait que... Et mon père avait indiqué les noms d'autres personnes envoyées à Buchenwald avec lui.

Nous avons eu des nouvelles de Papa des mois plus tard. Nous avons reçu un petit carton ou un texte d'une demi-page. Les Allemands l'avaient marqué avec un liquide spécial pour savoir s'il y avait un langage secret ou une encre secrète. Il était écrit en allemand par mon père, et il disait qu'il allait bien. Il a évidemment été censuré par les Allemands. Il disait qu'il allait bien et demandait qu'on lui envoie différentes choses dont il avait besoin. Des vêtements et du tabac, je me rappelle, et plusieurs choses à manger. Et nous étions évidemment si privées de tout, mais nous avons essayé d'avoir ces choses au marché noir et de les lui envoyer. Par l'intermédiaire de la Croix-Rouge internationale. Et je sais qu'une partie lui en est parvenue. Mais pas TOUS les colis. On n'avait droit, je crois, qu'à un seul colis par mois, ou quelque chose comme ça. Et nous avons reçu trois ou quatre communications en tout, et j'avais le droit d'écrire, mais en allemand. Et vous savez, ils ouvraient le courrier, donc il fallait aussi faire attention de ne compromettre personne ou... Mais nous, nous avons eu de la chance, parce que beaucoup d'amies de ma mère, dont les maris étaient en camp de concentration ou en d'autres camps, n'ont jamais rien reçu pendant des années. Le temps au camp de Papa n'a pas été court, non plus. Ça a duré très longtemps pour lui. Il a été arrêté en décembre 1943 et il est probablement mort en mai 1945. Ça a vraiment été très long pour lui.

Après, nous avons appris qu'il était mort. En fait, nous n'avons jamais été sûres de la date. Et nous n'avons pu obtenir aucun certificat de personne constatant que mon père était mort. Ma mère n'a jamais eu droit à aucune aide financière parce qu'il n'existait aucune preuve qu'il était mort. Nous avons parlé à beaucoup d'Américains, parce qu'ils avaient envahi cette partie de l'Allemagne et nous espérions apprendre quelque chose d'eux. J'ai fait la connaissance d'un monsieur qui ressemblait au Père Noël, avec une barbe blanche et des cheveux blancs, il me semblait très âgé, qui appartenait à la Croix-Rouge américaine. Il était très gentil. Et il savait que mon père avait été en camp de concentration. Je lui disais : « Je ne sais pas comment on pourra jamais obtenir un certificat. » Nous avions appris indirectement par des personnes qui avaient survécu au camp qu'il était mort. Mais on n'arrivait pas à obtenir un certificat. Et il m'a dit : « Bien. » Il a tout noté. Puis, il m'a dit : « Je vais porter un peu de pénicilline et d'analgésiques dans un hôpital d'une petite ville proche de Buchenwald. Et je vais – il n'a pas dit "faire chanter", mais quelque chose comme ça – le directeur de l'hôpital et lui demander un certificat de décès. » Et c'est ce qu'il a fait. Il est revenu avec un certificat. Et avec la date, que nous avions estimée à peu près, parce que nous avions essayer de déterminer quand il était mort.

Et à ce moment-là, ce n'était plus [à] Buchenwald, mais un endroit près de Flossenbürg*. Parce que quand les Russes étaient arrivés dans cette région, les Allemands avaient emmené, je suppose, des milliers de prisonniers à Flossenbürg, qui était un autre camp de concentration. Et quand ils y sont arrivés, les Allemands ont tué tout le monde, sauf une personne. Et j'ai rencontré cette personne. Il était adolescent à l'époque. On l'a enterré, je pense qu'il était blessé, et il s'est trouvé sous un tas de cadavres et il n'a pas bougé. Il a été le seul à survivre. Je l'ai rencontré plus tard à Sablé, dans la Sarthe, une petite ville où je me suis trouvée pour un week-end. Cela devait être le 4 juillet. Et vous savez, quand vous rencontrez quelqu'un qui a été en camp de concentration, vous demandez : « Vous y étiez ? Quand ? » « Est-ce que vous avez rencontré mon père ? » Et il avait vu mon père. Je crois qu'il avait joué aux échecs avec lui, ou quelque chose comme ça. Je lui ai alors demandé : « Qu'est-ce que vous faisiez dans la Résistance ? » Il m'a dit que ses parents étaient membres du

---

* Camp de concentration en Allemagne. Il fut libéré par les Américains le 23 avril 1945, mais les SS avaient forcé quatorze mille prisonniers à évacuer le camp devant l'avance alliée. Quatre mille d'entre eux périrent dans cette « marche de la mort ».

parti communiste et que lui, il distribuait des papiers – des journaux et des prospectus interdits... Je crois qu'ils ont tué ses parents, tout au début.

Apparemment, durant la marche vers Flossenbürg, mon père s'était échappé ou avait essayé de le faire. Jour après jour, il avait économisé du poivre, il n'arrêtait pas de le faire, en se disant : « Cela me sera utile si jamais je peux aveugler quelqu'un ou un animal ou quelque chose. » Et quand ils ont lancé des chiens à sa poursuite, il a essayé d'utiliser ce poivre, mais il était si faible qu'il s'est effondré. Il avait le typhus ou quelque chose d'autre, plus la tuberculose. Et un docteur qui était dans un camp et qui a survécu a dit que quand il était à Buchenwald, il se doutait que mon père ne durerait pas longtemps parce qu'il était si malade. Plus tard, on a reconnu les activités de Papa dans la Résistance, et il a été décoré, à titre posthume, par toutes sortes de personnes.

Bref, voilà comment Maman a obtenu le certificat de décès. Et quand je suis allée, ou nous sommes allées, à Paris après la guerre, je pense qu'on était presque en 46, ou déjà en 46, dans une administration pour les anciens combattants et les gens qui étaient morts pendant la guerre, ils n'ont pas cru [ce que je leur ai donné]. C'était le premier certificat de décès qu'ils voyaient. Et le plus drôle, c'est que je racontais cette histoire, il y a un an dans une soirée, où il y avait plusieurs Européens, des Français, des Belges, et cette dame m'a dit quelque chose comme ça : « Je me suis occupée de survivants ou de la famille des survivants parce que c'était mon travail dans l'administration, place Vendôme. » Et je lui ai dit : « J'y suis allée. Je les ai surpris. Ils m'ont fait croire que c'était le premier certificat de décès de quelqu'un de mort dans un camp de concentration ». J'ai alors expliqué comment je l'avais eu. Et cette femme a dit : « Je crois que je travaillais à cet endroit à l'époque et nous avons tous été si étonnés. » Et j'ai rencontré cette même dame à Sacramento, en Californie !

Tous ces souvenirs de guerre vous marquent. Quand nous avons eu le 11 septembre, j'ai commencé... je veux dire, cela m'a vraiment bouleversée. J'en ai même parlé au médecin. Que j'avais ce problème de mes souvenirs, de tout ce qui me revenait à la mémoire. Enfin...

En plus d'aider mon père dans la Résistance, j'ai aussi travaillé pendant la guerre. J'ai travaillé très brièvement pour une compagnie d'assurances, pendant l'Occupation, et je suivais aussi des cours. Je faisais les deux. C'était très rare à l'époque. Les études anglaises que j'avais faites n'aboutissaient qu'à l'enseignement, et ce n'était pas exactement ce que je voulais faire. Alors, j'ai appris la comptabilité, la météorologie, enfin, différentes matières. Ce qui se trouvait possible, en somme, parce que la plupart des écoles avancées étaient fermées par les Allemands, au Mans, tout du moins. Les Allemands occupaient tous les *buildings*, alors il y avait très peu de cours. Dès qu'un cours s'ouvrait, qu'il y avait une possibilité, je m'inscrivais. Et puisque je travaillais pour des amis de la famille, j'arrivais à m'arranger avec les horaires.

Après la Libération, j'ai commencé à travailler comme interprète. J'étais encore étudiante, mais on m'a offert un poste avec l'armée américaine, sur la base militaire du Mans. J'étais dans un bureau, et ma foi, c'était assez intéressant parce que c'était dans le *Town Mayor's Office**. Il s'agissait de se mettre en contact avec les propriétaires de *buildings*, ou quelquefois de terrains ou de châteaux, afin de négocier les arrangements, les locations d'occupation *(sic)*, pour le compte de l'armée américaine. S'il y avait des ennuis ou quelque chose, j'étais l'interprète, et je traduisais aussi les documents nécessaires. Même la préfecture avait parfois affaire à moi, je n'ai jamais exactement compris pourquoi, m'enfin bref, je faisais ce qu'il fallait faire. J'avais vingt et un ans. Je me suis trouvée quelques fois à l'ambassade, parce qu'il fallait y aller assez souvent pour tous les documents en français et les interviews. J'ai parfois été appelée à être entre les personnes qui ne parlaient pas assez bien l'anglais et le personnel. En même temps, j'ai pu continuer mes études, jusqu'à ce que je parte pour l'Amérique. Des cours du soir. C'était très intensif.

Pendant ce temps-là, nous sortions, des Françaises avec des Américains, mais toujours en groupe, autrement les familles n'auraient pas été d'accord. Le Mans était un centre militaire

* La mairie.

très important, il y avait des dizaines de milliers de soldats américains. J'aimais bien pratiquer mon anglais avec eux. On allait surtout aux bals, aux *dances*. Il y avait de la musique absolument formidable. Du swing, surtout. De temps en temps, du *country (sic)* aussi, mais ce n'était pas pour danser, c'était pour les GI qui étaient *homesick* [nostalgiques du pays]. Je trouvais cette musique très intrigante parce que je ne l'avais jamais entendue. Les orchestres de swing étaient excellents. Par exemple, les Andrews Sisters[*] – il y en a une qui est décédée récemment –, eh bien, je les avais vues au Mans. On avait de très bon calibre au point de vue qualité.

J'appartenais, en tant que bénévole, à la Croix-Rouge française, et nous étions invitées à ces bals par leur intermédiaire et escortées par des chaperons, soit des hommes, soit des femmes. Je me rappelle l'un des chaperons – un colonel français – qui était assez sévère. On [y] allait pour rencontrer des Américains, mais aussi pour les rafraîchissements et la nourriture, qui à ce moment-là nous faisait défaut.

J'ai rencontré mon mari à une *Halloween party* sur la base, à peu près au même moment où j'ai appris la mort de mon père. C'est toute une histoire. Je venais d'apprendre la mort de mon père et j'étais en *mourning*, en deuil. En France, à ce moment-là, les gens observaient des années de deuil. On était en noir et pas question de sortir. Et me voilà pensant : « On a vécu l'Occupation où on ne pouvait rien faire, et me voilà jeune, qui aimerait sortir avec les Américains, et pas moyen, à cause du "qu'en dira-t-on, ça donnerait très mauvaise impression", etc. » Une de mes amies sympathisait, elle avait beaucoup de peine pour moi. Enfin, nous avons monté une histoire : le soir de Halloween, j'allais passer la soirée tranquillement chez mon amie Micheline à jouer aux cartes. Mais, en fait, j'irais à la *Halloween party* avec des amies, qui m'avaient dit : « Puisque nous allons déguisées, en costume, personne te reconnaîtra. » Je suis donc allée au bal, déguisée en femme turque, avec un petit voile. Car, il ne fallait surtout pas que les chaperons me recon-

---

[*] Trio musical très populaire dans les années quarante et cinquante, formé en 1932 par Patty, LaVerne et Maxene Andrews. Maxene venait de mourir en 1995, un an avant le premier entretien.

naissent, ça aurait été un scandale, que Mlle C., n'ayant appris la mort de son père que le mois précédent, soit sortie s'amuser.

C'est comme ça que j'ai rencontré mon mari, en allant de façon plus ou moins clandestine à ce bal. Ce n'était pas donc un rendez-vous ou quoi que ce soit [de ce genre]. Il était officier, capitaine, et il s'appelait Guy M. Comme les autres officiers, il n'était pas déguisé. Et l'on a découvert qu'on aimait jouer tous les deux au ping-pong, et moi bien sûr, je voulais pratiquer mon anglais. En fait, je travaillais dans le même *building* que lui, il travaillait aussi dans les bureaux. Bref, rendez-vous à l'heure du déjeuner pour faire du ping-pong et, parfois, pour manger. Ça a duré plusieurs mois, jusqu'à ce qu'il parte, qu'il rentre en Amérique, à Butte, dans le Montana.

Après, on a correspondu pendant assez longtemps. J'étais transférée après son départ au Havre. Le chef, le *commanding officer*, de la base du Mans avait été transféré au Havre, au camp Philip Morris, et je l'ai suivi. J'ai été sa secrétaire de mi-mars à fin juin 46. Il avait été vraiment très gentil, très paternel, vis-à-vis de moi, au moment où j'ai appris la mort de mon père. Et j'ai retrouvé ce monsieur, ce colonel, un jour à Santa Barbara, une rencontre fortuite, il y a une quinzaine d'années. On était à un cocktail, mon mari a entendu son nom et il a dit : « C'est drôle, mon *commanding officer* après la guerre avait ce nom. » Nous avons obtenu son numéro de téléphone et nous l'avons revu. Il habitait à Carmel. Il était devenu un peintre assez reconnu.

Lorsque mon mari est parti aux États-Unis, j'ai essayé d'obtenir une bourse pour finir mes études en Pennsylvanie. Mon mari était au courant. Quant à mon choix de l'université, c'était l'université d'Oncle Georges, c'est là où j'ai demandé à aller. Ma demande de bourse a été acceptée, ils m'ont même offert plus d'argent que je n'avais demandé, parce qu'ils m'ont dit : « Cela va vous demander davantage de temps que ce que vous avez compté. » Donc, j'ai eu une bourse très généreuse, et en même temps, plus ou moins, mon mari disait : « Il faut qu'on se marie, je veux t'épouser. » Finalement, il a fallu que je prenne une décision, soit que j'aille en Pennsylvanie finir mes études, soit que j'aille dans le Montana.

En fait, j'ai choisi le Montana. Si c'était à refaire maintenant, ou bien il y a quelques années, peut-être que j'aurais fait
autrement, car mon mari était journaliste, il aurait pu trouver
une situation sur la côte Est. Mais à ce moment-là, il n'était pas
question que les femmes travaillent ou fassent des études, alors
j'ai abandonné mon projet.

Ensuite, j'ai manqué la date limite pour partir avec un bateau
de l'armée américaine. Il y a eu une période, durant laquelle [il
fallait s'inscrire]. À ce moment-là, je travaillais au Havre et
j'étais en contact avec des personnes qui étaient nouvellement
mariées et qui partaient. Le dernier bateau du Havre était en mai
ou juin 46, et je ne savais pas qu'il y en avait aussi qui partaient
de Cherbourg. Bref, c'était trop tard pour avoir le passage gratuit,
alors mon mari a dû me payer un billet d'avion.

J'ai eu beaucoup de mal à être admise aux États-Unis.
C'était assez compliqué parce que, justement, ils m'ont
demandé « Pourquoi vous n'êtes-vous pas mariés pendant que
votre mari était encore en France ? » J'ai répondu : « Mais
enfin, on voulait réfléchir. » Il a fallu que je fournisse des documents spéciaux de la part de mes futurs beaux-parents. Et par-
dessus le marché, j'ai dû leur montrer des lettres d'appui du
gouvernement américain concernant le fait que mon père avait
été affilié avec l'Office des *Strategic Services (sic)*.

Nous nous sommes mariés l'été 1946 aux États-Unis, dans
le Montana, à l'endroit où mes beaux-parents avaient un *sum-
mer ranch*, un ranch qu'ils occupaient en été. Le mariage a eu
lieu dans une chapelle sur une *reservation* [réserve] indienne,
une toute petite chapelle, la soi-disant plus vieille église à
l'ouest du Mississippi.

Mon beau-père était ingénieur chimiste pour l'Anaconda
Copper Company. D'ailleurs, il s'était porté garant à mon
égard. Au début, j'étais logée chez mes beaux-parents, et mon
mari travaillait à Butte comme journaliste, mais [cela a duré]
vraiment très peu de temps. En fait, le climat ne me convenait
pas du tout. Donc, il a cherché ailleurs, et il a eu une offre au
Sacramento Bee, et nous sommes venus ici, à Sacramento, en
1947. Il a commencé comme journaliste au *Bee*, puis il est
devenu *editor* [rédacteur en chef] de ce qu'ils appellent la Californie supérieure, c'est-à-dire la région périphérique du nord et

de l'est de Sacramento. Il a fini en tant que *Assistant Managing Editor* [directeur adjoint de la rédaction], mais il est maintenant à la retraite.

J'étais très bien accueillie par des gens dans le Montana, mais j'ai eu une très mauvaise impression de la ville de Butte. C'est une ville minière, avec des mines de cuivre abandonnées, où la pollution de l'air avait détruit pratiquement tous les arbres et où il y a très peu de végétation. Avec un climat affreux, froid. En plus, c'est très isolé. Bref, c'était très déprimant, excepté pour les gens, qui étaient très, très gentils. Pour eux, j'étais la nouveauté, la petite Française. Nous retournons encore dans le Montana, c'est un beau pays qui est splendide en été. Mais nous n'allons plus à Butte, qui est trop déprimant.

À Sacramento, j'ai adoré les palmiers. Nous sommes arrivés la nuit, et la première chose que j'ai remarqué, c'était les palmiers. Et puis, le lendemain, j'ai découvert qu'il y avait des écureuils dans le parc du Capitole*. Nous nous plaisons bien ici. Bien sûr, il peut faire chaud, mais les nuits sont fraîches. Il ne fait chaud que l'après-midi, à partir de deux heures et demie, trois heures, jusqu'à six heures. Je fais beaucoup de tennis, et j'arrive à jouer tout le temps, sauf l'après-midi.

Il n'y a pas eu vraiment d'association des *French War Brides* à Sacramento, mais ce qui existait, et existe encore d'une façon un petit peu changée, c'est un club culturel, « Les causeries françaises ». Ce club avait été créé lors de la Première Guerre, donc par des dames établies et déjà d'un certain âge, mais qui voulaient continuer à avoir l'opportunité de parler français. Bref, c'était assez sympathique et très actif pendant de nombreuses années. Nous avions des conférenciers, des pièces de théâtre.

À un moment, nous avions pensé nous affilier à l'Alliance française, mais il fallait avoir une librairie et enseigner le français. Nous n'étions pas assez nombreuses pour faire quelque chose comme ça. Un autre groupe qui existe et qui n'a aucun nom, c'est un groupe qui s'est formé dans ces temps-là aussi, je crois. J'ai commencé à y aller, en 49, et il existait déjà depuis quelques années. C'était un groupe de personnes francophones,

---

* Le Capitole de Sacramento, siège de la législature de l'État de Californie.

donc, qui pouvaient être nées à Moscou ou à Paris ou à Sacramento, plus quelques Canadiennes, et des professeurs de langue française. Ce groupe existe toujours, nous nous réunissons à peu près deux fois par mois, les unes chez les autres, et c'est, ma foi, très sympathique. À une certaine époque, nous sommes devenues pâtissières, car à moins de faire sa propre pâtisserie, on devait aller jusqu'à San Francisco pour acheter de bons gâteaux. Il n'y en avait pas à Sacramento.

Autrefois, je retournais beaucoup en France, mais moins dernièrement, parce que ma mère est décédée. Je suis américaine et française, j'ai les deux nationalités, et je me sens aussi les deux. C'est très amusant, parce qu'ici, si je veux oublier que je suis française, les Américains me le rappellent. Mais quand je suis en France, eh bien, je me rends compte que j'ai adopté des habitudes américaines, une façon de faire à l'américaine, un point de vue.

Lorsque je suis arrivée ici, les gens étaient d'une gentillesse qui me surprenait et me gênait, parce que j'étais habituée à une attitude beaucoup plus réservée. Alors, il a fallu que je m'y habitue, et j'ai bien aimé, mais c'était gênant. Au cours des années ici, j'ai certainement plusieurs fois eu l'occasion de rencontrer des personnes qui n'aimaient ni les étrangers ni les personnes qui parlent avec un accent, pour une raison ou une autre. Mais comme ma grand-mère disait : « Vous n'êtes pas louis d'or », c'est-à-dire que vous ne pouvez pas plaire à tout le monde.

J'ai conservé mon accent français, parce que ça n'a jamais été important quand je faisais mes études. Écrire, connaître la grammaire, c'est ce qui comptait à l'époque. Mon Dieu, la prononciation, on se débrouillait comme on pouvait ! en plus, les gens ici me disaient toujours : « Vous êtes si mignonne avec votre accent, ne le perdez surtout pas. » Alors, je n'allais tout de même pas faire un grand effort !

Je n'ai pas d'enfants, mais j'ai beaucoup d'amies, et françaises, et américaines. Et j'ai toujours été très occupée, que ce soit par le bénévolat ou par un travail rémunéré. Je suis *fund development person**. J'avais fait pas mal d'années de bénévolat,

---

* Personne chargée de collecter des fonds ou d'obtenir des subventions pour un organisme ou un projet.

et puis j'ai découvert que pour être respectée, il fallait avoir une profession, être professionnelle. Bénévole, on pouvait abuser *(sic)* de vous, c'était ridicule. Comme j'étais devenue bonne à ce que je faisais, parce que j'avais à nouveau continué d'étudier à droite et à gauche, prendre des cours, aller à des séminaires, je suis devenue reconnue comme *fund development person*.

Actuellement, je suis surtout dans les arts. Par exemple, depuis maintenant à peu près quatre ans, je m'occupe des Hmongs, du *Hmong cultural art*. Les Hmongs sont des montagnards de l'Indochine. Ils s'étaient battus contre les communistes, et comme les communistes ont gagné la guerre, ils ont dû quitter leur pays parce que leur vie était en grave danger. Grand nombre de ces Hmongs, et aussi les Miens[*] et les Laotiens, sont venus dans notre région. Rien que les Hmongs, on en a seize mille à Sacramento. Ils ont des formes d'art tout à fait spéciales, à eux. On essaie de préserver, de maintenir. Je m'occupe beaucoup de ça et d'obtenir des subventions. J'aide aussi un groupe de musiciens professionnels à organiser un *band*, un petit orchestre, mais seulement des *winds* et des percussions. Tout ça est très intéressant.

---

[*] Les Hmongs et les Miens (aussi appelés les Méos) étaient d'origine chinoise. Ils vivent aujourd'hui en Chine, au Vietnam, au Laos et en Thaïlande. Montagnards, ils se divisent en plusieurs peuplades et se distinguent par leur dialecte et costume.

MES CHERS PARENTS...

Dès son enfance, Nicole T. a su ce qu'était une victime de guerre. Par un malheureux hasard, son grand-père maternel, médecin dans l'armée française, est mort en 1918, juste quelques semaines avant la fin de la Première Guerre mondiale, alors qu'en 1915, son père avait perdu une jambe et été défiguré. Ses blessures lui ont valu des années à l'hôpital avant qu'il ne rencontre la mère de Nicole. Après la Seconde Guerre mondiale, alors qu'elle venait d'épouser un GI, Nicole a découvert la difficulté de vivre avec un homme traumatisé par les nombreux amis tués à ses côtés pendant la bataille des Ardennes.

Nicole vit à Louisville, dans le Kentucky, depuis 1946, mais je l'ai interviewée plusieurs fois à Paris, lors de ses visites à sa fille, qui est une de mes amies. Nous avons prolongé l'entretien par des conversations téléphoniques et des lettres. Nicole a préféré me parler en anglais, mais en intercalant parfois quelques remarques en français. Son histoire est très émouvante, non seulement par les extraits, qu'elle lit en français ou parfois traduit spontanément en anglais, de lettres adressées à ses parents dans les années quarante, mais aussi par ses commentaires cinquante ans après. Ces lettres, aussi naïves et enfantines soient-elles, illustrent bien l'inconscience de nombreuses autres jeunes femmes qui ont quitté l'Europe déchirée par la guerre pour les États-Unis.

Née à Paris en 1921, Nicole est la seconde de huit enfants. Filles d'un ancien combattant décoré de la Légion d'honneur,

elle-même et ses trois sœurs ont eu le droit de suivre leur scola-
rité à la Maison d'éducation de la Légion d'honneur – une
pension au régime quasi militaire –, à Saint-Denis, puis à
Saint-Germain-en-Laye.

À dix-huit ans, après avoir obtenu son baccalauréat, Nicole
est partie en Angleterre parfaire son anglais. En 1939, c'est la
déclaration de la guerre. Quelques mois plus tard, elle rentre à
Paris.

Il n'y avait plus d'hommes en France à cette époque – ils
étaient prisonniers de guerre ou enrôlés dans les camps de travail –, et le gouvernement avait besoin d'instituteurs et de professeurs. Je n'avais pas le diplôme nécessaire, mais mon père
connaissait un inspecteur [de l'Éducation nationale], et j'ai eu
la chance d'être engagée. J'ai travaillé deux ans dans un petit
village au nord de Paris, à quatre kilomètres de chez mes
parents. Je dois dire que j'ai haï ce métier. Je n'étais pas faite
pour enseigner. On naît professeur, on ne le devient pas. Et la
plupart de mes élèves étaient polonais et parlaient à peine le
français. C'étaient les enfants de travailleurs immigrés engagés
dans des fermes. Qu'il vente, pleuve ou gèle, je faisais à
bicyclette le trajet de quatre kilomètres. Ce fut un bon entraînement pour le reste de ma vie, et je suppose qu'après la disci-
pline de la Maison d'éducation, je n'avais pas lieu de me
plaindre.

Quand j'ai eu vingt-et-un ans – l'âge de la majorité en
France –, j'ai dit à mes parents : « J'en ai assez de travailler
dans un petit village. Je vais chercher un travail à Paris. » Ce
que j'ai fait. J'ai d'abord trouvé un emploi, puis un appartement. J'ai occupé plusieurs postes de secrétaire, dont celui de
secrétaire de l'aide de camp au ministère de la Guerre. C'était
une bonne position pour quelqu'un d'aussi jeune que moi, mais
je pense que je le devais à mes études. J'ai travaillé à Paris pendant toute l'occupation allemande. Je me rappelle avoir eu faim
et froid et avoir tapé à la machine avec des gants.

Je garde un très mauvais souvenir de toute cette époque. Les
Allemands contrôlaient tout. Ils avaient saisi toute la production
agricole française pour l'envoyer en Allemagne. On souffrait

beaucoup de la faim. Heureusement, mes deux frères étaient trop jeunes pour être envoyés dans des camps de travail[*].

Après le débarquement des Américains en juin 1944, j'ai décidé de quitter Paris pour rejoindre ma famille à la campagne, à 30 km au nord de la capitale. J'ai voulu faire de l'auto-stop, mais aucune voiture française ne circulait sur la route. Il n'y avait que les troupes allemandes, qui battaient en retraite. Ils quittaient Paris et montaient vers le nord, car les Alliés venaient du sud. J'ai donc fait les 30 km à pied. J'étais bien contente de retrouver ma famille et de ne pas avoir été fusillée en route !

Après la libération de la France, j'ai rencontré des Américains qui nous persuadèrent, une amie et moi, de venir travailler pour eux près de Nancy, dans l'est de la France. J'étais jeune et n'avais encore rien vécu d'intéressant dans ma vie, aussi je suis partie. Toutes les deux, nous avons été engagées comme secrétaires. Les premiers hommes avec lesquels je suis sortie ont été les soldats américains. Il n'y avait pas d'hommes français en France. J'ai demandé aux GI de m'apprendre un peu d'argot et j'ai utilisé beaucoup de mots plutôt grossiers, sans réaliser ce que je disais !

Puis, nous sommes allés à Mannheim en Allemagne, près de Heidelberg. La ville était en partie détruite, mais le paysage était magnifique. Les GI n'avaient pas le droit de sortir avec des Allemandes parce que la guerre n'était pas finie, nous avions donc le choix ! Quand le quartier général a fermé, les Américains ont proposé à certaines d'entre nous de les suivre à Biarritz. On y ouvrait une université pour les GI avant qu'ils ne rentrent chez eux. « Pourquoi pas ? » nous sommes-nous dit, mon amie et moi. Comme moi, c'était une Parisienne, et comme moi, elle avait fait ses études à la Légion d'honneur.

Nous sommes donc parties à Biarritz pour quelques mois, et c'est là que j'ai rencontré mon mari, William H. T. Il était adjudant-chef et chef comptable pour le personnel français travaillant pour les Américains à Biarritz. Il s'occupait des bulletins de salaire et de tout le reste. Je travaillais pour lui, et il était

---

[*] Le Service du travail obligatoire (STO) concernait les jeunes hommes de vingt à vingt-deux ans.

content de mon travail. C'est comme ça que tout a commencé. Dans un sens, je n'ai jamais cessé de travailler pour lui !

Nous avons commencé à sortir ensemble le week-end. Il venait me retrouver là où j'habitais ou bien nous partions nous promener. Je me souviens qu'un jour, il nous a apporté, à mon amie et moi, une caisse de *K-rations*, la nourriture de l'armée américaine. Les *rations* n'étaient pas très bonnes, mais comme nous manquions de tout, nous les avons beaucoup appréciées.

Nous nous sommes mariés en 1946. J'étais enceinte. Mais uniquement parce que je savais que nous allions nous marier. Il le savait aussi. Nous avons eu une courte cérémonie civile à la mairie d'Anglet. Puis, le mariage religieux avec le chapelain de l'armée. Mon mari était protestant et j'étais une mauvaise catholique, j'ai donc pensé qu'il valait mieux que ce soit le chapelain qui nous marie. Mon mari était méthodiste*, et il l'est toujours. Moi, je ne suis rien. Le jour du mariage a été une très belle fête. Malheureusement, ma famille n'a pu venir, car les transports étaient très mauvais à l'époque. Mais il y avait beaucoup d'amis. Et les Américains ont veillé à nous offrir un bon repas et un gâteau de mariage dans un des beaux hôtels de Biarritz que l'armée américaine avait réquisitionnés. Je me souviens de ce gâteau pur beurre. C'était en forme de pyramide, et j'ai eu beaucoup de mal à le couper selon la tradition française.

Après notre mariage, l'armée nous a logés dans une très belle villa à Biarritz, où un chauffeur en jeep venait nous chercher tous les matins pour nous amener au travail. J'ai travaillé jusqu'en mars ou avril. Mon mari voulait que je parte aux États-Unis le plus vite possible, car j'attendais notre enfant. Je voulais aller aux États-Unis. C'était pour moi un *pays de cocagne*. Le rêve de tout le monde. Et la Croix-Rouge s'est très bien occupée de nous. Cette organisation envoyait en Amérique, à partir du Havre et du camp Phillip Morris, de nombreuses épouses de guerre. Ma mère a gardé les lettres que je lui ai écrites du camp et des États-Unis, et je les ai. Voici ce que je dis dans l'une d'elles, datée du 20 mars 1946.

---

* Voir *supra*, p. 74.

« Mes chers parents,

« Le voyage s'est bien effectué, malgré les émotions du départ. J'étais dans un compartiment avec deux autres charmantes jeunes femmes. Nous avons déjeuné dans le train, sandwiches et jus de fruit. Nous sommes arrivé *(sic)* au Havre à trois heures. Descente du train, et transport au Camp Phillip Morris en autocars. Il faisait un temps radieux. J'ai vu des villes bien abîmées. Rouen et *(sic)* de ce côté. Le camp est situé sur une hauteur à 9 km du Havre. C'est immense et ça me fait tout à fait penser au Camp Renault. Je suis dans la Baraque 15, lit 4. Les lits sont bons, draps et 5 couvertures. C'est organisé d'une façon formidable. Hier soir nous avons eu une conférence avec une dame de la Red Cross, qui nous a dit que nous resterions 5 jours dans ce camp.

« Nous partons le 25, dimanche. Je ne sais pas encore le nom du bateau. Nous avons beaucoup de papiers à remplir, les valises à visiter. C'est surtout le nombre [de femmes] qui nous fait rester si longtemps. Nous pouvons téléphoner, mais personnellement, je ne juge pas cela nécessaire. Je ne crois pas qu'on puisse recevoir du courrier. J'ai entendu dire que les bateaux mettaient 9 à 10 jours pour aller à New York. Il y a tous les genres de filles, mais dans ma Baraque, en général elles sont gentilles. Celles qui n'ont jamais vécu en camp font une drôle de tête mais moi, ça m'est complètement égal. Les femmes enceintes et les femmes avec bébé ne mangent pas avec les autres. Plus tard, et des suppléments, je suppose. Je crois que sur le bateau aussi, on aura un régime de faveur. Il y a la Nursery, le Dispensaire, la Salle des Formalités, le Salon de Lecture, tout bien chauffé, cinéma tous les soirs.

« Je crois que le temps va passer assez vite quand même. Je vous réécrirai dans quelques jours et vous donnerai des renseignements plus précis quant à mon départ. J'ai déjà lu un des livres, *Transparence*, il est très bien. De temps en temps, on est interrompu par des appels au micro : "La Baraque 5 à la visite des bagages", "La Baraque 12 à la Salle des Formalités". Je viens d'aller à la visite des bagages de la calle *(sic)*. Le douanier français n'était pas trop pointilleux. J'étais bien contente d'ouvrir ma malle, car tout s'était tassé au fond et cela en. Le temps est radieux.

« Je vous quitte, mes chers Parents, en vous embrassant de tout cœur ainsi que tout le monde à la maison.

« Votre grande fille,
« Nicole. »

Je n'arrive pas à croire que j'étais si gentille et que tous les deux jours, j'écrivais comme ça à mes parents. Toute ma vie, pendant quarante ans, j'ai écrit à mes parents toutes les semaines ! Cela ne se fait plus de nos jours.

Après avoir attendu au camp Phillip Morris, nous avons embarqué sur un bateau, le *SS Brazil*, dont je parle à mes parents dans une autre lettre datée du 24 mars 1946.

Mes chers parents,

Je commence à vous écrire aujourd'hui pendant que nous sommes toujours au port. Nous partons à une heure. Nous sommes sur le bateau depuis hier vers deux heures et demie. Nous sommes six dans ma cabine qui est à l'étage du milieu, juste au milieu du bateau. Si je ne suis pas malade, cela va être merveilleux. Le « Brazil » est un très gros transatlantique américain, à peu près du tonnage du « Pasteur ». Il vient d'Amérique avec tout le personnel et il a mis cinq jours. Donc au plus mal, nous serons là-bas dimanche prochain, peut-être avant. Il est très confortable. Nous avons une belle salle de bain pour notre cabine. Je couche à l'étage du bas et ma foi, j'ai bien dormi. Il y a une salle de danse et de spectacle. Hier, l'orchestre a joué et nous avons eu une séance de cinéma. Nous sommes environ 500 à 600 épouses. Il y a beaucoup d'infirmières et du personnel de la Croix-Rouge. Il y a une librairie *(sic)*, une nursery très bien arrangée. La salle à manger est très bien aussi... les garçons sont en général des nègres et nous sommes très bien servies. Hier soir, il y avait une tranche de napolitaine – quelque chose de sensationnel – des fruits, etc. Ce matin, un vrai repas. On nous demande de quelle façon nous voulons nos œufs, nous sommes servies comme des princesses... Ça change beaucoup du camp [Phillip Morris] où la vie était plutôt militaire. Mais enfin, il fallait y passer !...

« Votre fille,
« Nicole. »

C'est drôle, j'appelle les garçons des *nègres*, mais c'est comme ça qu'on disait à l'époque en France. C'étaient des civils noirs travaillant pour le bateau, qui faisaient partie de l'équipage et des gens qui servaient à table. Il y avait trois services dans le mess, et les repas étaient délicieux. Mais comme ensuite, nous avons tous été malades, nous n'en avons pas beaucoup profité. C'était un vrai supplice de descendre manger.

À l'époque, on ne pouvait aller en Amérique qu'en bateau. Il n'existait pas d'autre moyen de transport. Et avant ce voyage, j'imaginais très bien qu'on aime faire la traversée en bateau. Mais j'ai été si malade que j'ai écrit : « Si je reviens jamais en France, ce sera en avion. Comme ça, si je suis malade, ce ne sera que pour quelques heures et pas pendant plusieurs jours ! »

Je me rappelle qu'une fois nous avons été arrêtés en plein milieu de l'Atlantique pendant environ cinq heures parce que le médecin à bord avait dû aller opérer un malade sur un navire que nous avons croisé sur sa route vers l'Europe.

Nous étions toutes françaises, et la plupart des mariées ne se doutaient pas de ce qui les attendait. La moitié* de celles qui se trouvaient à bord du *Brazil* sont rentrées en France. Beaucoup ne parlaient pas anglais, et certaines n'ont pas été acceptées par leur belle-famille ou d'autres Américains. À cette époque, les gens avaient souvent de drôles d'attitudes envers les étrangers.

J'ai de nouveau écrit à mes parents la veille de notre arrivée, le 1er avril 1946.

« Mes chers parents,

« Dernier jour de voyage sur mer ! Je vous assure qu'on en a toutes assez ; Ça a été long, car la mer a été mauvaise à plusieurs reprises. Enfin, ce soir nous devons arriver à New York et celles dont les maris viennent les chercher descendent à terre. Les autres restent un jour ou deux sur le bateau dans le port en attendant que les places soient réservées dans les trains.

« Dans l'ensemble, j'ai plutôt été malade, couchée la moitié du temps, et je vous assure que le mal de mer, ce n'est pas

---

* Une exagération, bien sûr.

drôle ! C'est même épouvantable. Je ne pouvais rien manger. Mais enfin, on oublie vite et aujourd'hui la mer est très calme. On approche et le moral est meilleur...

« Il y a eu des concours de bébés pendant la traversée. Ils étaient tous très beaux et n'ont pas été malades...

« Je vous réécrirai bientôt et je vous dirai tout ce que je fais.

« Merci encore pour tout ce que vous avez fait pour moi ces derniers temps. Je ne l'oublierai jamais.

« J'espère que vous verrez bientôt Tommy. Dîtes-lui qu'il se dépêche, que j'ai hâte de le revoir. Quand je pense qu'il a cette traversée à faire, je le plains de tout mon cœur, mais j'espère qu'il n'a pas le mal de mer.

« Je vous embrasse bien tous affectueusement. Bonne santé à tous aussi.

« Votre fille,
« Nicole. »

Nous sommes arrivées au port de New York le 2 avril vers trois heures du matin. Et nous sommes toutes allées sur le pont voir la Statue de la Liberté et les lumières des gratte-ciel. C'était impressionnant et grandiose. Mais il faisait froid dehors. Nous avons abordé vers 7 heures du matin, et les femmes dont les maris étaient là sont descendues à terre immédiatement. Tommy n'était pas là, évidemment, et j'ai dû attendre. Mais j'avais à New York une cousine qui est venue passer quelques heures avec moi.

Puis, j'ai pris le train pour Louisville. Un Pullman. C'était quelque chose. Dans mon compartiment, il y avait une autre femme qui allait à Louisville. Elle aussi était enceinte. Nous sommes toujours amies. Elle était de Tours. Quand son mari a eu terminé ses études, ils ont quitté Louisville. Son mari avait économisé beaucoup d'argent à l'armée et à la fin de ses études, il a acheté un hôtel qui est devenu un *hôtel de passe*. Sans le lui dire ! Et elle qui ne parlait pas un mot d'anglais. Ils ont eu un fils. Elle est plus tard devenue manucure, et c'était une bonne façon d'apprendre l'anglais. Elle a élevé leur fils pendant que son mari avait des aventures. Elle s'est remariée, mais son second mari est mort du cancer. Et son troisième mari était diabétique. Maintenant elle est seule. Son fils ne vient jamais la voir. Elle vit à Seattle.

Il nous a fallu entre vingt et vingt-quatre heures pour arriver à Louisville. Il était sept heures et demie du matin. Le frère de mon mari et sa belle-sœur m'attendaient. Je les ai reconnus tellement ils ressemblaient à la description que mon mari m'en avait faite. Ses parents m'attendaient à la maison. Ma belle-mère était très gentille et leur maison était très agréable aussi. Et ce qui m'a le plus surprise en arrivant en Amérique, c'était le nombre incroyable de voitures ! En France, avec la guerre, nous n'avions pas autant. Et toutes les petites maisons en bois. Dans une lettre à mes parents, j'ai écrit qu'une amie de ma belle-mère avait apporté un beau gâteau décoré d'un glacis rose et vert et le mot BIENVENUE, et nous l'avons mangé avec de la glace.

Ma sœur est venue me voir hier, celle qui elle aussi est partie en Amérique, et nous avons lu les lettres. Jamais nous n'avons autant ri ! Mais sous-entendu dans ces lettres, il y a que j'étais très amoureuse de mon mari. Et je mourrais d'impatience qu'il rentre me retrouver en Amérique. Après ça, les choses ont beaucoup changé. Je traduis ce que j'écrivais dans une lettre :

« Le temps passe à toute allure. Ça fait une semaine que je suis ici et je m'y plais énormément. Et j'espère que Tommy va arriver très bientôt. Mais je doute qu'il soit là pour Pâques. Je n'ai pas eu de nouvelles de lui depuis mon arrivée ici… Il fait très beau dehors mais le chauffage central marche toujours ! Ce qui m'a choquée. Je n'ai pas l'habitude d'être autant chauffée. Les peintres repeignent la maison et cet après-midi, ma belle-sœur Luella et moi allons les aider. Elle rentre de l'école vers 2 heures et demie et nous sortons dans sa voiture. J'ai déjà pris beaucoup de photos que je vais bientôt vous envoyer. C'est étonnant tout ce qu'on trouve aux États-Unis. C'est exactement comme un grand magasin avant la guerre. J'ai acheté une nouvelle robe à pois blancs qui me va très bien. Et Luella un manteau beige. J'aimerais que vous voyiez la qualité du tissu ! J'ai toujours aimé coudre. Je n'arrive pas à croire au nombre de tenues que Luella possède. Des robes et des manteaux. Et le meilleur, c'est que tout me va ! Aussi, j'ai l'embarras du choix tous les matins ! »

Luella était très gentille avec moi. Ce dont je lui ai été très reconnaissante au début. Elle aurait pu être méchante, vous savez. Mais maintenant, je comprends qu'elle prenait plaisir à faire tout ce qu'elle faisait pour moi parce qu'ensuite, elle le RACONTAIT à tout le monde. C'était ce genre de bavarde ! Elle racontait tout ce qu'elle faisait pour moi. Je ne devrais peut-être pas dire ça. Mais je suis contente de dire quelque chose de gentil sur elle. Elle vient d'avoir une crise cardiaque et ne peut plus parler. Elle a quatre-vingt-trois ans !

Ma lettre continue :

« Ce matin, je suis allée chez le coiffeur. J'en avais vraiment besoin. Samedi dernier, nous avons été visiter l'aéroport de Louisville, et dimanche après-midi, nous sommes allées à un club de soldats américains. (Nous n'étions pas loin de Fort Knox) et tout le monde nous a bien accueillies. (Luella parlait tant de moi que tout le monde voulait me rencontrer.) Quand Tommy va arriver, nous allons faire un grand tour en voiture. On n'a qu'à faire cinquante mètres et la voiture est là. Ce n'est pas désagréable. Je vous enverrai bientôt une photo de la voiture. Puis, j'ajoute : quand on va à l'épicerie, je me crois en pays de fée. Des bananes, des ananas, toute la viande qu'on veut, du poisson, des gâteaux, du fromage. »

Et maintenant, je trouve leur nourriture si mauvaise et je me demande comment j'ai pu écrire des choses pareilles. Sans doute parce que nous n'avions rien pendant la guerre. Tout est relatif. Nous n'avions rien eu pendant quatre ans.

Puis, je continue :

« Ils ne se rendent pas compte de la chance qu'ils ont. Il n'y a que le sucre de rationné. 2 kilos et demi par mois et par personne. Et ils appellent ça du rationnement ! J'attends que Tommy soit là pour vous préparer un gros paquet. J'aurais voulu avoir cinq dollars pour chaque colis que j'ai envoyé à ma famille. Toute ma vie, je leur ai envoyé des colis. Surtout au début. Depuis que je suis ici, je me rends compte que les États-Unis sont vraiment un pays démocratique. Ils n'ont pas la moindre idée de ce qu'est une classe sociale. On traite tout le monde de la même façon. J'ai complètement changé d'avis là-dessus depuis. Quant à la nourriture, on mange beaucoup de glaces, et toutes sortes de fruits en grande quantité. Nous n'avions pas de fruits du tout en France pendant la guerre. Leur cave est pleine de boîtes de conserve. Je ne crois pas avoir jamais mangé un seul légume frais dans ma belle-famille. Dans l'ensemble, on mange moins qu'en France, mais c'est une nourriture plus riche. Et les repas en famille ne ressemblent pas aux repas de l'armée. Dieu merci ! Samedi, ils ont acheté un gros morceau de viande d'environ quatre livres qui aurait donné un merveilleux rôti ! Mais devinez ce qu'ils ont fait ? Ils l'ont fait bouillir ! C'était si dommage. Aussi, quand j'aurai ma propre maison, je me ferai de la viande rouge, des rôtis saignants ! Je me rappelle que tous les dimanches, ma belle-mère nous servait un rôti trop cuit avec des légumes, et qu'elle mettait le plat au four avant de partir à l'église. Et mon mari aime toujours ça, mais je ne le fais plus. Vous devriez voir tous les chapeaux en vitrine. Ils sont très drôles, mais jamais, au grand jamais, je ne n'en porterai un. Je vais me mettre à tricoter. Maman, peux-tu m'envoyer *Modes et Travaux* tous les mois ? Je vais voir si je peux envoyer de l'argent en France. Quand on donne trois dollars ici, ça correspond à mille francs. Mais en France, mille francs correspondent à huit dollars. Je ne comprends pas. Maman, si tu veux quelque chose de spécial, dis-le moi. Je suis sûre de pouvoir le trouver. Je vais essayer d'acheter des soc-quettes pour Jean-Marie. Il y en a de toutes les couleurs ici… Le logement est ici aussi difficile qu'en France, et les soldats qui rentrent d'Europe ne savent pas où aller. »

C'est pourquoi nous avons habité neuf mois chez ma belle-mère. C'était contre mon gré, mais je n'y pouvais rien. Et je suis très reconnaissante, mais c'était horrible. Pas parce qu'ils n'étaient pas gentils. Non, à cause de la chaleur et du bruit toutes les nuits. Nous habitions au grenier, et il faisait trente degrés la nuit. Et en bas de la rue, il y avait un carrefour ferroviaire. Le climat est très mauvais à Louisville : chaud et lourd l'été et froid et humide l'hiver. Je déteste toujours ce climat, surtout l'été, car nous n'avons pas l'air conditionné dans la maison.

Après, nous avons trouvé un logement dans un lotissement dans le sud de l'Indiana. Toutes les maisons étaient sur un seul niveau, avec un poêle au milieu du séjour. C'était un meublé, car nous n'avions pas nos propres meubles. Nous avons loué une autre maison, puis en 1954, nous avons acheté une maison à Louisville, où nous sommes toujours.

J'ai été très malheureuse les premiers mois que j'ai passés en Amérique avec ma belle-famille, parce que tout était si étrange pour moi, et surtout parce que mon mari buvait. Il buvait dans l'armée quand nous étions à Biarritz. Et j'avais trouvé ça drôle. Mais il n'arrivait pas à s'arrêter. Il ne prenait jamais un cognac simple, toujours un double. C'est ce qu'on faisait dans l'armée. On buvait.

Ces premières années ont été de mauvaises années. Mon mari est resté un temps dans l'armée, puis il a dû retourner à la poste, là où il avait travaillé avant la guerre. Il avait un diplôme de droit de l'université de Louisville, mais il n'a jamais exercé. Il travaillait de nuit à la poste et il buvait beaucoup avec ses copains de l'armée. Cela a duré plusieurs années. J'ai beaucoup pleuré, mais je n'ai jamais rien dit à personne. J'étais malheureuse, mais je ne pouvais pas rentrer en France. Pour rien au monde. Je suppose que je ne voulais pas m'imposer à mes parents.

Ma belle-famille a toujours été très gentille. Quand nous vivions avec eux, ils ne comprenaient pas pourquoi mon mari buvait du gin. Ils en avaient trouvé une bouteille dans l'un de ses tiroirs et lui avaient demandé : « Pourquoi est-ce que du bois du gin ? » Et il avait répondu : « Ce n'est pas du vrai gin. C'est du gin sans alcool. C'est du tonic. » Je ne sais pas s'ils l'ont cru ou non. Mais ils lui ont fait prendre une cuiller de gin tous les matins avant le petit-déjeuner ! C'étaient des gens si gentils, si bons, qu'ils ne voyaient jamais le mal. Mon mari est comme ça aussi. Il est très naïf. Je ne crois pas qu'il aurait fait un bon avocat. Il est trop honnête.

Quand il a été enrôlé pendant la guerre, il a demandé au conseil de conscription : « Mettez-moi où vous voulez, mais surtout pas dans l'infanterie parce que j'ai les pieds plats. » Et c'est justement là qu'on l'a envoyé.

Mais je dois dire qu'il avait été traumatisé par la guerre. Pendant des années et des années, et même encore maintenant, il en a parlé. Et quand il commence, on ne peut l'arrêter. Il était dans la bataille de la Bulge* et il a vu beaucoup de ses amis tués à ses côtés.

J'ai beaucoup pleuré pendant toutes ces années. Mon mari n'était jamais méchant. C'était un type bien. Et j'ai beaucoup de défauts aussi. Il était faible et je suis devenue autoritaire. Je me mettais en colère et me crispais. Mais nous avons été heureux avec notre fille, qui est née en 1946, et puis avec notre fils. Mon mari était plus un grand-père qu'un père pour ses enfants et ils l'adoraient.

Quand j'étais plus jeune, je m'étais mise à coudre pour gagner un peu d'argent. Puis, j'ai commencé à voyager, en Égypte, au Mexique, au Canada, à Haïti. Mon mari me laissait toujours partir. « Amuse-toi bien », me disait-il, plutôt que de me proposer : « Partons ensemble quelque part. » Il ne faisait rien d'autre que de regarder la télévision. La télévision, c'était son âme. Il ne pouvait manger sans que la télévision soit allumée. Je hais la télévision. Ça m'énerve. Mon mari n'était pas du genre à vouloir s'améliorer. Il n'est jamais retourné en France. Pour lui, la France était un pays de second ordre.

Ensuite, ma mère est venue me voir une dizaine de fois. Elle avait trois filles aux Etats-Unis, parce que deux de mes sœurs sont venues vivre ici aussi. Elles aussi avaient épousé des Américains – elles les avaient rencontrés lors de visites chez moi –, mais toutes les deux ont divorcé. Ma mère était une femme remarquable, qui aimait les États-Unis. Sa mère était née à Baltimore de parents français. Ma mère connaissait toutes les chansons de Stephen Foster**. Elle parlait anglais sans accent, pas comme moi. Son anglais était meilleur que le mien. Mon père n'est jamais venu me voir, il ne parlait pas anglais.

---

* La contre-offensive allemande des Ardennes (décembre 1944-janvier 1945).
** Stephen Collins Foster (1826-1864), célèbre compositeur américain de chansons.

En 1966, je suis allée passer six mois à Paris. Il fallait absolument que je quitte la maison. Notre fils et sa femme vivaient avec nous, et la maison était trop petite pour nous tous. J'étais très déprimée. Il fallait que je parte. Aussi j'ai trouvé un appartement à Paris et j'ai travaillé comme secrétaire d'un financier libanais. Ma fille se trouvait alors elle aussi en France et vivait dans une famille française pendant sa première année d'étudiante à l'étranger.

Depuis, je suis retournée en France tous les ans, parfois deux fois par an. J'économise pour ça, je me sens vraiment bien en France. J'ai des amis français que je connais depuis cinquante ans ou plus. J'aime les vieilles pierres et les musées. Les gens dans le Midwest sont très chaleureux, mais le côté culturel me manque. Là où je vis, ce n'est pas un endroit très « raffiné ». Ce qui importe, c'est de gagner de l'argent. Les gens intéressants sont dans les universités.

Cela va m'être plus difficile maintenant. Mon mari a la maladie d'Alzheimer. Il a quatre-vingt-six ans et a perdu sa mémoire immédiate. Il part se promener et se perd. Les gens me le ramènent. Il a besoin d'une cane et, la semaine dernière, il est tombé. Je crois qu'il m'aime toujours après quarante-neuf ans. Quant à moi, je ne sais pas. J'ai soixante-treize ans, mais je ne me sens pas cet âge. Il y a encore beaucoup de choses que je veux faire, mais maintenant mon mari est malade, et il semble que je vais devoir m'occuper de lui. Je relis parfois ces lettres que j'ai écrites à mes parents en 1946 et m'émerveille de la joie et de l'enthousiasme que j'avais à cette époque-là.

SANDALES NEW-YORKAISES

Jeanne-Marie L. C. est née à Oran, en Algérie, le 12 janvier 1920. Son père était industriel ; il possédait une fabrique de cigarettes. Sa mère était femme au foyer, mais avait travaillé comme institutrice avant son mariage. Ils ont eu trois enfants : Jeanne et ses deux frères. Lorsque l'entreprise familiale a été nationalisée par le gouvernement algérien en 1962, les parents de Jeanne sont venus en France, où ils avaient de la famille. La famille de son père était originaire de Provence. Son arrière-grand-père fut préfet de Marseille. Son grand-père fut élu député de l'Hérault à l'âge de vingt-huit ans, avant d'être nommé magistrat en Algérie.

Jeanne-Marie a rencontré son mari, Tom, à Oran pendant l'été 1943. Il faisait partie des troupes américaines venues tout de suite après le débarquement allié en Afrique du Nord. Ils se sont mariés en septembre 1944, et Jeanne-Marie a émigré aux États-Unis en août 1945. Divorcée depuis décembre 1971, elle vivait près de Los Angeles, en Californie, lors de notre entretien, qui s'est déroulé dans les locaux de l'école catholique où elle enseignait à l'époque.

Au début de l'été 43, ma mère manquait de sucre, ou quelque chose comme ça, et elle m'a demandé d'aller chez ma tante, qui habitait tout près, afin d'en emprunter. C'est là que j'ai fait la connaissance de trois jeunes soldats américains que mon cousin et ma cousine avaient rencontrés. Puisque je connaissais assez bien l'anglais, j'ai pu bavarder avec eux. Ils ont continué à venir chez mes cousins tout l'été, et ma tante m'invitait chaque fois qu'ils venaient. À mon grand étonnement, Maman m'a permis d'y aller. Elle était d'origine espagnole et très stricte, très sévère.

C'est comme ça que j'ai fait la connaissance de Tom. Il était sous-officier. Je ne souviens pas du numéro de son bataillon, mais c'était un bataillon d'ordonnance. Tom était ingénieur et réparait tout ce qu'on pouvait réparer. Il avait combattu sur le front d'Algérie. Ensuite, il remonterait le Rhône pour aller sur le front d'Alsace-Lorraine et puis en Allemagne.

Tom venait de l'État d'Iowa. Son père était fermier et propriétaire d'une grande ferme laitière, d'une *dairy farm*, dans le coin nord-est de l'État, à peu près à 15 km au sud du Minnesota et 25 km à l'ouest du fleuve Mississippi.

À la fin de l'été, Tom m'a dit : « Pourquoi ne pas se voir davantage ? » Alors, je l'ai invité à venir me voir chez moi, ce que je n'avais d'ailleurs jamais fait auparavant. Ensuite, il est venu une fois par semaine, puis deux fois, et puis tous les jours. À tel point que toute ma famille attendait sa venue. Mais tant lui que moi, nous ne nous rendions pas compte de ce qui se passait.

Nous ne nous en sommes rendu vraiment compte qu'à l'anniversaire du débarquement en Algérie[*]. Tom m'a demandé si mes parents me permettraient d'aller avec lui à un bal organisé dans un marabout en haut de la montagne qui surplombait la baie et la ville d'Oran. Mes parents m'ont donné la permission, à condition que ma belle-sœur nous accompagne ! Pour Maman, les sorties seules avec un jeune homme étaient absolument impensables.

Ma belle-sœur est donc venue. Et à un moment, ma belle-sœur a dit qu'elle avait la migraine – je suis presque certaine que c'était une migraine « diplomatique » – et qu'elle voulait rentrer. Alors, elle m'a laissée seule avec Tom, et avec les deux cent cinquante autres invités bien sûr, pendant une demi-heure. Je ne me souviens ni de comment Tom m'a demandé de l'épou-

---

[*] Le débarquement anglo-saxon en Afrique du Nord (Algérie et Maroc) avait eu lieu le 8 novembre 1942.

ser ni de ma réponse positive, mais le fait est que quand nous sommes redescendus de la montagne, nous étions fiancés !

À mon grand étonnement, mes parents n'avaient pas d'objection à ce qu'on se marie. Ils aimaient beaucoup Tom. Mais ils m'ont dit : « À une condition. Il faudra attendre la fin de la guerre. » Alors, les fiançailles ont été annoncées et nous devions attendre la fin de la guerre. Or, peu de temps après les fiançailles, quelqu'un a dit à Tom que dans la période après guerre – et personne ne savait combien de temps cela allait durer –, il serait impossible, tant pour lui de venir me chercher en Algérie, que pour moi de partir aux États-Unis. Mes parents ont donc accepté que nous nous mariions assez rapidement, et nous avons commencé les démarches en janvier 1944. Mais à ce moment-là, l'armée américaine commençait à se rendre compte que beaucoup de GI's s'étaient mariés avec des indésirables, avec des malades et d'autres personnes, et que tous ces gens allaient venir aux États-Unis.

L'armée, ou peut-être Washington, a alors décidé que ce serait beaucoup plus difficile d'obtenir l'autorisation de se marier. Il nous a fallu recommencer toutes les démarches, obtenir des affidavits de la banque de Papa, de la police, etc. Il a fallu aussi que je sois interviewée par tous les officiers supérieurs de mon fiancé. Nous voulions nous marier en juillet et nous espérions que les papiers arriveraient à temps. En fait, lorsque les papiers sont enfin arrivés, le débarquement en France venait d'avoir lieu, et l'on a mis Tom sur le pied d'alerte de deux heures. Il a fallu donc attendre encore.

Mais un beau jour Tom vient chez moi et m'annonce : « Ça y est ! Nous avons la permission ! On se marie le 11. » Nous étions le 5 ou le 6 septembre. Il fallait donc faire vite. Il n'y avait pas assez de temps pour avoir les dispenses nécessaires du diocèse d'Alger pour se marier à l'église catholique, mais nous avons pu publier les bans à la mairie d'Oran. Nous avons été mariés trois fois dans la même journée, dans l'intimité absolue – il n'y avait que mes parents, nos deux témoins et le chauffeur. Nous étions mariés d'abord par le maire d'Oran, ensuite par le chapelain baptiste de la chapelle du camp de Tom. Et après ça, nous avons reçu la bénédiction du prêtre qui avait marié mes parents, baptisé mes frères et moi, et nous avait donné la première communion.

Nous nous sommes mariés le 11 septembre 1944, et le 19 septembre Tom est parti pour la France et ensuite pour l'Allemagne. Moi, je suis restée chez mes parents en Algérie après son départ. En août 1945, un *liberty ship*[*] est arrivé dans le port d'Oran en route pour les États-Unis. Presque tous les soldats américains étaient déjà partis. Le consul américain a demandé au commandant s'il pouvait prendre à bord cinq jeunes femmes françaises qui étaient des épouses de soldats américains, des *war brides*.

Le commandant a accepté, et on est parti d'Algérie le 15 août 1945. Nous étions les seules femmes à bord et nous n'avions pas la permission de quitter le pont supérieur. J'étais la seule qui parlait assez bien l'anglais. Après avoir longé les côtes d'Afrique du Nord jusqu'au détroit de Gibraltar, nous avons descendu les côtes atlantiques de l'Afrique jusqu'à Dakar afin de traverser l'Atlantique au point le plus étroit, parce qu'à ce moment-là, la guerre avec le Japon n'était pas terminée et l'on craignait qu'il y ait encore des sous-marins. Ensuite, nous avons remonté le long du golfe du Mexique et de la côte atlantique des États-Unis, d'abord jusqu'à Newport News, et jusqu'à New York ensuite. Le navire est arrivé à New York le 5 septembre 1945[**]. J'avais vingt-cinq ans.

À notre arrivée, nous, les *war brides*, avons été accueillies par la Croix-Rouge et logées dans un grand hôtel qui donnait sur Central Park, le Saint-Moritz. On nous a emmenées visiter les boîtes de nuit, les musées, Saks Fifth Avenue[***] et d'autres grands magasins. Pour nous, c'était quelque chose d'incroyable, d'ahurissant – de trouver des chaussures, des bas, des vêtements –, parce qu'évidemment, nous avions eu si peu pendant toute la guerre. J'ai acheté une ravissante paire de chaussures. D'ailleurs, cela m'a causé quelques problèmes plus tard

---

[*] Marcelle S., une autre *war bride* d'Algérie que l'auteur a interviewée, a dit que c'était un navire de la marine marchande. Voir *infra*, p. 150.

[**] Cela fait une traversée de trois semaines. Marcelle a dit qu'elle avait duré trois jours.

[***] Élégant grand magasin ouvert en 1924 sur la Cinquième Avenue.

avec ma belle-mère. Quand elle les a vues, elle me dit : « Ces sandales sont ravissantes ! », et je lui réponds : « Oui, je les ai achetées à New York et à un bon prix. » Alors, elle demande : « Vraiment ? Combien les avez-vous payées ? » Je lui dis : « Quatre-vingt-dix dollars ». Elle a sauté au plafond – *she went through the roof*, littéralement – et a poussé un hurlement. Il faut dire qu'à cette époque, les chaussures coûtaient environ quatorze dollars dans l'Iowa !

La Croix-Rouge nous a conduites aux trains que nous devions prendre. De nous cinq, il y en avait trois qui restaient sur la côte Est des États-Unis, une qui allait à Cleveland, dans l'Ohio, et moi qui allais le plus loin, c'est-à-dire, jusqu'à Chicago. À Chicago, j'ai changé de train. Je suis arrivée à Postville, Iowa, vers deux heures du matin.

Mon beau-père et ma belle-mère étaient à la gare, seuls sur le quai, il n'y avait personne d'autre. J'étais la seule personne qui descendait du train. Il n'y avait absolument aucune lumière non plus. Mes beaux-parents sont venus vers moi et ils me demandent : « Vous êtes la femme de Tom ? » Je leur dis : « Oui. Et vous êtes les parents de Tom ? » Ils répondent : « Oui. » J'ai vécu chez eux pendant que Tom était encore en Allemagne. Ma belle-sœur, dont le mari était dans l'armée, habitait aussi avec nous. Tom est rentré quatre mois plus tard, juste avant Noël. Nous avons vécu encore un an et demi chez ses parents, pendant que notre petite maison à nous se construisait.

Mes beaux-parents étaient de braves gens, mais nous n'avions absolument rien en commun. D'ailleurs, ça n'a pas toujours été facile les premiers temps. Ils étaient d'origine écossaise et anglaise, et ça faisait des générations que la famille du père de Tom habitait la même ferme. Moi, je venais d'une grande ville, je m'habillais différemment, je réagissais différemment. Il faut dire aussi qu'à ce moment-là, l'Iowa était encore *dry*, et qu'il y avait la Prohibition[*]. C'était encore très puritain, surtout très presbytérien[**]. Il y avait beaucoup d'immi-

---

[*] La prohibition de l'alcool, imposée au niveau fédéral en 1919, fut retirée en 1933, mais elle demeurait de règle dans de nombreux États.
[**] Les Églises presbytériennes, d'inspiration essentiellement calviniste, ont été introduites en Nouvelle-Angleterre par les puritains au XVIIe siècle.

grants norvégiens, surtout dans le nord-est de l'État, et le dimanche, il y avait même un service religieux en norvégien.

Je peux vous raconter une petite anecdote. Lorsque je suis partie d'Algérie, mon père m'avait donné, comme cadeau pour la famille de Tom, six bouteilles de champagne. Avant de quitter l'Algérie, j'avais mis les bouteilles dans des manchons de paille, dans une malle où j'avais aussi le linge de mon trousseau. Lorsque j'ai ouvert la malle chez mes beaux-parents, ma belle-mère a regardé dedans et s'est aperçue des bouteilles. « Qu'est-ce que c'est que ça ? », elle me demande. « C'est du champagne pour quand Tom arrivera », je réponds. « Du champagne ! », elle crie. « Ça ne rentrera jamais chez moi ! » Alors, j'ai dû entreposer la malle dans une petite cabane dans une cour de la ferme. Et quand Tom est revenu, nous sommes allés regarder la malle. Le champagne s'était congelé, et toutes les bouteilles avaient explosé, laissant une espèce de givre partout sur mes draps de lin ! Quand je suis rentrée dans la maison, ma belle-mère me demande : « Tout va bien ? » Je réponds : « Oui, à part le champagne. » « Que s'est-il passé ? » Je lui raconte, et puis elle dit : « Rien n'en est resté ? » « Absolument rien du tout ! », je réponds. « Eh bien, j'en suis heureuse ! », elle me dit. À ce moment-là, si j'avais eu une seule bouteille intacte, je l'aurais probablement cassée sur sa tête !

Mon beau-père appréciait que je sois différente d'eux, mais ma belle-mère, pas du tout. Elle aurait voulu que Tom se marie avec la jeune fille qu'il connaissait à l'université avant la guerre. Ma belle-mère était une femme instruite – elle avait été institutrice comme Maman avant son mariage –, mais elle avait sans doute lu que les Françaises étaient toutes – je ne sais trop quoi – des prostituées. D'ailleurs, elle m'a carrément dit un jour que la femme française ne faisait que se peindre les ongles et la figure et porter des dessous noirs, mais qu'elle ne pouvait faire grand-chose d'autre ! Il a fallu une catastrophe pour qu'elle reconnaisse que les Françaises n'étaient pas les petites poupées superficielles qu'elle pensait. En 1947, à l'âge de cinquante-trois ans, elle a eu une hémiplégie massive, et pendant sept ans après, c'est moi qui me suis occupée d'elle.

En fait, elle a survécu pendant trente ans ! Trente ans ! Je pense que finalement, elle s'est rendu compte que j'étais aussi compétente que tout le monde. Vous savez, à cette époque, les gens de cette partie de l'Iowa étaient assez provinciaux, assez isolés. Beaucoup n'étaient même jamais allés plus loin que Des Moines, à 210 miles [337 km] de là, pour le *County Fair* [foire annuelle de l'État]. Et non seulement ça, mais j'étais aussi la première *war bride* à arriver dans l'Iowa. Et évidemment, ça a fait beaucoup de bruit – j'étais même interviewée par le *Des Moines Register* – ce qui n'a pas du tout plu à ma belle-mère, puisque le nom des C. figurait dans les journaux.

À propos des *war brides* dans l'Iowa, j'ai adoré le film *Bridges of Madison County*, où Meryl Streep joue une *war bride* italienne qui vit dans l'Iowa[*]. Ce que j'ai surtout aimé dans le film, et aussi dans le livre, c'est le fait que des gens mûrs puissent être romantiques sans être ridicules. La tante de mon mari habitait Madison County, et ma belle-mère y était née. La tante appartenait à une association qui voulait faire retaper tous ces ponts en bois, ces ponts couverts, qu'on voit dans le film.

Dans l'Iowa, il y a eu des moments où j'avais l'impression d'être un peu comme un singe apprivoisé. Les gens m'observaient parce que mes réactions étaient différentes, mon langage était différent. Par exemple, quand je parlais de quelqu'un qui était orateur, je disais qu'il était très « éloquent ». Or le mot *eloquent* sonne un peu snob en anglais, et il fallait surtout ne pas être snob là-bas ! Et puis, évidemment, il y avait aussi des choses que je ne savais pas. Par exemple, ce que nous, nous appelons une « brassière », ce n'était pas du tout ce que eux, ils appelaient une brassière[**]. Alors, quand j'ai utilisé ce mot pour la première fois, tout d'un coup leurs yeux sont devenus comme des soucoupes !

Parfois les gens me disaient : « Vous avez un accent. D'où venez-vous ? » C'est parce que, du fait que je parle plusieurs langues, mon accent n'est pas typiquement français. Mais quand je m'excite, quand je me fâche, mon accent français devient plus fort. Inévitablement, il y avait quelqu'un qui expliquait aux

---

[*] *The Bridges of Madison County* (« Sur la route de Madison »), film de Clint Eastwood adapté d'un roman de Robert James Waller.
[**] *Brassière* signifie « soutien-gorge » en anglais.

autres que j'étais française. Et tout d'un coup, on voyait les femmes qui se recroquevillaient et les hommes qui avaient l'œil pétillant.

Pendant quelques années, mon mari a géré la propriété de ses parents. Puis, en 1952, son arthrose était devenue si forte que le médecin nous a dit qu'il fallait partir sous un climat sec et chaud. Nous avons donc mis toutes nos affaires dans un camion et nous sommes partis vers l'Ouest. Nous nous sommes arrêtés à Phoenix, dans l'Arizona, et c'est là où nous avons décidé de rester. Tom a retrouvé du travail chez Ford, où il était avant la guerre. Il faisait des essais sur route pour les nouvelles voitures. Nous nous plaisions à Phoenix, mais en 1955, Ford nous a transférés à Kingman, une ville à 180 miles [290 km] au nord de Phoenix et à 110 miles [177 km] au sud de Las Vegas. Autrefois, Kingman avait été une ville florissante à cause de ses mines d'argent, mais en 1955, elle paraissait, littéralement, comme une *ghost town*, une ville fantôme.

Pour moi, Kingman était au bout du monde, et je pense que j'ai pleuré bien plus sur la route de Kingman que je n'avais jamais pleuré sur l'Atlantique ! Mais finalement, ce n'était pas si mal que ça. Pendant les onze années que nous avons vécues à Kingman, même si je ne travaillais pas, j'ai pu faire ce qui me plaisait énormément, c'est-à-dire chanter. Je donnais aussi des cours de chant à un petit groupe de personnes bien choisies. En fait, j'avais commencé une carrière dans le chant en Algérie, où j'ai fait mes débuts comme soprano à l'opéra d'Alger, avant de me marier. Et quand je suis arrivée dans l'Iowa et qu'on a découvert que je chantais, des universités, des églises et des associations m'ont toutes demandé de donner des récitals. Elles m'ont aussi demandé de leur faire des conférences sur la vie en France pendant la guerre. Personne dans l'Iowa ne savait comment c'était en Europe pendant ces années-là. J'avais donc été très occupée à Postville, et j'aimais beaucoup faire tout ce que je fais. À Phoenix, aussi, j'ai pu chanter.

Il fallait quand même que je m'occupe, car nous n'avions pas d'enfants. J'ai un rhésus négatif très rare ; et il faut que j'aie toujours sur moi un numéro. Je tombais souvent enceinte ; mais après deux mois et demi ou trois mois, je faisais des fausses-couches. Tom voulait des enfants, mais était absolument contre l'adoption. Enfin, aujourd'hui je pense que, rétrospectivement, c'était sans doute mieux, après tout, que nous n'ayons pas eu d'enfants.

En 1965, la compagnie Ford a nommé Tom directeur du laboratoire qu'ils installaient en Californie, à Pico Rivera plus précisément, et il y est resté jusqu'au moment où Ford a fermé le laboratoire, la chaîne de montage et toutes ses installations. Pendant que Tom était directeur du laboratoire, il était obligé de recevoir beaucoup d'ingénieurs et d'autres personnes, et de les emmener dans les restaurants pour des *three Martini lunches* [déjeuners d'affaires précédés souvent de trois Martinis-gin] et pour des dîners. Ils allaient aussi dans des boîtes de nuit. À l'époque, ce n'était vraiment pas le genre de Tom, mais à force d'aller dans ces endroits, il a commencé à beaucoup boire, et un beau jour, au coin d'un bar, il a rencontré une autre femme, une femme qui a bientôt mis ses griffes sur lui.

J'étais retournée en France voir ma famille en novembre 1969. Je me doutais que quelque chose clochait, comme on dit, mais j'avais décidé que, quoi qu'il arrive, j'allais attendre et que j'allais les avoir à l'usure. Eh bien, j'ai attendu, beaucoup attendu, mais en août 1970, lorsque je suis revenue d'un voyage dans l'Iowa pour voir sa mère, Tom était parti. Il avait déménagé ses affaires et il avait laissé un petit mot sur l'écran de la télévision disant que si je voulais entrer en contact avec lui, je pouvais lui téléphoner au bureau. Mais c'était le week-end, alors je ne pouvais pas le joindre. Je ne suis pas du tout du genre hystérique, mais ce jour-là est la première et la seule fois de ma vie où j'ai complètement déliré.

Non seulement Tom était parti, mais il m'a laissée sans rien. Il a vendu la maison que nous avions encore dans l'Arizona et le bateau que nous avions dans le port de Long Beach. Il a vidé les comptes en banque et accumulé des dettes sur les cartes de crédit. Enfin, il a fait transférer au nom de sa maîtresse toutes les actions Ford que nous possédions.

Notre divorce a été prononcé en décembre 1971, et ils se sont mariés trois mois plus tard. J'ai oublié de dire que cette femme avait déjà été entretenue, comme on dit, par plusieurs hommes et aussi mariée et divorcée cinq fois Enfin, elle a plaqué Tom au bout de trois mois... Évidemment, elle a tout pris avant de déménager.

Après son départ, Tom a sombré dans l'alcool. On l'a mis à la retraite avant l'âge. Il a été arrêté plusieurs fois par la police. Il a même fait quelques semaines de prison pour conduite en état d'ivresse. Il fumait trois paquets de cigarettes par jour. À vrai dire, il s'est suicidé avec l'alcool et les cigarettes. Il est mort le 17 janvier 1988.

En 1970, donc, je me suis trouvée à cinquante ans sans rien. Il était trop tard pour reprendre une carrière de chant. De toute façon, je n'avais pas assez d'argent pour me relancer dans cette voie-là. C'est alors que des amis de mon église m'ont suggéré un nouveau métier, l'enseignement. Ils savaient que même si je n'avais jamais exercé, j'avais des diplômes, car j'avais obtenu l'agrégation[*] en français et en anglais de l'université d'Alger. J'avais beaucoup de chance, parce qu'une école privée catholique a reconnu mes diplômes et m'a offert un remplacement comme professeur de français. Et l'année d'après, ils m'ont embauchée, et j'y suis restée trois ans.

Je serai éternellement reconnaissante aux sœurs, aux prêtres, à tout le monde à St. Paul High School parce qu'ils m'ont prise, ils m'ont donné une chance, alors que j'étais dans un pitoyable état. Le choc psychologique qui m'avait été infligé par le départ de Tom a déclenché chez moi un urticaire horrible. J'avais des éruptions géantes qui voyageaient d'un côté à l'autre de la figure. J'avais les lèvres et la langue tout enflées. C'était affreux ! J'étais comme un monstre. Le matin, je ne savais jamais, et mes élèves non plus, comment j'allais être quand j'arriverais en classe. Les gens de St. Paul's m'ont prise sous leur aile, ils m'ont choyée, ils m'ont aimée, ils ont été merveilleux. Ils étaient ma vraie famille à ce moment-là.

Lorsque mon contrat était terminé à St. Paul's en 1973, j'ai obtenu un poste à Servite High School et j'enseigne dans cette école depuis cette année-là. C'est un lycée de garçons, ils sont pour la plupart catholiques, mais nous avons aussi des juifs, des bouddhistes et des musulmans. Beaucoup de nos élèves sont

---

[*] Probablement la licence.

des Asiatiques ou des Hispaniques. Je suis chef du département des langues et j'enseigne le français et l'espagnol. Je suis aussi la calligraphe de l'école. Je calligraphie en moyenne 1 300 certificats ou diplômes par an. Évidemment, avec tout cela, je passe de longues journées au lycée. J'arrive vers six heures du matin, et très souvent j'y suis encore a neuf heures du soir.

Je pense prendre ma retraite dans deux ans. Je retournerai vivre dans l'Iowa, mais avant de partir, je voudrais obtenir des diplômes en reliure et en peinture à Long Beach State University. Ensuite, je partirai. Je serai ravie de quitter la Californie. J'ai horreur maintenant de la Californie. Il y a trop de gens. Il y a trop de pollution, trop de bruit, trop de trafic, trop de tout ! Et la criminalité y est devenue absolument endémique. C'est affreux. De plus en plus, je rentre chez moi et je ferme ma porte. Je n'ouvre pas à moins que je sache qui c'est. Je ne vais plus aux matchs de football ou de basket, alors que j'y allais très souvent pendant des années. L'endroit où j'habite, Whittier[*], était autrefois une petite ville tranquille – elle a été crée par des Quakers –, mais plus maintenant. L'environnement s'est vraiment dégradé.

Oui, j'irai dans l'Iowa. C'est un État très beau et, pour moi, c'est *home*. Je vivrai dans la maison où mon mari est né, la maison que son père a construite dans la propriété familiale quand il s'est marié. Ma belle-sœur et mes nièces m'ont invitée. Je serai près d'une ville de huit mille cinq cents habitants où il y a un *college* [université[**]]. De ce fait, c'est une ville assez active sur le plan intellectuel, avec des concerts et des conférences. Étant calligraphe diplômée, je pourrai peut-être donner des cours de calligraphie dans le département d'art du *college*.

Je viens d'une famille qui a toujours été très active. Ils ont tous vécu très longtemps aussi. Ma mère est morte à quatre-vingt-dix-sept ans. Elle a été active jusqu'au dernier moment. Elle a eu une hémorragie intestinale et puis est partie en quelques heures. J'ai encore de la famille en France, à laquelle je suis très attachée. Un de mes frères est décédé, mais l'autre habite à Bordeaux.

---

[*] Richard Nixon était originaire de Whittier.
[**] *College* désigne un établissement de premier cycle universitaire.

J'aime vivre aux États-Unis, et quand je suis en France avec ma famille, je suis aussi très heureuse d'y être. Mais je dois avouer que je suis plutôt impatiente avec les démarches administratives en France, avec la paperasserie, les lenteurs. À cet égard, je suis devenue très américaine. Mais je cuisine encore français, et quand ce n'est pas pendant l'année scolaire, je vis au rythme français.

Je me sens autant américaine que française. J'ai la double nationalité. J'ai acquis la nationalité américaine en 1948. Ce n'était pas automatique. Le seul avantage que nous, les *war brides*, avions, c'était de pouvoir obtenir la nationalité américaine après deux ans de résidence au lieu de cinq. Mais il a fallu tout de même que je suive des cours à l'université pendant six mois sur les institutions et l'histoire américaines, et que je passe un examen à la fin qui était à ce moment-là très difficile. Je me considère comme *Republican*, mais je vote pour la personne qui, je pense, sera la meilleure pour le poste. Par exemple, j'ai voté pour Truman*.

Parfois, j'entends dire ici que les Français n'aiment pas les Américains. Je dis aux Américains que ce n'est pas vrai, que c'est un cliché. Je leur explique que les Américains que [ce que] les Français n'apprécient pas, ce sont des Américains qui se font remarquer, ceux qui portent des chemises hawaïennes ou se promènent avec des shorts courts, le nombril à l'air, dans Notre-Dame ou dans les musées de Paris, qui se comportent comme des imbéciles. Car les Américains qui se comportent bien, on ne les remarque pas. Ils sont comme tout le monde.

Je ne regrette rien. Il y a des *war brides* qui sont retournées en France. Il y en a beaucoup dont le mariage n'a pas tenu. Je ne regrette pas du tout d'être venue aux États-Unis et d'y être restée même après mon divorce. Il faut dire que j'avais toujours été un peu, comment dire, un peu rebelle. Ma mère a été très dominatrice, très *controling*. Épouser Tom, c'était comme une ouverture. Quand Tom est parti, je ne voulais pas retourner chez mes parents en France parce que j'apprécie beaucoup la liberté personnelle que j'ai aux États-Unis. Je ne l'aurais certes

---

* Harry S. Truman, président démocrate des Etats-Unis (1945-1953), réélu en 1948 au terme d'un scrutin très disputé.

pas eue dans ma famille. Ils m'auraient tous dit : « Mais non, non, non ! Il n'est pas question que tu travailles, que tu fasses ceci ou cela. » Ils auraient voulu décider pour moi ce que je devais faire, où je le ferais et avec qui.

Je n'ai jamais cessé d'aimer Tom, même s'il ne s'est jamais excusé pour tout ce qu'il m'a fait. Je l'ai toujours aimé, je l'aime toujours. Il n'y a pas un jour où je ne pense pas à lui. C'est d'ailleurs la raison pour laquelle je ne me suis pas remariée. Une fois qu'il a été parti, j'ai décidé – et à ce moment-là, j'avais cinquante ans – que jamais je ne me remarierais. D'abord, parce que je l'aimais toujours et ensuite parce que je ne pouvais pas m'exposer à être encore bernée et à souffrir de la même manière. J'avais accepté de passer ma vie avec Tom, et je ne concevais pas – et je ne l'imagine toujours pas – de vieillir avec quelqu'un d'autre. Je sais que c'est une vie solitaire que je mène maintenant, mais je l'accepte.

Et, quand même, je me considère très chanceuse d'avoir eu vingt-sept ans de bonheur – ou plutôt vingt-six ans de bonheur et un an d'enfer – avec Tom, et puis vingt-cinq ans de satisfaction après. Car, finalement, je suis satisfaite de mon sort. Je suis satisfaite de gagner ma vie et de faire ce que je veux avec l'argent que je gagne. J'ai aussi quelques amis de longue date qui me sont très chers. Oui, je dois dire que je suis très satisfaite de ma vie.

MAURICE ET MOI

Marcelle S. est née et a grandi à Oran. Sa mère était origi-
naire de Grenade, en Espagne, son père, de parents français,
du Maroc espagnol. Les deux familles avaient émigré en Algé-
rie, et c'est dans ce pays que ses parents se sont rencontrés. Ils
se sont mariés et ont eu cinq enfants en cinq ans. Après la mort
de leur mère d'une maladie du cœur, à trente-deux ans, les
cinq frères et sœurs sont allés vivre chez leur grand-mère
maternelle et leur tante, oncle et cousins à Oran. En 1962,
quand les Français ont dû quitter l'Algérie, toute la famille est
partie s'installer en France. Mais à cette époque, Marcelle
était déjà bien établie à Chicago.

Quand je suis allée interviewer Marcelle dans son apparte-
ment situé dans le quartier nord de Chicago, c'est un monsieur en
chaise roulante qui m'a ouvert la porte. Maurice (« Morry »), le
mari de Marcelle, avait eu une attaque cinq ans auparavant et
était en partie paralysé. Mais sa mémoire, son humour et son sens
de la répartie étaient vifs comme l'éclair. Et c'est lui qui, au début
de notre conversation, avant de nous quitter pour une sieste, a
aidé Marcelle à se souvenir de quelques points particuliers.

Marcelle et moi avons parlé en anglais, car c'est dans cette
langue qu'elle se sent le plus à l'aise à ce stade de sa vie. J'ai
essayé de conserver toute la vivacité de notre premier entretien
dans la version corrigée et traduite donnée ci-dessous.

Morry était le plus bel officier dont on puisse rêver. Je l'ai
regardé et je me suis dit, je n'en crois pas mes yeux. Je suis

tombée *head over heels* [folle amoureuse]. En bref, une telle chose ne me semble pas possible, pourtant elle m'est arrivée.

C'était en juillet 1944. Cinq mois après, nous étions mariés et nous sommes toujours ensemble.

Le plus drôle dans cette histoire, c'est que je n'aurais jamais dû le rencontrer. J'étais déjà fiancée à un Français qui combattait à Tripoli. Les circonstances ont été des plus étranges. Une amie m'a appelée pour m'inviter à une soirée avec beaucoup de soldats américains et anglais. Souvenez-vous que nous n'étions pas en France mais en Algérie, où nous ne vivions pas la guerre de la même façon et où nous organisions des fêtes et des pique-niques. Il manquait à mes amis une femme pour leur soirée. D'habitude, on ne m'invitait pas, parce que j'étais fiancée. Mais cette amie a insisté tout particulièrement. Je lui ai répondu que je ne pouvais me montrer à ce genre de soirée. Elle a alors ajouté : « Tu sais, il y aura des Américains et ils apportent du poulet. » Et c'est ça qui m'a convaincue. Le poulet. Je suis donc allée à cette fête et j'y ai rencontré Morry ! Je suis tombée dingue amoureuse, et tout a été joué. C'est après que cela a créé des problèmes.

J'ai commencé par me sentir coupable et j'ai décidé de ne plus voir Morry. Mais quelques semaines plus tard, il y a eu une réunion d'organisée sur une plage, celle de Lourmel je crois. C'est un endroit très joli avec de belles dunes, et mes amis m'ont dit que les Américains apportaient la nourriture. On n'avait pas beaucoup à manger pendant la guerre. Nous avions relativement de la chance dans ma famille, car la ferme de ma grand-mère donnait quelques produits, mais quand même. Quoi qu'il en soit, j'ai décidé d'aller au pique-nique. Et c'en a été fini ! Je me suis retrouvée obligée d'écrire une lettre à mon fiancé. Cela a été très dur, très traumatisant pour moi de lui écrire, de rompre avec lui. Nous avions beaucoup d'amis en commun. Cela faisait des années que nous faisions partie du même groupe d'amis, de la même bande, et nous nous étions fiancés. Mais ma grand-mère ne nous avait pas permis de nous marier tout de suite. Et puis, sa famille me voyait maintenant sortir avec un Américain.

Vous ne me croirez peut-être pas, mais ma grand-mère, mon oncle et ma tante ont tout de suite accepté Morry. Ils étaient ravis que j'aie rompu avec mon fiancé. Ils ne voulaient pas que j'entre dans sa famille parce que c'étaient des nouveaux riches. Vous savez, à cette époque, et peut-être qu'ils sont encore comme ça, les Français étaient bizarres et ne fréquentaient pas n'importe qui. Pour eux, ce n'était pas une bonne alliance. Ça leur était égal que je veuille me marier avec un Américain et que je doive probablement partir en Amérique. Ce qui les inquiétait, c'est que nous risquions de ne pas avoir assez d'argent après notre mariage. Morry ne parlait pas français – il ne le parle toujours pas –, aussi ils se sont tous mis à apprendre l'anglais pour pouvoir parler avec lui.

Moi, j'étais si folle de Morry que je ne crois pas m'être jamais inquiétée de devoir quitter le pays, de ne pas avoir assez d'argent ou de ne pas parler la langue. Je me disais que nous nous débrouillerions bien. Mais nous avons dû attendre les quatre-vingt-dix jours de délai obligatoire avant d'obtenir mes papiers. L'armée ne voulait pas qu'il soit trop facile aux soldats de se marier. On m'a interviewée, mais très gentiment. Le capitaine de Morry, qui était aussi son ami, m'a dit : « Ça sera très difficile pour vous… etc., etc. » Mais à ce moment-là, j'étais si amoureuse que rien ne pouvait me faire changer d'avis. On a envoyé Morry en Italie, mais son capitaine l'a encouragé à revenir me rendre visite à Oran. Il lui disait : « Quand vas-tu revenir voir ta reine ? » Morry est revenu quatre fois. Ce qui a été bien aussi, il a obtenu une jeep de l'armée pour notre voyage de noces. Nous sommes allés à Tlemcen, dans les monts d'Algérie, au même endroit où Paulette, que j'ai rencontrée sur le bateau qui nous emmenait en Amérique, et son mari s'étaient rendus un mois avant nous. En fait, l'armée nous a donné la jeep, des fleurs et toutes sortes de choses.

Morry était très gentil, très humain. Il a représenté une sorte d'ancre pour moi après l'enfance bizarre que j'avais eue – élevée sans parents, et tout ça. Ma mère a été malade dès ma naissance. Elle était toujours couchée, je ne me rappelle pas l'avoir jamais vue debout. Elle avait une terrible maladie du cœur, mais à cette époque, on ne connaissait pas grand-chose là-dessus. Après sa mort, mon père a mené une vie très dissolue. Ou peut-être qu'il en avait toujours été ainsi sans que nous nous en apercevions. Nous vivions dans une grande maison et ne savions jamais ce que faisait l'un ou l'autre de nos parents. À cette époque, c'était les gouvernantes et les bonnes qui s'occupaient des enfants, et nous vivions dans une partie séparée de la maison. Mon père venait d'une famille de banquiers. Il avait de l'argent et n'avait pas besoin de travailler. Peut-être qu'il possédait des biens. Je ne sais pas. Après la mort de ma mère, ma grand-mère est devenue légalement notre gardienne. Elle aussi avait une grande maison et de l'argent. C'était une femme très intelligente et nous n'avons jamais manqué de rien. Nous n'avons vu mon père que très rarement après la mort de ma mère. Je ne l'ai pas invité à mon mariage, mais je l'ai aperçu de loin en ville plusieurs fois.

J'ai été l'une des premières mariées de guerre à quitter Oran. Nous étions cinq. Juste après la fin de la guerre avec le Japon, une semaine après environ, quelqu'un a frappé à ma porte – c'est la stricte vérité – et m'a dit : « Pouvez-vous être prête à partir d'ici deux ou trois heures ? » J'étais chez ma grand-mère parce que Morry était en Italie. Ma famille et moi avons paniqué, de peur que je ne sois pas prête. Je ne voulais pas manquer l'occasion. Mais si j'avais su que Morry allait rester encore quatre mois en Italie, je n'aurais pas quitté Oran à ce moment-là. J'aurais attendu.

Nous sommes parties toutes les cinq d'Oran sur un navire marchand. Il était très lent et nous avons passé neuf jours à bord. Il y avait moi, Jeanne*, que vous avez rencontrée, Paulette, à peu près du même âge que moi, mais un an plus jeune, vous savez, une vraie gamine. Une fille qui se rendait dans le Michigan et qui était enceinte. Et une dame très malade qui est morte environ deux mois après notre arrivée aux États-Unis. Paulette vit à Cleveland, et elle et moi sommes toujours amies après toutes ces années. J'ai perdu contact avec Jeanne. Quelle coïncidence que vous l'ayez vue à Los Angeles ! Quand je l'ai rencontrée, elle s'était mariée à un Américain et se rendait dans l'Iowa, dans un endroit appelé Strawberry Hill ou quelque chose comme ça. Elle a eu une petite aventure romantique sur le bateau avec le capitaine, qui était fou d'elle. Mon Dieu, il

---

* Voir *supra*, p. 136.

était terrible ! Jeanne était très jolie et très entreprenante. Il fallait sans cesse la surveiller !

Je suis arrivée à Chicago *on Labour Day 1945* [le 1er mai 1945]. Morry n'était pas encore rentré d'Europe, j'ai donc habité quatre mois chez son frère et sa belle-sœur. Ils avaient des enfants, et Morry avait cru qu'il me serait plus facile de m'entendre avec eux qu'avec ses parents. Quatre mois sans mon mari, c'était un peu bizarre. Je pensais bien savoir l'anglais, mais je ne le parlais pas bien du tout. C'était des gens très gentils, très bons, qui avaient le sens de la famille. Mais ils n'avaient pas fait les mêmes études que moi. Ma belle-sœur, par exemple, n'avait pas été plus loin que le brevet. C'était courant à l'époque pour les petits bourgeois.

La famille de mon mari était originaire d'Europe de l'Est. Son père de Russie, sa mère de Lituanie. Morry avait étudié deux ans dans une faculté de lettres, puis avait pris des cours de chant ; Il avait chanté dans un *nightclub* ou quelque chose comme ça avant d'être engagé. Ce n'était pas vraiment une profession. Cependant, il a énormément appris dans l'armée. Il a bien réussi. Je veux dire qu'il avait grimpé les grades. Il avait commencé comme sergent, était passé lieutenant et avait fini capitaine. C'était un baryton avec une grosse voix de basse, il est devenu officier de formation. Il a reçu un diplôme. Il a même chanté à notre mariage. *Through the years*, je crois.

Je suis entrée dans une famille qui n'était pas du même milieu que le mien et n'avait pas fait d'études supérieures. Je venais d'une famille riche. Mais depuis notre mariage, avec tout ce que nous avons fait ensemble, Morry a acquis mon niveau. Je veux dire qu'il en sait autant que moi sur la politique et les arts. Nous adorons l'opéra, nous y allons très souvent, même maintenant. Je l'emmène partout, à l'opéra, au théâtre, au concert.

Morry a été élevé dans la tradition juive et moi dans la religion catholique. À mon arrivée à Chicago, j'ai surtout rencontré des juifs, ce qui était intéressant. Mais beaucoup de membres de sa famille avaient épousé des non-juifs, et il y a chez eux maintenant probablement autant de chrétiens que de juifs. Morry dit toujours en plaisantant que je suis devenue plus juive que lui.

Quand mon mari a quitté l'armée, il a décidé de vraiment gagner de quoi vivre et il s'est engagé dans une compagnie qui fabriquait des uniformes lavables. Il y est resté quinze ans puis est passé chez Marshall Field's, le grand magasin de Chicago. Il y a vendu des meubles, des choses comme ça, pendant vingt ans et a pris sa retraite à soixante-cinq ans. Nous avons vécu dans diverses villes, Minneapolis, Pittsburgh, et nous sommes revenus à Chicago. Nous aimons la ville et n'avons jamais habité la banlieue, ce n'était pas notre style. Mais toujours des appartements en ville ou à Evanston, qui est une ville universitaire, mais pas vraiment la banlieue*.

Je n'ai pas travaillé pendant les quinze premières années. J'étais une femme oisive et j'ai eu une vie merveilleuse. J'ai joué au golf. J'ai appris à jouer au bridge. Je suis allée à toutes sortes de conférences et je me suis amélioré l'esprit. Je n'ai pas eu de difficultés à m'occuper. J'ai beaucoup voyagé avec mon mari quand il prenait la route. Il m'a appris à conduire immédiatement quand nous sommes allés dans le Dakota du Nord. Il y avait ces immenses autoroutes où j'étais la seule à rouler.

Malheureusement, nous n'avons pas pu avoir d'enfants. Je n'ai pas voulu en adopter. Aussi, quand Morry est entré chez Marshall Field's, j'ai décidé de me mettre à enseigner. J'avais une licence de chimie de l'université d'Alger et j'avais donné quelques cours de maths et de chimie avant de me marier, mais ce diplôme ne me donnait pas grand-chose ici. Dans le domaine des sciences, tout était différent, et j'aurais dû suivre de trop nombreux cours pour obtenir le *Bachelor's degree* [licence] américain. Mais j'ai pu obtenir un *Master's degree* en *Humanities* [maîtrise de lettres], car j'avais beaucoup étudié la littérature et la philosophie en Algérie. Et grâce à une sœur de l'université de Loyola que j'ai rencontrée à mes cours du soir, j'ai été invitée à une soirée donnée par le consul français en l'honneur de tous les directeurs des départements de français des universités de Chicago et de l'État d'Illinois, ce qui m'a permis d'obtenir un travail. J'ai enseigné le français sur le cam-

* L'université de Northwestern se trouve à Evanston.

pus de Chicago pendant neuf ans. Tous les niveaux, mais je n'ai jamais réussi à échapper au 101*.

Avec le recul, j'éprouve une grande reconnaissance pour ma grand-mère. Elle était d'une intelligence extraordinaire. C'était une femme vraiment très moderne. Elle avait compris qu'ayant perdu nos parents, mes sœurs et moi n'aurions pas de ressources et que nous devrions travailler. Et pas dans des emplois de couturière ou de brodeuse. Aussi nous sommes allées à l'université, ce qui a été très dur car nous avons dû quitter la maison et vivre à Alger. Peu de filles le faisaient à cette époque. En tant que fille, c'était un privilège de faire des études. En fait, même à l'université, la plupart de nos cours n'étaient pas mixtes.

Au lycée, j'ai eu la chance d'avoir Albert Camus comme professeur. Sa femme travaillait aussi dans l'école. Comme surveillante. Camus était absolument extraordinaire. Très charismatique, un homme très gentil, très humain. Il était jeune à l'époque – comme nous tous – et il devait avoir environ huit ans de plus que moi.

Où en étions-nous ? Ah oui, à ma vie en Amérique. Mon américanisation a été presque totale. J'ai pris la citoyenneté américaine et renoncé à la française. Je suis démocrate et je me suis engagée politiquement dans les années cinquante à l'époque du maccarthysme. Je ne vivais pas dans un milieu conformiste et je n'ai moi-même jamais été conformiste. Je me suis liée avec des gens de l'université.

J'aime la vie ici. La facilité avec laquelle tout se fait. Et qu'on ne se soucie pas de savoir si les autres n'apprécient pas ce que nous faisons parce que les « Dupont » le font. J'ai vu mes sœurs et mon frère en France, la façon dont ils se comportent. Ils n'arrêtent pas de se demander : « Qu'est-ce que les autres vont dire ? Que vont-ils faire ? » Ici, au bout de cinquante ans, je ne m'inquiète pas de ce que les gens disent ou font. Je suis quelqu'un de libre, eux non. Avant que Morry ait son attaque, nous allions en Europe tous les ans et habitions chez ma sœur. Elle vit dans une petite ville près de Genève.

---

* Prononcé *one o one*, nom familier pour un cours pour débutants.

C'est un endroit très joli, et elle a beaucoup d'amis, mais qui ne cessent de s'inquiéter : « Vous ne pouvez pas faire ça. Mme Dupont vient. » Je ne vis pas comme ça.

J'ai eu une vie magnifique en Amérique, et ma famille a toujours été heureuse de me voir si bien m'adapter. Mon mari est un homme merveilleux et nous avons eu une vie très intéressante. D'abord, parce qu'à Chicago, tout est meilleur qu'ailleurs. Notre orchestre est le meilleur, notre opéra est superbe... Et l'Art Institute[*] aussi. Puis, Morry et moi avons beaucoup voyagé. Nous sommes allés en Australie, en Nouvelle-Zélande, à Hong Kong, à Fidji, en Chine et au Japon. Quand il travaillait chez Marshall Field's, il avait beaucoup de vacances et nous partions très souvent. Pour notre voyage en Australie et en Nouvelle-Zélande, nous avons utilisé l'argent que nous avait laissé une tante quand elle est morte à Paris. Elle avait dit à tous ses neveux et nièces : « Je ne veux pas que vous achetiez un fauteuil ou une table ou un morceau de tissu. Je veux que vous en serviez pour vous amuser. » Aussi, nous avons tout brûlé pendant ce voyage, qui a duré quarante-deux jours.

Si je me suis si bien adaptée ici, c'est sans doute grâce à mon tempérament. Je me fais des amies facilement. Pas toujours des amis intimes, mais j'ai beaucoup de gens autour de moi que je peux appeler si j'ai besoin de quelque chose ou si je veux aller déjeuner avec quelqu'un. J'accepte volontiers aussi d'être à la tête d'un groupe. Et de travailler dans une association. J'ai été dix ans la présidente du groupe français de l'*International Women's Association*, qui faisait autrefois partie de l'*International Visitors' Center*. Je vais aussi dans les écoles enseigner aux enfants à apprécier l'opéra. Ce genre de choses.

Je me sens très américaine et m'exprime maintenant avec plus d'aisance en anglais qu'en français. Je suis parfois surprise d'entendre les gens me dire : « D'où êtes-vous ? » Je me retourne toujours pour leur demander : « Pourquoi cette question ? » Je suis quelqu'un qui s'impose et parle franchement. Ils n'en croient pas leurs oreilles. Mais ils disent : « Vous avez un

---

[*] Le Chicago Art Institute, célèbre musée d'art.

accent. » Ce qui ne me blesse pas. À dire vrai, cela m'est indif-
férent. Il faut accepter le fait : « Oui, je suis différente. » En
fait, beaucoup de gens aiment l'accent français. En plus, de nos
jours, beaucoup d'Américains sont d'origine espagnole, ou
d'ailleurs.

Mon grand plaisir ici, c'est que je peux être un peu de tout.
Je peux acheter un livre et lire en anglais, français ou espagnol.
J'utilise les langues que je sais, l'espagnol, le français, et un
peu d'arabe avec les nouveaux venus ici. Il ne me manque vraiment rien.

Des regrets ? Quelques-uns. Que Medicare* ne paye plus les
kinésithérapeutes de mon mari et que nous devions dépenser
toutes nos économies en factures de soin. Et aussi, que depuis
l'attaque de Morry, nous ne puissions plus retourner en France
voir mes sœurs et mon frère. Cela fait cinq ans. Et évidemment,
la situation actuelle en Algérie m'attriste profondément. C'est
un si beau pays. Nous n'y sommes plus retournés depuis 1953.
Les terroristes le détruisent. Le mal qu'ils font semble irrépa-
rable aujourd'hui. Et il n'y a plus là-bas beaucoup d'étrangers
maintenant. Mon frère, qui enseigne près de Paris, y retournait
passer ses vacances d'été chaque année. Mais depuis cinq ans,
ses amis lui disent de ne plus venir parce qu'ils ne peuvent plus
assurer sa sécurité. Et cela a profondément affecté mon frère
qui est vraiment algérien de cœur.

---

* Le régime d'assurance maladie financé par le gouvernement fédéral
américain.

ÉCOUTE TON PÈRE

Denise est une femme franche et pleine d'énergie. Elle vit à Fullerton, en Californie, avec son troisième mari, Predrag, originaire de Croatie et professeur d'anglais et d'espagnol. Elle tenait beaucoup à ce que je l'interviewe chez elle, et ceci encore plus quand elle a su que j'étais une Américaine mariée à un Français et que je résidais, au moment de l'entretien, dans la même ville de banlieue parisienne que l'une de ses cousines. Après notre conversation, elle m'a envoyé un article paru sur elle dans Aller-Simple, revue en langue française publiée autrefois à Los Angeles. J'y ai trouvé certains renseignements sur sa vie qui me manquaient. Un an après notre rencontre, et à nouveau cinq ans plus tard, nous avons poursuivi l'interview par des conversations téléphoniques.

Denise s'est étendue longuement sur le problème des équivalences entre les diplômes français et américains, problème qui, dit-elle, lui a porté grand tort en Amérique et a nui à son avancement professionnel. Elle a occupé des emplois très divers, même celui de programmatrice en informatique chez North American Rockwell.

Bien qu'elle ait commencé et terminé l'entretien en français, Denise a préféré s'exprimer en anglais. En français, elle a un accent parisien et utilise beaucoup d'américanismes, en anglais, elle parle avec un accent français assez prononcé et a recours à de nombreuses expressions californiennes. Très désireuse de raconter sa vie, elle a souvent dévié de son sujet et j'ai dû recoller événements, anecdotes et impressions en veillant à

*ne rien perdre de son style. Elle parle avec franchise et simpli-
cité, surtout lorsqu'elle décrit ses relations avec les hommes.*

Je suis née à Paris en avril 1926. Mes parents étaient pro-
priétaires-gérants du grand Café des Oiseaux près de la station
de métro Anvers, où il existe toujours. Ils l'ont vendu plus tard
pour acheter un bureau de tabac aux Buttes-Chaumont. Nous
habitions le XIXᵉ arrondissement. J'étais enfant unique. Puisque mes parents étaient toujours absorbés par leur travail, j'ai
été surtout élevée par des nourrices. Quand j'avais cinq ans, on
m'a envoyée en convalescence d'une maladie dans un couvent
catholique d'Arcachon. Après, on m'a mise en pension dans
une institution pour filles, à Colombes. J'étais malheureuse de
vivre loin de chez moi, et à douze ans, j'ai quand même réussi
à convaincre mes parents de me laisser revenir chez eux. Après,
j'ai suivi une scolarité normale, d'abord à l'école du quartier et
ensuite au lycée de Vincennes. Maman, moi et une serveuse
avons tenu le bureau de tabac pendant la mobilisation de Papa.
Il avait été fait prisonnier ensuite par les Allemands, mais il a
réussi à s'évader et regagner Paris avant la fin de la guerre.

Mon premier mari s'appelait Eddie Muschwitz. Nous nous
sommes rencontrés en août 1944. J'avais dix-huit ans, et il avait
sept ans et demi de plus que moi. Les Américains étaient arrivés à Paris, et nous désirions beaucoup les recevoir chez nous.
Mon père aimait beaucoup les États-Unis et, quand nos voisins
ont reçu un militaire américain à dîner, il leur a demandé de
voir si leur invité connaîtrait un officier qui aimerait venir chez
nous. Et l'Américain a dit : « OK, je vais leur trouver un type
très bien. » Ce qu'il a fait. Il nous a envoyé un homme fort
séduisant, bien élevé, de bonne famille, originaire de South
Pasadena, et pas de n'importe où à Pasadena, de San Marino*.
Les Muschwitz venaient de Pittsburgh, où son père, qui était
décédé, avait été le PDG d'une usine de ferronnerie. Sa mère
était de Cleveland. Aussi tout allait bien. Sauf sur un point : il
n'était pas officier, seulement sergent. Il était affecté au quar-

---

* Ville très résidentielle, à l'est de Los Angeles, où se trouve la célèbre
Bibliothèque Huntington. Pasadena, la ville contiguë, est connue pour le
California Institute of Technology, le MIT de l'Ouest.

tier général d'Eisenhower, près des Champs-Élysées. Comme il était dessinateur, il travaillait dans un bureau. Je ne crois pas qu'il ait jamais été envoyé au front. Engagé à vingt ans, il est resté sept ans dans l'armée. D'abord en Alaska, ensuite à Londres, puis dans la zone européenne.

Quoi qu'il en soit, un jour mon père m'envoie à l'Arc de triomphe, où je devais rencontrer Eddie et le ramener dîner à la maison. Je l'ai attendu. Quand je l'ai vu arriver, je me suis dit, en vraie gamine : « Au moins, il est beau. » J'étais vraiment très superficielle à cette époque, psychologiquement et mentalement. Pendant le dîner, c'est moi qui ai fait toute la conversation, parce que j'étais la seule de la famille à parler anglais. Ensuite, nous l'avons invité à déjeuner tous les dimanches. Après le repas, nous partions lui et moi faire une promenade, aussi, je crois qu'on s'est vu tous les dimanches entre une heure et cinq heures de l'après-midi. J'allais encore au lycée pendant la semaine. C'était ma dernière année, l'année de mon bachot en philosophie.

C'était plutôt flatteur d'avoir ce très beau *boyfriend* de vingt-six, vingt-sept ans. Mais je n'étais pas attirée physiquement, ce n'était pas mon genre. Il s'intéressait plus au sexe que moi. Il avait eu beaucoup d'aventures. Il avait vingt-sept ans. Puis, un beau jour, Eddie se met à genoux devant moi et me dit : « Je voudrais t'épouser. » J'ai eu un choc. J'étais si naïve. Absolument pas prête, émotionnellement ou sexuellement, pour le mariage.

Je suis rentrée à la maison et j'ai dit : « Devinez quoi ? L'Américain m'a demandée en mariage ! » Un grand silence, mon cœur s'est arrêté net dans ma poitrine et je me suis dit : « Mon Dieu, ils prennent ça au sérieux. » J'avais été en pension pendant si longtemps. Je n'avais presque jamais vécu avec mes parents, cinq ans tout au plus. Je ne les connaissais pas. Je ne savais pas comment les aborder. Je n'osais pas. Ils étaient toujours accaparés par leur travail. Je ne savais pas comment m'y prendre pour communiquer. Mais jamais, au grand jamais, je n'aurais imaginé que mon père allait accepter, parce que tous les autres parents, ils étaient contre ce genre de mariage. J'aurais tellement voulu que mon père dise : « Attendons six mois, on verra alors quels sont tes sentiments. » Mon père devait donner son autorisation car je n'avais pas encore la majorité. Et il l'a donnée à tout le monde parce que lui, à vingt ans, il avait voulu émigrer aux États-Unis. Seulement, il a rencontré ma mère et son projet est tombé à l'eau, mais il n'a jamais cessé d'y penser.

Eddie et moi nous sommes mariés à peu près trois mois plus tard... Je n'étais pas vraiment amoureuse, mais à dix-neuf ans, on est toujours un peu amoureuse. Seulement ce n'était pas très profond. Je rêvais d'un grand mariage, aussi je me suis dit : « Ça ne fait rien, je divorcerai si ça ne marche pas. » Ce qui voulait dire que le mariage était condamné dès le départ. Parce que, depuis, j'ai compris que si on veut rester marié, il faut le vouloir. Je ne me rendais pas compte des conséquences. Et mon père non plus.

Nous nous sommes d'abord mariés à la mairie du XIXe arrondissement. Puis, à l'église Saint-Georges. J'ai pleuré et pleuré parce qu'à ce moment-là, je me suis soudain rendu compte de ce que j'avais fait. Je n'avais tout simplement pas eu le courage de m'opposer à mes parents. On m'avait élevée à obéir. J'étais enfant unique, et mon père avait une très forte personnalité. Je n'osais rien dire. La France est un pays patriarcal. J'ai même eu mon bac en philosophie avec mention et, lorsque j'ai reçu le télégramme, j'ai annoncé mon succès à mon père. Mais il a répondu : « Qu'est-ce que ça peut bien apporter à une fille ? » Quand enfin j'aurais pu dire quelque chose, il m'aurait fallu rassembler plus de courage que je ne suis arrivée à le faire. Mais un beau jour, brusquement, ma mère... elle avait dû voir la tête que je tirais, parce qu'elle a dit : « Tu sais, tu n'y es pas obligée, si tu ne veux pas. » Mais je savais dans quels beaux draps on était, aussi j'ai dit : « Oh non, ça va, Maman », et je l'ai fait, tout simplement. Ça devait être mon destin, on a tous un destin.

Donc je me suis mariée le 12 septembre 1945 et j'avais dix-neuf ans. C'était terriblement jeune. À propos, je crois que je suis la plus jeune des épouses de guerre*. Mon père a donné deux mille dollars à Eddie en guise de dot. Il croyait que mon

---

* Il y en avait d'autres de plus jeunes. Un rapport d'une employée de la Croix-Rouge américaine parle d'une *war bride* de quinze ans.

mari allait monter une entreprise en Amérique. Mon père était intelligent, mais il ne lui venait pas à l'idée que les autres pouvaient l'être moins que lui.

En tout cas, Eddie et moi sommes partis en voyage de noces à Nice, à l'hôtel Negresco. Je crois qu'il existe encore sur la promenade des Anglais. C'est un grand hôtel blanc, où nous sommes restés trois semaines. C'était payé par l'armée américaine. C'était formidable pour une gamine qui avait connu cinq ans de guerre. Mais la nuit de noces m'a laissée froide. Je n'étais vraiment pas prête pour ce genre de choses. Ça n'a rien arrangé. En fait, je ne l'aimais pas, et je l'ai sans doute blessé.

Eddie a été libéré en novembre 1945, mais je ne me rappelle plus où. Il est retourné en Californie, à Long Beach, habiter chez sa mère. Elle avait une maison sur la côte. Je l'ai rejoint six mois plus tard. Je n'avais même pas vingt ans. Ça ne me réjouissait pas de partir. Mais je ne me suis pas opposée, c'est tout. Je suis d'un naturel curieux et heureux.

J'ai fait la traversée sur un navire de guerre. Je ne suis pas sûre du nom, ce sont mes parents qui ont pris le billet. On est parti du Havre. Je n'ai pas eu du tout le mal de mer. J'étais comme une petite fille, je sautais pour enjamber les autres passagères assises sur le sol à regarder les films quand la mer s'agitait. On a débarqué à New York. Je ne sais pas si c'était à Ellis Island, mais sans doute que oui, parce qu'il y avait beaucoup de monde. Je me rappelle d'une femme, d'une Américaine, une volontaire chargée d'emmener les femmes en train jusqu'à Los Angeles. Elle était très gentille et avait peur de nous perdre. En cours de route, on s'est arrêté un après-midi à Saint Louis et elle nous a emmenées au cinéma.

Quand je suis arrivée, en mars, Eddie vivait chez sa mère dans sa grande maison sur la plage et tout était parfait. On traversait la baie en canot. C'était amusant. Je me suis tout de suite fait un maillot de bain. En France, à cette époque, la mini-jupe existait déjà, et aussi le bikini et le maillot une pièce qui découvrait les cuisses jusqu'en haut. Aussi, j'arrive là-bas, et qu'est-ce que je vois, tous ces horribles maillots de bain avec jupette et tout le bastringue. Aussi, la première chose que j'ai faite, c'est [d'acheter] un maillot deux pièces mais avec le bas qui me cachait le nombril. Je ne le montrais pas, car je voulais être respectable et ne pas heurter les autres. Mais j'avais la coupe basse sur le haut des cuisses. À cette époque, on ne voyait ce genre de choses qu'à Palm Springs, et j'attirais vraiment l'attention.

On a vécu chez ma belle-mère pendant deux ou trois mois. Mais moi, comme une idiote, j'ai dit : « On devrait avoir notre maison à nous. » On a donc déménagé. On a trouvé un endroit, quelque chose de pas reluisant sur la 7ᵉ rue, que j'ai décoré. Je n'avais jamais rien décoré de ma vie, mais il fallait absolument que je fasse quelque chose. Je n'avais jamais vécu dans un endroit si minable auparavant. Je vivais bien chez mes parents à Paris.

Eddie ne travaillait pas quand je suis arrivée chez sa mère. Il passait son temps à construire une voiture. C'est ce qui a provoqué notre première dispute. J'étais française. Et les Françaises sont très strictes. Je veux dire qu'elles ne prennent du bon temps qu'après le travail. Aussi, j'arrive là-bas, j'ai dix-neuf ans et je vois un gars qui ne travaille pas. Je lui dis : « Comment ça se fait ? » Ça a été la première question raisonnable que j'ai posée. Mais j'étais sans doute trop rigide. Je n'avais aucun sens de l'humour, c'est sûr.

Eddie est retourné là où il avait travaillé avant la guerre, où son père avait été directeur, et on lui a donné un emploi de dessinateur. Mais mon bonhomme avait alors vingt-sept ans et non plus dix-huit ans. Il manquait d'assurance, était mal à l'aise intérieurement. Il ne se sentait pas à sa place. Il était sans doute plus mûr qu'eux, après sept ans de guerre. Il avait du mal à se réadapter. On ne parlait pas à cette époque des difficultés qu'éprouvaient les GIs à reprendre une vie normale après la guerre. C'était la même chose pour les soldats de la guerre du Viêtnam. On ne se rendait pas compte.

Eddie n'est pas resté dans cette boîte. On lui demandait de faire le travail qu'il faisait à dix-huit ans, avant son départ à la guerre. C'était comme une claque – une gifle, une humiliation – pour lui. Mais il n'a pas trouvé d'autre travail. Il n'avait aucune qualification, et n'envisageait pas de reprendre des études. Ainsi, sans me le dire, avec les deux mille dollars de mon père, il a acheté une teinturerie. Elle se trouvait à Long Beach et j'ai appris à repasser. On avait une femme qui faisait les retouches.

Mais l'affaire n'a pas très bien marché. Je voulais qu'on achète des camions et le reste, mais Eddie refusait. Il était très têtu, buté. On ne parlait pas. Il n'y avait aucune communication entre nous. L'affaire a vraiment commencé à péricliter après mon altercation avec la Mafia. J'avais un comptoir où je vendais avec une réduction des uniformes de conducteur de bus. Et un jour, je vois deux jeunes costauds débarquer chez moi – je n'avais que vingt ans – et m'ordonner de faire quelque chose. J'ai dit : « Non, pas question. » Ils ont dit : « Si tu ne nous obéis pas, c'en est fini pour toi de vendre ces uniformes. » J'ai dit : « Ça m'est égal que vous me preniez ces uniformes. » Alors, le type m'a dit : « Tu as tort. Tu ne te rends pas compte à quel point tu as tort. » Et il avait raison. J'ignorais qu'ils étaient de la Mafia. Ils ont pris les uniformes et mis fin à l'accord que nous avions conclu avec les conducteurs de bus.

Après l'échec de la teinturerie, on a monté une autre affaire. Ma belle-mère et son second mari nous ont aidés à installer une petite entreprise d'encadrement. J'ai appris à encadrer les tableaux et mon mari faisait de longues, très longues journées pour essayer d'obtenir des contrats. C'était un rêveur, il ne partageait rien avec moi. On n'avait pas assez d'argent pour vivre et il a dû se mettre à travailler dans un chantier naval. Je suis tombée enceinte et, en mars 1948, j'ai eu un garçon, un adorable petit garçon. Il est toujours adorable d'ailleurs.

Environ trois mois après la naissance de mon fils, Eddie est rentré un jour à la maison en me disant qu'on n'avait pas assez d'argent pour payer le loyer. Le loyer n'était que de trente-trois dollars et j'ai eu un choc. Ça m'a mise terriblement en colère. Je me suis dit que je devais prendre une décision. Mais ma réaction a probablement tout gâché entre nous, parce que comme vous savez, il y a façon et façon de faire. Je n'aurais pas dû l'énerver comme ça. Mais c'est ce que j'ai fait. J'ai pris un job de serveuse. J'avais trouvé un restaurant français et j'ai engagé une baby-sitter. Je n'avais jamais travaillé de ma vie, sauf pour aider Eddie. Et cela l'a beaucoup contrarié. Il avait toujours peur de me perdre. Et c'est vrai que je suis devenue plus indépendante.

Il n'y avait rien d'anormal chez mon mari et chez moi non plus je crois. C'était juste les circonstances. D'une certaine façon, il ne faisait pas assez preuve de virilité envers moi. Je ne sais pas. Il était paumé. Je crois qu'il avait toujours l'impression que je le critiquais ou que je le regardais de haut, parce qu'il n'avait pas fait les mêmes études que moi. Nous n'avions absolument rien en commun. Je crois aussi que je me suis rendu compte qu'en premier lieu, je n'aurais jamais dû le choisir. Ma vie a été foutue à partir de ce moment-là parce que je n'avais pas épousé un homme que j'aimais. Au moins, quand on aime quelqu'un, on a le courage de supporter plus de choses.

Notre mariage n'allait pas bien : ce n'était plus qu'une question de temps. Puis, en 1953, quand mon fils a eu cinq ans, je suis partie passer de longues vacances en France. J'aurais voulu y rester, mais mes parents ont refusé de m'aider. Ils ne m'ont pas apporté le moindre soutien. Ça été une erreur, ce séjour en France, parce de retour chez moi, la situation a empiré avec Eddie. J'étais déprimée moralement et je suis devenue très triste. Les trucs de *self-help* [thérapie personnelle] n'existaient pas à l'époque. Aujourd'hui, même la télé nous apprend un tas de choses. J'avais pris la résolution de parler à Eddie, mais dès que je voyais son visage apparaître à la porte, ma gorge se serrait. Finalement, je suis partie, tout simplement. J'ai laissé les meubles et tout le reste. Le mariage duré huit ans.

En 1956, je suis retournée une deuxième fois à Paris et j'y suis restée six mois. Comme pour mon premier séjour, je ne voulais plus repartir. Mais à nouveau, mes parents ont refusé de m'aider moralement. Et à nouveau, je leur ai obéi, parce s'ils ne voulaient pas que je vive près d'eux, je n'avais aucun intérêt à rester en France. À cette époque, j'étais déjà établie en Amérique. J'avais une voiture et je pouvais me déplacer davantage. Aussi, j'ai choisi de revenir en Californie, mais je serais restée en France pour eux. C'est drôle, ils pleuraient à mon départ. J'ai compris plus tard que c'était mon père qui n'avait jamais renoncé à son désir d'émigrer aux États-Unis.

En fait, mes parents sont venus deux fois dans ce pays. Une première fois en 1947 pour voir comment c'était, et ils sont restés six mois. Ils ont loué une maison et mon père a étudié les possibilités. C'était l'Amérique. Lui, en homme d'affaires qu'il était, a tout de suite vu ce qu'il pouvait faire, construire des appartements. Mais il n'a pas pu réaliser son idée parce qu'à l'époque, de Gaulle interdisait de sortir de l'argent de France. En 1960, mes parents sont revenus définitivement. Ils ont vendu leur café à Paris et Père a acheté un immeuble sur Ocean Boulevard à Long Beach, juste là, au meilleur endroit. Il avait vraiment du flair pour les affaires. Ils ont émigré ici et ont acquis la citoyenneté américaine. À ce moment-là, je m'étais remariée avec un docteur suisse – un peu parce que j'avais besoin de sa signature pour acheter une maison où mes parents puissent habiter avec moi. Puis, ils ont emménagé dans leur immeuble. Malheureusement, mon père a fait de l'artériosclérose, un durcissement des artères, et il est mort en 1967. Ma mère, qui avait travaillé toute sa vie avec lui, a dit : « Tu sais, j'aimerais vendre cet immeuble, garder un seul appartement et vivre de mes revenus. » Financièrement, ce n'était pas une bonne idée pour moi d'accepter, mais je l'ai fait. Ma mère est morte en 1974 d'un cancer du sein.

Si c'était à refaire, je n'épouserais certainement pas Eddie et je ne m'installerais pas en Amérique. Je dirais « non ! » à Papa. Je serais plus courageuse. J'ai été élevée à obéir aux hommes. Mère arrangeait toujours les choses pour donner raison à mon Père. Je ne me suis jamais confrontée à mes parents. Qu'est-ce que ça m'aurait apporté ? Ce qui est fait est fait. En, outre peut-être que j'aurais épousé un autre GI. Un alcoolique ou je ne sais quoi, un an ou deux après, parce que je parlais anglais et que j'étais à l'âge où les filles commencent à s'intéresser aux hommes. Je ne regrette rien. Évidemment qu'on peut se lamenter sur sa vie. Mais il ne faut rien regretter, rien. Parce qu'on ne sait pas ce qu'on aurait vécu autrement.

J'ai rencontré d'autres épouses de guerre à Los Angeles, à l'Association française des épouses de guerre. Elle a été fondée par les Françaises de la Première Guerre mondiale, et j'y ai appartenu pendant quelques années. Mais j'ai cessé d'y aller, parce que ça se trouvait à Baldwin Hill et que c'était très difficile de s'y rendre en venant de Long Beach. Et ces femmes de la Première Guerre mondiale étaient vraiment ennuyeuses et *prétentieuses*. Mais j'y ai rencontré aussi des femmes de mon âge. Elles aussi avaient des problèmes. Beaucoup de leurs maris américains étaient alcooliques, mais elles n'osaient rien dire. Nous avons toutes épousé des hommes mal adaptés, exactement comme les anciens de la guerre du Viêtnam. Personne ne s'en rendait compte à cette époque. On se mariait avec n'importe qui. On les croyait. Quel choc de cultures ! Et c'était triste parce qu'on ne pouvait pas rentrer chez nous en France. Nous avions honte. Les Françaises que j'ai connues étaient des femmes bien aussi. Pas du tout des consommatrices d'hommes américains. Beaucoup n'avaient pas d'argent. Elles avaient des enfants et devaient prendre des petits boulots. Elles ne bénéficiaient d'aucune sécurité [sociale], d'aucune retraite. Beaucoup n'avaient pas fait les mêmes études que moi et n'avaient pas la même indépendance d'esprit.

Pour beaucoup d'entre nous aussi, il y avait le problème de l'équivalence des diplômes. Dans les années quarante en France, on passait le brevet à seize ans et le baccalauréat à dix-neuf ans. Ce qui a tout embrouillé. On finissait le collège à seize ans. Puis, on allait au lycée. On passait le bac à dix-neuf ans. Il n'y avait qu'une élite de deux pour cent des élèves qui réussissaient. On étudiait la philosophie, les lettres, les sciences. Ce n'était pas un diplôme de classe primaire. Puis, on allait à l'université préparer une *licence*, une *maîtrise* et un *doctorat*. Il y avait peu d'universités. Ici, on trouve une à chaque coin de rue.

J'aurais sans doute pu étudier une année ou deux à l'université ici et obtenir un BA américain. Mais Eddie me disait que si je faisais cela, je ne l'aimerais plus. Que je rencontrerais quelqu'un de mon niveau. Mais j'ai été bête de ne pas l'avoir fait. En Amérique, il faut vraiment avoir un diplôme. Sinon, on ne vous considère pas.

Dans les années quarante, je me suis sentie vraiment rabaissée de devoir travailler comme serveuse. Avec mon accent et les moqueries des clients. Ça me gênait beaucoup et encore aujourd'hui, quand par exemple je dis le mot « chocolat ». Les gens me disaient : « Eh chérie, répète voir un peu ? » Et j'étais vraiment désespérée tellement ces mots étaient difficiles à prononcer. À cette époque, les hommes étaient beaucoup plus agressifs qu'aujourd'hui avec les serveuses, et se permettaient beaucoup plus de choses. C'est ridicule ce qu'on appelle « harcèlement sexuel » aujourd'hui. Le harcèlement ? Mon Dieu, ça existait partout ici.

Plus tard, dans les années cinquante, je suis devenue programmatrice chez North American Rockwell, la compagnie d'aviation. Je me suis énormément battue parce qu'on voulait me maintenir dans la saisie des données. Il existait vraiment des préjugés contre les femmes. J'aime le métier de programmatrice et je pensais que je méritais ce travail. Je trouvais que j'avais des droits et j'ai brisé des barrières. J'aime bien les Américaines, mais je trouvais celles qui travaillaient chez Rockwell trop soumises. Elles ne se révoltaient pas. J'essayais de les pousser à s'unir, à demander des augmentations. Chez Rockwell, quand un jour j'en ai réclamé une – j'étais divorcée à cette époque –, j'ai demandé au patron : « Comment ça se fait que je n'aie pas eu mon augmentation ? » et il m'a répondu : « Denise, on ne donne d'augmentation qu'aux HOMMES avec enfants et famille. » Ça arrive encore aujourd'hui. Peu importe le niveau d'une femme, sans un homme, elle ne peut rien faire ici. Sans sa « seconde moitié », un homme ambitieux et qui a du « savoir-faire ». C'est une lutte solitaire.

À quarante-cinq ans, j'ai été licenciée de chez Rockwell en même temps que trente mille employés. Je n'ai jamais retrouvé un travail équivalent. Je n'allais pas bien. J'ai commencé à prendre un verre et puis encore un autre et un autre. J'ai fini par devenir *addicted* [adonnée]. Mais je suis allée à A.A. [Alcooliques anonymes], qui m'ont guérie. D'ailleurs, j'ai aussi arrêté de fumer par les mêmes méthodes[*]. Puis, j'ai rencontré Predrag, et les choses se sont arrangées. J'ai acheté un café que j'ai appelé Denise's Café, mais je l'ai vendu au bout de deux ans et demi parce qu'il était difficile de trouver du personnel et que Predrag voulait que, tous les ans, nous passions un certain temps dans son pays, à Zagreb. Plus tard, j'ai travaillé dans une banque et j'ai pris ma retraite en 1990.

Je suis devenue américaine en 1953. Je travaillais chez Rockwell et j'avais besoin d'une autorisation après enquête. J'ai dû abandonner la citoyenneté française. Je crois que j'ai maintenant le droit de la reprendre. Je ferai ça à Paris. Ça serait

---

[*] Basées sur une thérapie de groupe et une abstinence volontaire.

sans doute plus facile pour mon mari quand nous voyageons en Europe. Il est à la fois croate et américain.

Il y a beaucoup de choses que je critique dans la société américaine, mais j'aime l'Amérique et les Américains. Ce n'est pas vrai que les Français n'aiment pas les Américains. Simplement, ils ont l'esprit critique et leurs idées à eux. Et IL Y A des choses que je n'aime pas. Je n'aime pas la façon dont l'Amérique se sent supérieure Je n'aime pas l'hypocrisie des Anglo-saxons, qui ne disent jamais ce qu'il en est vraiment. Je n'aime pas les complications, les peurs, comme celle de perdre son boulot. Ici, la libre entreprise équivaut au droit d'utiliser les autres. Un bon employé peut passer toute sa vie comme balayeur. Aux Etats-Unis, les écoles sont très mauvaises. Des profs ignorants enseignant des ignorants. Mon mari a eu du mal dans le système scolaire. Il est professeur de français, mais il doit enseigner le français et l'espagnol. À l'inverse de ce qui se passe en France, c'est toujours l'élève qui a raison. Et le client. J'aime moins les Américains que les Américaines. Les Américains n'aiment pas les femmes. Ils se calent dans leur fauteuil devant la télé. Je me demande ce qu'ils font au lit. C'est juste une façade. Ils vont ensemble à l'église, c'est tout. Quand j'ai divorcé en 1953, on m'a considérée comme la peste. La plupart des maris de mes amies leur disaient : « Ne fréquente pas Denise. Elle pourrait te donner des idées. » J'ai épousé deux étrangers parce que je n'ai jamais trouvé un Américain qui soit chaleureux. Je voulais aussi aller au théâtre, faire ce genre de choses. Je ne pouvais pas communiquer avec eux.

Au début, dans les années quarante, quand je suis arrivée ici, je n'arrivais pas à respirer. On s'ennuyait épouvantablement. Je venais d'un milieu très intellectuel et je me retrouvais avec des femmes qui passaient beaucoup de temps à boire du café, ne travaillaient pas et dont les maris étaient des hommes stupides occupant des postes stupides dont ils ne bougeaient pas pendant trente ans. C'était vraiment déprimant. Mais maintenant, les choses ont changé. J'aime beaucoup les Américaines. C'est facile de parler avec elles. Elles sont courageuses et gentilles. Mes amies françaises me disent : « Les Américaines ne savent pas faire la cuisine. Elles ne font rien à la maison. » Mais à mon avis, c'est par jalousie qu'elles disent ça. Je leur réponds que je connais beaucoup d'Américaines qui font d'énormes efforts pour tout faire à la fois.

Quand j'étais jeune à Paris, je ne pensais jamais à l'Amérique. À l'école, j'ai étudié l'Amérique comme le Canada ou n'importe quel autre pays. Sous l'occupation allemande, on ne voyait pas de films, mais on lisait *Autant en emporte le vent* et on se le prêtait. Et aussi, je me rappelle avoir lu quelque chose sur une étudiante à la fac et avoir imaginé que les Américaines étaient très libres. Et pas nous. On était toutes catholiques et vierges dans une société patriarcale.

Après ma retraite, j'ai peu à peu senti que je désirais retourner vers mes racines. J'ai des amies américaines, mais la conversation semble toujours devoir s'arrêter quelque part. Je me sens différente, comme si je venais de la Lune, ou de Mars. Je réalise maintenant que je m'entends surtout avec des gens de mon pays natal Je crois vraiment que c'est le pays où l'on a été à l'école qui vous marque pour toujours, et c'est en France que je suis allée à l'école. Je suis plus française maintenant que je ne l'étais avant. Je suis navrée de voir que le Québec ne peut avoir son indépendance. Je lis *Paris-Match*. Je suis retournée en France plusieurs fois et j'ai gardé des contacts avec tout le monde. J'ai emmené mon petit-fils à Paris quand il a eu quatorze ans et je vais y emmener ma petite fille quand elle sera prête. J'appartiens à l'Alliance française, j'ai acheté des parts dans une revue française, *Aller Simple*. Je donne une soirée française une fois par an et j'invite beaucoup de Français. On se retrouve ensemble, on parle français, on rit beaucoup et l'on n'a pas besoin de se tenir sur ses gardes.

Avant, je me sentais tenue à l'écart. Ça me blessait vraiment quand les gens me disaient : « Quand allez-vous perdre votre accent ? » « D'où êtes-vous ? » Maintenant, cela m'est devenu égal. Je suis américaine mais aussi française. Et je serai toujours française, et c'est très précieux pour moi. Avant, je n'ai jamais eu le temps de savoir qui j'étais vraiment, mais maintenant je le sais. Hier, c'était Halloween, j'ai ouvert la porte et je me suis trouvée devant une adorable petite fille de quatre ans avec sa mère. Et la maman m'a dit « Vous avez un accent. » Et j'ai dit : « Je suis française. » Et elle m'a répondu : « Oh, je suis allée à Paris l'année dernière et j'ai acheté un livre pour enfant que je ne peux traduire. » Je lui ai donné ma carte et j'ai dit : « Venez quand vous voulez. Je ne vous ferai rien payer. Cela me fera plaisir de le faire. » C'est ce que je fais maintenant, j'enseigne le français à qui veut l'apprendre.

HI, RED !

Raymonde D. est une jolie femme qui ne paraît pas son âge.
Fille unique, elle est née à Mons, en Belgique, en 1927.
Lorsqu'elle avait cinq ans, ses parents sont allés vivre à Valen-
ciennes, où ils sont restés plus de soixante-dix ans tout en
conservant la nationalité belge. Quant à Raymonde, elle se
considère comme Valenciennoise et reste très attachée au nord
de la France.

J'ai interviewé Raymonde deux fois chez elle dans une ban-
lieue résidentielle de Detroit, où elle vit avec son deuxième
mari. Mère de deux enfants de son premier mari, le GI qu'elle
a rencontré à Valenciennes, elle a trois petits-enfants.

Facile d'approche et extrovertie, Raymonde m'a mise en
contact avec d'autres war brides *à Detroit et m'a montré et*
prêté des photos. Son témoignage est délicieusement parsemé
de mots américains et de tournures anglaises.

J'étais toute jeune, j'avais douze ans, quand la guerre a
commencé. C'était comme j'étais un peu élevée là-dedans.
Papa était dans le charbon, et Maman l'aidait, elle prenait des
commandes. Pendant la guerre, dans un sens, j'ai eu de la
chance que mon père était en commerce *(sic)*, parce que nous
pouvions toujours faire un petit peu de *trade* [commerce], ce
qu'ils appellent *black market* [marché noir], pour survivre un
peu, quoi.

Les Allemands, quand ils voulaient, ils venaient à notre
porte frapper dans la nuit, ils voulaient ceci ou cela, et il fallait

le leur donner. Car mon père avait un hangar, où il avait son charbon et son camion, et ils venaient dans la nuit, même à quatre heures du matin, dire : « Nous avons besoin de cent kilos de charbon, nous avons besoin de… » Alors, mon père devait courir dans la nuit et leur donner ce qu'ils voulaient. Et les Allemands demandaient toujours : « Est-ce que vous avez des enfants ? » Mon père répondait : « J'ai une fille. » « *Ach, gut.* » Et ils nous donnaient du pain, *brot*. Et ce pain était dur comme du bois, alors ils disaient de le mouiller et le rouler dans une serviette, et après, nous pouvions le couper. Quelquefois, nous étions contents d'avoir au moins ça.

Je me rappelle qu'une fois, une amie et moi sommes allés dans un champ de pommes de terre gardé par les Allemands, c'est-à-dire qu'il y avait un garde allemand qui marchait d'un côté du champ à l'autre. Et lorsqu'il était de l'autre côté, mon amie montait la garde pendant que je creusais la terre avec mes mains et arrachais les pommes de terre, et puis c'était mon tour de monter la garde pendant qu'elle creusait. Après, Maman était furieuse après moi et disait : « Tu aurais pu te faire tuer ! » Mais j'étais contente. J'ai dit : « Mais au moins, nous avons des pommes de terre à manger ! »

À un moment, les Allemands ont réquisitionné le hangar de mon père. Parce qu'ils voulaient faire venir tous les chevaux du front, des batailles. Quand les chevaux étaient blessés, ils les envoyaient chez nous dans le Nord, il y avait des vétérinaires allemands dans le quartier du hangar de mon père. Les vétérinaires soignaient les chevaux, ils mettaient des pansements, tout ce qu'il fallait, quoi. Et les chevaux qui pouvaient survivre, ils les renvoyaient au front par les trains qui passaient près de chez nous. Et ceux qu'on ne pouvait pas arranger, on les tuait et c'était nous qui les mangions, car les Allemands vendaient la viande au boucher, et le boucher vendait la viande aux civils. Et à ce moment-là, en 1942, 43, 44, on était content d'avoir du cheval.

Durant l'été, il y avait d'horribles invasions de mouches ! Parce qu'il y avait tous ces chevaux, et ils avaient des plaies. On avait plein de choses contre les mouches. Et les mouches tombaient. Alors, quand vous alliez au café ou vous étiez à la maison, il fallait couvrir votre verre tout le temps à cause des

mouches, il fallait faire attention. Et quand les chevaux mourraient, les Allemands les enterraient dans les champs. Il y avait
aussi beaucoup de gens malades. On ne savait pas de quoi, ça
venait de tout.

Dans le Nord où j'étais, c'était dangereux parce que tous les
avions allemands passaient au-dessus de nous pour aller vers
Londres. Alors, on les entendait tout le temps, et aussi des
bombes dans la nuit, et bien souvent il fallait descendre et se
sauver à la cave. Tout était réquisitionné, on n'avait rien à manger, vraiment c'était dur.

Les Allemands ont réquisitionné la maison de ma tante.
Heureusement, ils n'ont pas réquisitionné notre maison ou mon
école. Donc, je pouvais continuer mes études, j'ai passé mon
certificat durant la guerre. Les Allemands étaient toujours là,
quoi. Et après, en 1945, quand les batailles se faisaient *(sic)*
avec les Américains, les Allemands sont partis de chez nous, de
Valenciennes. Et puis, les Américains ont commencé à venir et
s'installer dans la région. La guerre n'était même pas encore
finie.

C'était en mars 1945 que j'ai connu mon mari, il venait
juste d'arriver. Les Américains étaient installés près de chez
moi, dans une *factory* [fabrique] de soie où les Allemands
étaient avant eux. Je voyais donc les soldats passer toujours
devant notre maison pour aller manger à l'usine, où il y avait
un réfectoire. Quand j'étais dehors avec des amies, les Américains nous disaient toujours : « *Hello.* » Et je voyais ce monsieur passer. Il devait passer deux ou trois fois par jour, et il me
plaisait bien. J'avais des cheveux roux à l'époque, et il me
disait toujours : « *Hi, Red !* » Et moi, je ne comprenais pas, et
je me disais : « *Red ?* Pourquoi est-ce qu'il m'appelle *Red* ? »
Enfin bref, plusieurs fois je l'ai vu, et puis un jour, il s'arrête
avec son ami qui causait le français et qui traduisait. L'ami me
dit : « Bonjour, Mademoiselle, comment allez-vous ? » Et puis,
il me demande mon nom, et il me dit : « Est-ce que vous pour-
riez nous voir un jour, nous rencontrer, vous et votre amie ? »
Après, nous sommes allées nous promener, je leur ai montré la
ville et tout ça. Et puis, un jour, mes parents l'ont reçu, lui ont
donné à boire, et après il venait de plus en plus chez nous, et
voilà.

Il était charmant, mais à ce moment-là, il ne parlait pas français. Et moi, je ne parlais pas beaucoup anglais, juste quelques mots, c'est tout. Au début, son ami de New York nous traduisait, mais après, je lui ai appris à parler le français.

Les Américains avaient un *Rec Hall* [*recreation hall* : salle de fêtes], où l'on dansait le vendredi, samedi, et dimanche. Et moi, je n'avais jamais dansé avant, j'avais juste dix-huit ans. Et pendant la guerre, on ne sortait pas. Alors, je suis allée avec lui au *Rec Hall*. Maman nous emmenait, elle était mon chaperon, et mon amie venait aussi. Nous avons appris à danser là-bas, c'était très bien. Jamais on n'avait vu un truc pareil parce qu'on avait grandi pendant la guerre, et l'on n'avait jamais rien eu. Nous avons appris à danser le *jitterbug* à ce moment-là. J'aimais beaucoup la musique, je savais jouer un peu de piano.

Voilà comment ça c'est fait. Et ça s'est fait vite puisque je l'ai rencontré au mois de mars et au mois de juillet, j'étais mariée.

Mon mari était sergent dans le *Signal Corps* [les Transmissions]. Il s'est occupé de tous les papiers pour le mariage. Il avait demandé la permission à l'armée au mois de mai, et ça a dû prendre deux mois avant que les papiers se fassent. L'armée n'aimait pas les mariages, et ça prenait longtemps. Ils essayaient de dissuader les soldats. Ils disaient : « Attendez que la guerre soit vraiment finie, revenez plus tard. » Peut-être qu'ils avaient des doutes que ça ne marcherait pas. Je ne sais pas. Il y a quand même eu énormément de mariages dans ma ville, une douzaine de mariages. Ma voisine, elle s'est mariée un mois après moi, et j'ai une autre amie qui s'est mariée deux mois après. Il y a eu beaucoup de mariages, mais beaucoup de divorces aussi. Quant à moi, je suis quand même restée vingt ans mariée.

Notre mariage a eu lieu a Valenciennes le 16 juillet 1945. Avant, on a dû publier les bans pendant quinze jours. On était mariés par le maire de la ville. On ne s'est pas marié à l'église parce que mon mari était juif. Ses parents étaient des juifs russes qui avaient immigré aux États-Unis. Moi, je suis catholique, mais non pratiquante.

J'étais mariée depuis quatre mois quand mon mari est reparti en Amérique. Nous étions donc séparés pendant

quelques mois. Je ne suis venue en Amérique qu'en mars 1946.
Il m'écrivait, je lui écrivais aussi, du mieux que je pouvais,
parce que mon anglais n'était pas très bon. Son français, il pouvait le parler, mais l'écrire – c'était assez difficile. Et l'on ne
pouvait pas se téléphoner à ce moment-là. 1946, ce n'était pas
comme maintenant.

J'étais vraiment amoureuse de mon mari quand je l'ai
épousé. Plus tard dans ma vie, une psychologue m'a dit que je
voulais aussi certainement m'en aller. C'est possible. Valenciennes était une petite ville. J'y avais passé la guerre, tout était
démoli. Il n'y avait rien. On avait été occupé par les Allemands, on ne pouvait rien faire pendant la guerre. À neuf
heures, tout était fermé. On ne pouvait pas avoir de lumière. On
allumait avec des bougies Si les Allemands voyaient un peu de
lumière, ils tapaient sur les fenêtres. On a eu quatre, presque
cinq mauvaises années de jeunesse avec tout ça.

En plus, mes parents étaient très sévères, des vieux Français... Maman, surtout, était très sévère avec moi, et comme
elle aidait Papa et que cela se passait à la maison, je ne pouvais
pas inviter des amis chez moi. Et je ne pouvais pas sortir. Ils
me tenaient parce que j'étais seule, j'étais leur seule enfant.
Mais j'avais depuis toujours, plus ou moins, l'idée d'aventure.
Alors, peut-être qu'au fond, quand j'ai rencontré mon mari,
avec ma personnalité... Et comme mon mari était beau et qu'il
me plaisait, disons qu'il me plaisait à ce moment-là, j'ai peut-
être saisi l'occasion...

Lorsque j'ai quitté mes parents pour aller aux Etats-Unis, ça a
été très dur, pour moi mais surtout pour ma mère. Je n'oublierai
jamais le moment où l'on s'est dit au revoir à la gare. Pauvre
Maman. C'était début mars, il faisait encore mauvais. Mon train
partait de Valenciennes à six heures du matin. J'étais avec une
amie qui est venue de Paris pour que nous puissions faire le
voyage ensemble. Parce que je n'avais jamais été nulle part. Je
n'avais jamais voyagé seule. J'étais fille unique, et mes parents
me gardaient précieusement. Maman me protégeait tout le temps.

Comme j'étais *war bride*, on m'attendait à Paris. Tout était
organisé par l'armée américaine. On m'a dit d'être tel jour à
telle heure à tel hôtel. J'avais une réservation. Arlette m'a beaucoup aidée. Elle m'a déposée à l'hôtel, je ne me rappelle plus

du nom de l'hôtel. Arlette avait aussi connu un Américain, mais malheureusement, il ne l'a pas épousée, lui. Elle a toujours été très triste d'ailleurs à ce sujet.

Deux ou trois jours après, on nous a envoyées au camp où l'on mettait toutes les *war brides*. On nous emmenait en autobus, des grands autobus, et c'était bien parce que ça allait par alphabet. Mon nom marié commençait par A, et, les « A » étaient des premières, ensuite, les « B », les « C'», etc. Je n'ai jamais été trop mal parce que j'étais dans les *first letters*, dans les premières lettres.

Ils nous ont envoyées au Havre, au camp Philip Morris, où je suis restée deux ou trois jours. Le temps était mauvais, c'était le mois de mars. Nous sommes restées là probablement quatre jours, et il faisait froid. Je crois que c'est à cause du mauvais temps que nous sommes restées un peu plus longtemps que prévu. On était dans des grandes pièces avec des lits tout au long, on devait être au moins une vingtaine de filles, sinon plus, par pièce. Et la pièce était allumée par un gros *coal stove* [poêle à charbon] au milieu, avec un gros tuyau, et c'étaient des prisonniers allemands qui venaient mettre le charbon dans le *stove* la nuit, même pendant qu'on dormait. Il fallait toujours faire marcher le *stove*, parce qu'il faisait très froid. Les prisonniers allemands nettoyaient aussi le camp et nous faisaient la cuisine, puisqu'il fallait nourrir toutes ces femmes. Le camp et la cuisine n'étaient pas très propres, parce que les soldats américains avaient été là avant les *war brides*, ils occupaient le camp avant de partir pour l'Amérique. Les WC et les salles de bain, ce n'était pas très privé. Nous étions souvent une vingtaine dans une seule pièce pour nous laver.

Pendant la journée, ils nous appelaient par groupe pour nous expliquer ce qui allait se passer. Il y avait une grande salle pour manger, et le soir, on nous mettait des films américains, souvent avec de la musique. Il y avait aussi du ping-pong, parce que les soldats avaient été là avant.

Le jour où on est parties en bateau, je me rappelle les vieux hommes barbus qui fumaient la pipe le long du quai. Ils nous criaient : « On vous reverra. Vous reviendrez, vous allez voir. » Et je me disais : « Quoi qu'il arrive, je ne reviendrai jamais ici. »

Il y avait des Italiennes, des Allemandes, des Françaises, des Belges à bord. Toutes les nationalités. On se mélangeait, mais il y avait quand même la différence de langue... J'ai fait la connaissance d'une jeune femme, et quand nous sommes arrivées à New York, son mari l'attendait, le mien aussi, et ils se sont présentés. Je lui ai écrit deux, trois fois, mais avec les années, c'est tombé à l'eau après.

Notre bateau était le *George Goethals*. C'était le premier bateau de *war brides* qui partait du Havre. On était six cents femmes. J'étais dans une belle cabine. Il y avait quatre lits superposés, alors ça faisait huit femmes par cabine, et une salle de bain. On causait beaucoup. Il y avait une Italienne au-dessus de mon lit, elle parlait un peu le français, alors, ça allait. Mais elle avait le mal de mer continuellement, elle était toujours au lit, elle était très malade. Le bateau a mis dix jours, à cause du temps. Il faisait tellement mauvais au mois de mars. On avait des films américains, mais je ne me rappelle pas d'avoir eu des cours d'anglais ou des conférences sur la culture américaine à bord. Nous étions les premières *war brides* à prendre le bateau de France, peut-être qu'après ils ont fait ça.

En arrivant, on a vu la grande dame, la grande statue. Et puis, quand le bateau est arrivé au *dock*, c'était vraiment quelque chose, on voyait tous les taxis, toutes les voitures. Mon Dieu ! Quel brouhaha ! Ils appelaient au *speaker* [haut-parleur] les noms des femmes dont le mari était là, et il fallait descendre. Mon mari était venu de Detroit par le train et il m'attendait. Maintenant, pour le reconnaître ! Il n'était plus habillé en soldat, il était habillé en civil. Je ne l'ai pas reconnu tout d'abord. Il était différent. Mais il est venu, il m'a prise, il m'a soulevée, mais j'étais tout d'abord surprise, parce qu'on dit toujours : l'habit du soldat, ça arrange.

C'était un beau garçon, mais c'était un changement, après tout. Il avait des cheveux noirs ondulés et des yeux noirs. Il faisait à peu près 5 pieds 10. *Five ten* [1,78 m]. Et il était, il avait – quoi – vingt-trois ans. Il s'était réengagé dans l'armée après son retour en Amérique, mais lorsqu'il est venu me chercher à New York, il venait d'être *discharged*, congédié.

En fait, mon mari avait été appelé, *drafted*, à dix-neuf ans. Puis, il est monté en grade jusqu'à sergent. Je suppose que c'était *right after graduation* de la Cleveland High School [juste après avoir reçu son diplôme du lycée de Cleveland]. Il était originellement de Cleveland, Ohio. Ses parents avaient déménagé à Detroit pendant la guerre, alors après avoir été *discharged,* il est allé à Detroit vivre chez ses parents. Il aurait pu encore se réengager, mais son père voulait qu'il vienne à Detroit pour l'aider dans le commerce.

Le jour où je suis arrivée à New York, c'était le *St. Patrick's Day**. Pour moi, c'était une surprise parce qu'en France nous ne connaissions pas le jour de la *St. Patrick.* Il y avait de la musique et une *parade* [défilé] sur la Cinquième Avenue. Mon mari et moi sommes restés deux jours à New York, parce qu'il avait de la famille, des tantes, que nous sommes allés visiter. Il m'a emmenée à la Radio City Music Hall**. Jamais je n'avais vu des personnes danser comme ça avec les claquettes. Après le spectacle, ils passaient un film.

Ensuite, nous avons pris le train pour aller à Detroit. Mes beaux-parents nous attendaient à la gare de Detroit. Ils habitaient Seven Mile Road et Livernois, vers Palmer Park C'était un quartier pas mal, il y a cinquante ans. On appelait Seven Mile Road *the avenue of fashion* [l'avenue de la mode].

Nous sommes restés trois mois chez eux. J'avais une grosse malle et mes valises que je n'ai jamais pu défaire. Je n'aimais pas vivre comme ça. En plus, je sentais qu'ils ne m'aimaient pas beaucoup. Je ne pouvais pas communiquer avec eux. Je parlais français avec mon mari, et ma belle-mère n'aimait pas ça. C'était une *old-fashioned woman* [femme de l'ancien temps], qui était venue de Russie à dix-huit ans. Son mari aussi venait de Russie. Elle ne pouvait pas supporter que je parle français avec mon mari. « Vous êtes en Amérique, il faut parler américain », elle disait. Plus tard, elle avait peur que nos enfants aient un accent. Elle avait un accent, elle, et elle n'aimait pas ça. C'était horrible pour elle d'avoir un accent.

---

* La fête nationale irlandaise, célébrée de façon retentissante par la communauté américano-irlandaise de New York.
** Grande salle de spectacle de Manhattan, où se produisaient notamment des danseuses de claquettes, les *Radio City Rockettes*.

En plus, elle croyait que les Françaises étaient des femmes légères. C'était un truc féminin, a *mother-in-law thing* [un truc de belle-mère]. D'ailleurs beaucoup d'Américains et d'Américaines s'imaginent toujours que la Française est plus *sexy*. Quand mon mari avait écrit à ses parents qu'il épousait une Française, son père lui a répondu de se méfier, parce que les Françaises étaient des femmes coquettes et frivoles.

Ma belle-mère croyait aussi que la France était le *back country* [la brousse], qu'on n'avait rien. Elle ne croyait pas qu'on avait des cinémas, un peu de confort, des choses à voir... Elle me faisait beaucoup travailler. À ce moment-là, il n'y avait pas de *dishwasher* [lave-vaisselle], des choses comme ça. Je faisais la vaisselle, je préparais les légumes, la table, je nettoyais la maison. Ma belle-sœur, qui était sténo-dactylo, vivait avec eux aussi mais elle n'était pas très bosseuse. Ma belle-mère faisait la cuisine et la lessive, et c'était moi qui faisait tout le repassage.

Au bout de trois mois, j'en avais assez. J'ai dit à mon mari : « Il faut s'en aller. Il faut faire quelque chose. » Je le poussais. Mais à ce moment-là, mon mari ne [se] faisait pas beaucoup d'argent. Il travaillait pour son père, qui ne lui donnait que vingt-cinq dollars par semaine. Il était très *tight* [radin], pas généreux. Il était dans les métaux non ferreux. Il achetait les vieux métaux et après il les revendait en gros à des compagnies. En fait, mon mari a toujours travaillé dans l'entreprise familiale. Maintenant, c'est son frère de douze ans plus jeune qui s'en occupe.

Alors, mon mari travaillait au *business* et le père lui donnait un salaire. Et quand mon mari lui avait demandé plus pour pouvoir acheter une maison, son père n'a pas voulu. C'est pour ça qu'on n'a eu plus tard qu'une petite *GI home**, qui coûtait à ce moment-là neuf mille cinq cents dollars.

Je disais toujours : « Je veux m'en aller, je veux m'en aller. » Mais en 1946, vous ne pouviez pas trouver de logement. Il fallait louer un tout petit appartement et racheter les meubles

---

* Maisons construites pour les vétérans afin de remédier à la crise du logement de l'après-guerre. L'acquéreur ne s'acquittait que d'une partie du prix, le reste étant réglé par un prêt du gouvernement fédéral.

qui se trouvaient dedans. C'était très difficile de trouver quelque chose. Alors, finalement, nous avons trouvé une pièce à louer, une chambre, chez une veuve qui habitait Dexter Street. Cette dame avait besoin d'un peu d'argent. Elle avait un fils un peu retardé *(sic)* et un autre dans l'armée en Corée, parce que la guerre était en Corée à ce moment-là[*].

Nous avons donc loué une chambre avec *kitchen privileges* [droit d'utiliser la cuisine]. La femme me laissait une étagère dans le réfrigérateur. On pouvait manger dans la cuisine, on avait des heures. Elle faisait pour son heure, et moi, j'avais mon heure. Et donc, nous vivions là. Et j'aimais beaucoup cette femme, parce qu'elle était comme une maman pour moi. Elle m'apprenait l'anglais, et elle me montrait les commerces et comment faire.

J'avais à ce moment-là un très fort accent français. D'ailleurs, je l'ai toujours. Je me rappelle qu'une fois, j'ai demandé au *milkman* [laitier] : « *A bottle of milk, please.* » Et le soir, quand j'ai servi le lait à table, mon mari l'a bu et il a dit : « Mais c'est du *butter milk* [babeurre] ! » Le *milkman* avait compris *butter* [beurre] et non pas *bottle* [bouteille] ! Nous avons bien ri.

À ce moment-là, j'allais à des cours d'anglais pour les *war brides* en ville, à Detroit. Je prenais le *street car* [tramway] sur Woodward Avenue. Et je me rappelle que mon mari m'avait montré comment faire pour mettre l'argent dans la boîte et où il fallait descendre. Il y avait des Allemandes, des Italiennes, des Françaises, des Belges au cours. J'ai fait la connaissance de quelques-unes, mais on ne pouvait pas se voir beaucoup. On n'avait pas tellement d'argent, puisque les maris venaient tous de revenir de la guerre. Et on n'avait pas de *transportation*, on ne conduisait pas. Alors, on se faisait des lettres, des mots. Plus tard, quand on avait le téléphone, on se téléphonait.

Les femmes à l'école de *war brides* nous montraient le plan de tous les différents endroits de la ville et elles nous prome-

---

[*] Raymonde se trompe ici. La guerre de Corée proprement dite n'a eu lieu qu'entre 1950 et 1953. Mais le fils de sa logeuse a pu faire partie des forces américaines qui ont désarmé les Japonais en Corée, au sud du 38e parallèle, à la fin de la Seconde Guerre mondiale, et qui y sont restés après.

naient. C'était très, très bien organisé, et elles ont été très gentilles avec nous, les *war brides*.

Detroit était vraiment très bien, il y a cinquante ans. On pouvait marcher partout. On n'avait pas peur qu'on vous vole votre sac. Il y avait beaucoup de magasins et *department stores* [grands magasins]. La ville était propre. On n'avait pas toutes les fenêtres cassées et bordées de bois *(sic)* comme maintenant. Mais à l'époque, les blancs montaient devant dans les bus, et les noirs derrière. Et les toilettes publiques étaient séparées.

Quelques mois après avoir emménagé à Dexter Street, il fallait se décider pour le logement. J'étais sept mois enceinte *(sic)*, nous ne pouvions pas rester chez la dame. Il fallait trouver quelque chose de plus grand. Donc, mon mari a acheté une *GI home*. Nous avons déménagé, et je pleurais, je ne voulais pas m'en aller, je ne voulais pas quitter la veuve. Elle était vraiment comme ma mère.

Et voilà que je me retrouvais dans cette maison de GI, toute seule. Mon mari partait de bonne heure le matin travailler jusqu'à tard le soir, et j'étais coincée là. À ce moment-là, on n'avait pas de télévision, on n'avait pas de voiture, ça a été très, très dur, surtout les deux derniers mois quand j'attendais le bébé. C'était en banlieue, au Park Michigan, qui est moche maintenant. C'était un petit bungalow en briques. Tout ce que j'avais, c'était la radio. J'aimais bien la musique, j'écoutais des chansons. J'essayais d'apprendre un peu d'anglais en l'écoutant, mais je ne comprenais pas grand-chose quand ils chantaient ou parlaient.

On n'avait vraiment pas beaucoup d'argent. Le père de mon mari l'avait augmenté jusqu'à cinquante dollars par semaine après la naissance du bébé, mais il fallait payer la maison, la nourriture, tout, avec ça. Et moi, je ne pouvais pas travailler parce que je ne pouvais pas laisser le bébé, je n'avais vraiment aucune aide. D'ailleurs, je n'avais jamais travaillé, mes parents ne voulaient pas que je travaille. Il pensaient que j'étais trop jeune. Donc, je n'avais pas de métier.

Nous n'avions pas beaucoup d'appareils ménagers à cette époque. Par exemple, pendant longtemps, je n'avais pas de machine à laver. Je lavais le linge à la main. J'avais comme un réchaud, et je faisais bouillir l'eau et mettais le linge dedans.

Ma belle-mère m'a donné une sorte d'essoreuse. On y mettait le linge et on tournait une manivelle. Par contre, nous avons eu la télé en 1950, je crois. C'était Muntz TV*. Ils faisaient la réclame, ils disaient : « *Up in the sky with Muntz TV.* »

C'était quand même beaucoup mieux, beaucoup plus confortable, que ce qu'on avait en Europe. De mon temps, en 40-45, il fallait chauffer au charbon ou au bois. On n'avait pas d'eau courante chaude tout le temps comme on avait ici. On n'avait pas de chauffage central, non plus. Le confort aux États-Unis me plaisait tout de suite.

Mon mari et moi, on aimait bien aller au cinéma, on [y] allait une fois par semaine. Il fallait marcher parce qu'on n'avait pas de voiture. Nous avons acheté notre première voiture quand mon fils avait à peu près deux ans. C'était une Plymouth, *second hand* [d'occasion]. Plus tard, j'ai appris à conduire.

Quand on a eu le téléphone, je pouvais parler avec mes amies françaises. On s'invitait avec nos maris le week-end. Je connaissais des Françaises maintenant, parce que j'appartenais à un club de *French war brides*. C'était sur Grand Boulevard, et je prenais aussi le *street car* pour y aller. Le club était une association créée par les premières *war brides* de 1918. Elles sont mortes, l'une après l'autre, et le club était devenu pour (*sic*) les *war brides* de la Deuxième Guerre. Ça s'appelait le *French Women's Benevolent Club*, et ça existe toujours. Mais le nom a changé, il y a à peu près trois ans. Ça s'appelle maintenant le *French Women's Club*.

Cette dame a quatre-vingt-quatorze ans. Elle est encore de la Première Guerre. Ici, c'est la présidente actuelle du club. Celle-là était de Rouen, celle-là… elles sont toutes françaises, quoi, toutes mariées avec des GI. Cette dame, elle est vice-présidente, ses parents étaient italiens, mais elle est née en France. Celle-là était professeur de français, c'est une Américaine, une *teacher*, mais elle vient toujours à notre groupe, elle aime beaucoup. Autrement, elles sont toutes françaises. Mais non, celle-là est née en Belgique aussi, comme moi. Elle parle

---

* Nom de la firme d'Earl « Madman » Muntz, un des pionniers de la production à grande échelle de téléviseurs à la fin des années quarante.

bien français, mais elle est restée belge. Moi, j'ai été élevée en France, elle non.

Tous les mois, nous faisons un *lunch*. Au mois de mai, nous avons eu de la visite, des Français sont venus. Quatre personnes sont venues de France parce qu'il va y avoir une *célébration (sic)* pour Cadillac, Lamothe Cadillac*. Il habitait un petit village en France**, je ne peux plus me rappeler du nom, mais ces gens-là sont du village et on leur a demandé de venir en Amérique pour voir l'endroit où l'on fera la *party* l'année prochaine pour célébrer Cadillac de la Motte *(sic)*. Alors, nous avons fait un petit buffet pour eux.

Après huit ans dans notre *GI home*, nous avons déménagé à Oak Park. Là, notre petite rue de maisons était très sympathique. On était des jeunes couples avec des enfants, et les enfants jouaient ensemble. Les voisins étaient charmants, et l'on se réunissait une fois par mois dans différentes maisons. On avait ce qu'ils appellent un *pot luck* [repas à la fortune du pot] tous les mois. Ça me plaisait parce qu'on pouvait connaître tout le monde. On faisait aussi une petite fête à Noël. Et les femmes sortaient ensemble, on se faisait une petite soirée du cinéma. On voyait de bons films avec des actrices comme Mirna Loy***. Ils rejouent maintenant ses vieux *movies* [films]. J'aime beaucoup le cinéma américain.

Quand mon fils avait quatre ans et demi, j'ai appris à conduire. Je voulais aussi travailler, mais quoi faire ? Jamais je n'avais travaillé. En fait, j'ai commencé par faire ce qu'ils appellent le *modeling* [métier de mannequin], le *picture work*. C'était du *photographic modeling*. Comme je n'étais pas grande, je ne pouvais pas faire le *fashion* [mode], alors j'ai fait les intérieurs et les voitures. J'étais ce qu'ils appellent *freelance*.

J'ai donc fait beaucoup de choses différentes. J'avais des agents, il y avait plusieurs agences ici à Detroit, j'étais avec

---

* Antoine de Laumet de Lamothe Cadillac (1658-1730), fondateur de la ville de Detroit en 1701.

** Laumont, commune de Saint-Nicolas-de-la-Grave.

*** Née en 1905, Mirna Loy était une vedette très appréciée de la MGM. Elle a joué dans *Les Plus Belles Années de notre vie*, *Meurtre en musique*, *Le Poney rouge*, *Treize à la douzaine*...

trois agences différentes. Quand *l'automobile show*[*] se faisait, j'allais à des *auditions* [castings] et, si j'étais choisie, je pouvais travailler pendant une bonne semaine et je me faisais pas mal d'argent. C'était bien. Après dix bonnes années, ça se tasse. Alors, j'ai enseigné le *modeling* aux petites filles, à l'American Beauty School of Modeling. Mais je n'ai pas fait ça longtemps. Peut-être deux ans, je n'aimais pas beaucoup.

Mon mari n'aimait pas tellement que je travaille. Il était un peu jaloux. Et puis, quand j'ai commencé à travailler, j'ai commencé à évoluer, et lui pas. Alors, je le trouvais *dull* [ennuyeux]. On n'avait rien en commun. La seule chose que nous avions en commun, c'était qu'il avait vécu en France pendant la guerre, qu'il l'avait visité plus tard avec moi comme touriste, et qu'il connaissait mes parents. Alors, on pouvait parler de la France, des parents, mais autrement... Et puis, il y avait toujours la différence de religion, et le problème de la famille, de sa famille à lui.

Ils étaient juifs mais pas pratiquants. Mais il fallait quand même aller manger chez eux *tous* les vendredi soir pendant des années. Je pense que mon beau-père m'aimait bien, mais ma belle-mère, elle a été très dure avec moi. Par exemple, elle me disait toujours qu'elle n'était pas un *baby sitter*, qu'elle ne voulait pas garder nos enfants. Alors, je me rappelle quand mon fils avait un an et demi, j'ai eu un kyste enlevé du sein *(sic)*, on avait peur, on ne savait pas. J'ai dû demander à ma belle-mère de me garder le bébé, je n'avais personne d'autre. Elle l'a fait, mais elle me le ramène le lendemain. Elle aurait pu le garder un jour ou deux de plus, non ?

Malheureusement, mon mari prenait toujours son parti. Il ne me défendait pas. Je me souviens de la première fois où mes parents sont venus en Amérique. À la fin de leur visite, mon mari, mon fils et moi les avons ramenés en voiture à New York pour qu'ils prennent le bateau. Je pleurais beaucoup dans la voiture au retour, mais au lieu de me ramener à la maison, mon mari me ramène chez ses parents, et je lui demande « Pourquoi on ne peut pas aller chez nous ? », et il me dit : « Parce que ma

---

[*] Le Salon automobile de Detroit, capitale de l'industrie automobile américaine, est l'un des plus importants au monde.

mère veut qu'on vienne manger chez eux ce soir. » J'étais très fatiguée de la route, et je venais juste de quitter mes parents. J'aurais préféré rentrer chez nous, mais il fallait y aller. À table, tout d'un coup, je me mets à pleurer et ma belle-mère me dit : « *Why are you crying ? Come on, stop it, already. You should have known better, you didn't have to marry my son.* » [« Pourquoi pleurez-vous ? Allons, arrêtez ça. Vous auriez dû savoir, vous n'aviez pas à épouser mon fils. »] Je pleurais de Maman et tout. Elle n'avait pas de cœur, c'était une femme dure.

Quand il avait quarante ans, mon mari a eu *(sic)* un *breakdown* [une dépression nerveuse]. J'ai dû l'emmener à l'hôpital en ville. Il y est resté un mois, et ils lui ont fait des *shock treatments* [traitements par électrochocs]. Il n'a jamais été pareil après ça. Il n'avait pas de *backbone* [cran] après. Alors, c'était plutôt moi qui dirigeais tout après. La maladie était certainement dans la famille, parce que sa plus jeune sœur avait eu elle aussi un *breakdown* deux ans avant. Le même psychiatre qui s'occupait d'elle s'occupait de mon mari. Je le voyais tous les mois, et une fois, il m'a dit : « C'est plutôt la mère de votre mari qui devrait être ici à me parler. »

Lorsque mon fils avait presque vingt ans et ma fille quatorze ans, les choses n'aillaient pas du tout bien entre nous, et mon mari et moi nous nous sommes divorcés *(sic)*. J'ai eu quatre ans d'*alimony* [pension alimentaire] pour ma fille, jusqu'elle aille au *college* [université], et après il a aidé un peu pour ses études. Mon fils est parti en Californie. Il fallait que je travaille plus, alors j'ai appris la coiffure et l'*esthetic work* [esthétique]. Je faisais des *facials* [soins de visage] et le *make-up* [maquillage] dans les bons *salons*. Et quand ma fille est allée au *college*, et je me suis trouvée toute seule, je me suis acheté une petite maison à Royal Oak. J'étais *single* [célibataire] pendant onze ans. Puis, je me suis remariée. Je suis avec mon deuxième mari depuis dix-huit ans. Mon ex-mari s'est remarié deux fois. Après moi, il a épousé une femme de douze ans plus jeune, et maintenant il est avec une de VINGT ans plus jeune ! Je l'ai revu l'année dernière pour ma *granddaughter's graduation* [cérémonie de la remise des diplômes de ma petite-fille].

Mes parents ont été un peu déçus que je m'étais divorcée *(sic)*, parce qu'en Europe, les divorces ne sont pas bien regardés.

Ils sont venus trois fois en Amérique pour me voir, et je retournais souvent en France quand mes parents vivaient encore. Ma mère est morte à quatre-vingt-quatre ans et mon père est resté jusqu'à quatre-vingt-dix.

Je me rappelle quand je suis retournée en France pour la première fois, les gens dans ma petite ville me montraient du doigt et disaient : « Ah, voilà l'Américaine. Elle est revenue au pays. » Et quand j'étais petite fille à l'école, on m'appelait « sale belge ». J'étais comme un *outcast* [paria]. C'est pourquoi j'étais contente de venir en Amérique, il y a cinquante ans. Je pouvais être moi-même. Les gens m'aimaient pour ce que j'étais. Et quand je disais que j'étais née en Belgique, ils étaient vraiment intéressés.

Mais d'un autre côté, nous, les *war brides*, on était trop jeunes pour venir en Amérique. On n'était pas très cultivées. On n'avait pas eu la possibilité d'aller au *college*. J'ai des amies françaises aux États-Unis qui n'ont jamais aimé vivre ici. Elles ont soixante-dix, soixante-douze, ans, et même maintenant elles disent toujours : « Oh, la France ci, oh la France ça. » La famille leur manque. Moi, j'aime la France. J'aime y aller, j'aime visiter, mais je suis plus américaine maintenant. D'ailleurs, je n'ai plus personne en France. Je suis devenue américaine deux ans après mon arrivée en Amérique. Mes enfants sont aussi américains. Je les ai élevés à l'américaine.

Après toutes ces années, je suis devenue plus moderne, plus *open minded* [d'esprit ouvert]. J'ai dû apprendre pas mal de choses et à me défendre. Je trouve qu'une femme doit être indépendante. Je dis toujours si vous divorcez, si vous devez travailler pour faire vivre une famille, pour acheter une maison ou une voiture, il faut que vous soyez indépendante. Je me suis habituée à l'Amérique. J'aime les gens, ils sont gentils, chaleureux. J'ai eu deux, trois, ans de mauvais au début, mais j'ai quand même eu une belle vie ici, et j'en suis reconnaissante.

D'ANTOINETTE À TONY

Il m'a fallu une certaine persévérance pour interviewer Tony K. Deux de ses collègues professeurs à l'université de Berkeley m'avaient raconté certains éléments de son histoire et m'avaient dit que ce serait un personnage merveilleux pour mon projet. Tony venait en France pour quelque temps et nous avons convenu par lettre d'une date pour une interview au printemps 2000. À son arrivée à Paris, elle m'a confirmé ce rendez-vous. Mais lorsque j'ai sonné à la porte de son amie au jour et à l'heure dits, on m'a répondu que Tony avait eu un malaise le matin et avait été emmenée à l'Hôpital américain de Neuilly. On n'avait pas eu le temps de me prévenir. Heureusement, Tony s'est rétablie et a pu repartir en Californie. Mais notre interview avait été remise à plus tard.

Me trouvant moi-même en Californie pour une semaine en octobre 2000, je lui ai téléphoné. Nous avons fixé une date et une heure pour une interview chez elle, à Orinda. Cette fois-ci, quand je suis arrivée chez elle, elle m'a dit qu'elle ne m'attendait pas ce jour-là, mais la veille. Malgré ce malentendu, elle a accepté de parler avec moi et nous avons passé ensemble deux heures très agréables. Elle m'a montré ses cahiers de notes, m'a prêté des photos d'elle avec son mari, ainsi que des articles qu'elle avait écrits pour Le Courrier français des États-Unis. *Je l'ai rencontrée à nouveau sur le campus de l'université de Berkeley quinze jours plus tard, lui ai rendu ses documents et lui ai posé plusieurs questions supplémentaires.*

Deux années ont passé et les lettres que je lui ai adressées sont restées sans réponse. Ce sont finalement les amis qui nous avaient présentées qui m'ont appris que Tony se trouvait maintenant dans une « maison » et que sa jolie villa avait été vendue. J'ai essayé d'arranger une visite là où elle se trouvait pendant mon bref séjour à San Francisco, en octobre 2002. Mais on m'a fait savoir qu'elle ne se rappelait pas qui j'étais et refusait de rencontrer une étrangère. Elle souffrait des tristes ravages de la maladie d'Alzheimer.

Je suis contente d'avoir pu parler avec Tony pendant qu'elle pouvait encore me raconter ses si nombreux souvenirs. La transcription de notre entretien, qui s'est déroulé en français, saute sans arrêt d'un sujet à l'autre et j'ai dû beaucoup le travailler. Je pense que Tony l'écrivain et Tony l'aventurière seraient heureuses de ma mise en forme.

Mon nom de jeune fille est T. C'est un nom du centre de la France, du Limousin. Mon prénom est Antoinette. Mais aux États-Unis, les Américains le trouvent trop long à prononcer, alors on m'appelle Tony. Je suis née en 1917. J'ai quatre-vingt-trois ans, mais je suis très énergique, comme une vieille paysanne du Limousin qui travaille la terre jusqu'à cent ans Beaucoup de personnes me croient plus jeune.

Je suis née à Paris. J'ai été conçue en décembre 1916. Papa m'a dit un jour : « Tu as été conçue pendant les vacances de Noël 1916. » Papa a fait la Première Guerre. Du front, on l'a renvoyé à la maison et voilà. Je suis née en septembre 1917. Il était chauffeur pour un colonel ou pour un capitaine qui voulait toujours partir en vacances. C'est pourquoi Papa pouvait revenir à Paris.

Mon père faisait un peu de tout comme métier. Pour commencer, il a été chauffeur de taxi. Il a ensuite travaillé pour une grosse entreprise de camionneurs. C'était un homme qui venait de la campagne, et le caractère d'un homme de la campagne n'est pas le même que celui d'un homme élevé à Paris. Un de mes oncles, le fils aîné de ma grand-mère, a fait monter Papa à Paris, et c'est là où il a rencontré Maman.

Mes parents ont fini par acheter une petite boutique de mercerie, une bonneterie. Ils ont eu quatre enfants, dont deux survivants : ma sœur aînée et moi. Maman se plaignait parce qu'elle avait quatre enfants.

Jusqu'à l'âge de six, sept, ans, j'ai vécu dans le Limousin, chez ma grand-mère, parce que j'étais la quatrième enfant. Maman voulait être gâtée. Elle était fatiguée et elle m'a laissée à la campagne. Dans un sens, ils ont fait de moi une campagnarde. Un amour, une joie avec ma grand-mère. Elle avait eu douze enfants. Papa était le plus jeune. Je pense à grand-mère tout le temps, à la fête des Mères, c'est pour grand-mère que je prie. Et j'ai écrit un petit livre, un livre de mon cœur, sur l'histoire de ma grand-mère où je dis tout. J'ai dû quitter ma pauvre grand-mère pour retourner à Paris et aller à l'école. Mais elle est restée ma mère, l'amour de ma jeunesse.

Je parlais le limousin quand j'étais petite. C'est d'ailleurs pourquoi j'étais si bien dans le groupe médiéval [à l'Université de Berkeley], parce qu'au Moyen Âge, le limousin était la langue favorite des troubadours. Maintenant, on dit « le limousin », avant, c'était « le limougeaud ». Jusqu'à l'âge de sept ans, je ne parlais pas français, je veux dire, je ne parlais pas le « parisien », qui était devenu la langue nationale. Parce que Paris était la capitale. Le parisien tire un peu sur le français du nord.

J'arrive à six ou sept ans à Paris et je vais à l'école. La première année n'a pas été un grand succès. Mais après, j'étais la plus intelligente souvent, sans vouloir me vanter. J'avais cette double expérience de la campagne, de ma grand-mère, de mon père, de ma mère. Et j'avais l'esprit vif, je voulais tout savoir. Et la deuxième année à l'école, ça allait beaucoup mieux. Et après, toutes les semaines, j'avais ce que l'on appelait le billet d'honneur. Je rentrais à la maison avec mon billet d'honneur. Un jour, je rentre à la maison et Maman me dit : Alors, ton billet d'honneur ? « Je n'en ai pas cette semaine, maman. » Elle me fiche une claque et je lui dis : Maman, c'est pour rire. » Après, à treize ans, j'ai pris des cours commerciaux. Tous les enfants des grades supérieurs ont dû passer un examen. Il fallait trouver le résultat, le bilan. La réponse était 1608,83 ou quelque chose comme ça. J'ai été l'une des dix gagnantes dans tout Paris.

Quand j'avais dix ans, Papa ne s'entend plus avec ma mère. Il nous quitte. Il disparaît de notre existence, on ne le voit plus. Je commence à remplacer ma vie familiale par ma vie scolaire. C'est pourquoi les choses me touchaient moins que ma sœur, qui était à la maison. Elle avait cinq ans de plus que moi. Et finalement, quand Papa est parti, ça m'a fait beaucoup de peine, mais pas autant qu'à ma sœur. Ma sœur en est presque morte. Elle était faible, malade. Moi, je continuais à bien me porter.

Après, on allait voir Papa une fois par mois, et je voulais toujours une robe neuve de la boutique. Je disais : « Maman, je veux une robe neuve pour Papa. Il faut qu'il voie cette petite robe. » On allait au restaurant, Papa, ma sœur et moi. La serveuse demande ce qu'on voulait comme vin, et je réponds : « Du Vouvray, comme d'habitude. »

Maman en avait assez de garder la bonneterie toute seule, elle ne pouvait pas s'amuser, elle ne pouvait pas avoir de *boyfriend*, elle était tout le temps à la maison. Je pense aussi qu'elle avait peur. Je devenais une jeune fille de quinze, seize ans. J'étais coquette et les garçons me regardaient. Ma sœur n'était pas du tout coquette, elle était plutôt pot-au-feu.

Un beau jour, Maman nous dit : « C'est fini, je pars de la boutique, c'est un esclavage, je ne peux plus toute seule. Je vous renvoie à votre père. » Alors, elle vend la maison, et mon père et ma mère partagent l'argent. Surprise. La femme avec qui Papa vivait, avec qui il avait eu un enfant, c'était une ancienne amie de ma mère, ce que nous ignorions. Cette femme était moche ! Et Maman qui était si belle !

Je ne m'entendais pas du tout avec ma belle-mère. J'ai un tempérament très fort. Et quand je suis contente, je suis contente, mais quand je ne suis pas contente... Alors, j'ai dit : « Papa, c'est bien facile, tu n'as qu'à quitter cette femme et vivre avec nous deux. » Il n'a pas quitté la femme, et ça a mal tourné plus tard. Et entre temps, j'ai fait toutes les misères possibles à cette femme, qui le méritait parce qu'elle avait été une amie de Maman.

Finalement, ma sœur a épousé le fils de cette femme, Pierre. Il voulait d'abord m'épouser, mais je ne voulais pas de lui. Il avait des petits boutons sur la figure, et moi je ne voulais pas d'homme avec des boutons. Quand je suis arrivée chez cette femme, son fils m'a dit : « Quand j'aurai vingt-cinq ans, je demanderai ta main à Papa. » Je lui ai dit : « Tu pourrais me la demander à moi aussi. » Et finalement, il a demandé à ma sœur de l'épouser. Il voulait être le fils à Papa *(sic)*. Je crois que c'est ça. Ça lui manquait. Il appelait mon père Papa et en épousant ma sœur, il devenait son fils. Il était content.

Maman habitait Paris, et nous la banlieue nord. Quand je vais la voir, Maman me raconte la façon dont ma sœur lui a dit qu'elle épousait Pierre, qu'elle se laissait épouser par Pierre : « Tu vois, on marchait sur une avenue où il y avait des bancs. Ta sœur me dit : "Maman, j'ai quelque chose à te dire. Je vais me marier." Je réponds : "Bon, très bien. Et avec qui ?" "Pierre", elle dit. Heureusement qu'il y avait le banc, sinon je tombais par terre ! Qu'elle épouse le fils de cette femme ! »

Nous habitions chez Papa à Saint-Denis, qui est l'ancienne ville royale de France. Finalement, aussitôt que j'ai pu, aussitôt que j'ai été majeure, j'ai quitté la maison de Papa. Je suis retournée à Paris. Là, je me sentais grande. J'ai travaillé dans les affaires, j'aimais ça, j'aimais le travail. Et après la guerre aussi, je me suis bien débrouillée. J'étais assez coquette, je m'habillais bien, j'avais des petits amis, j'avais de belles jambes. J'ai toujours de belles jambes !

Pendant l'Occupation, je faisais passer les gens. J'allais dans ma famille du Limousin où c'était encore la zone libre. J'aimais ça. Il y avait énormément de personnes qui passaient la zone [la ligne de démarcation], c'était comme si on sortait de prison. Notre village s'appelait Saint-Angel. Il y avait un garçon dans le village que j'aimais bien, qui était *good looking* [beau garçon]. Saint-Angel est très joli. J'y suis retournée, il y a quelques années.

J'ai traversé la zone occupée pour rejoindre la zone libre à peu près huit fois. J'ai toujours voulu écrire un livre sur mes huit passages. Une fois, je dois dire que j'ai eu beaucoup de courage ; j'ai traversé avec un vieux couple d'amis juifs. Quand ils ont su que j'avais déjà traversé, ils ont demandé à mon père : « Est-ce que votre fille pourrait nous aider à traverser ? » Puis, un soir, Papa me dit : « Des amis veulent passer. Toi qui connais le chemin, est-ce que tu pourrais ? » J'ai accepté. Nous les jeunes, on était tous fous, on avait envie de faire un tas de choses extraordinaires.

Avec ces gens-là, on arrive donc à Angoulême, on avait pris le train. Et dans le train, ce monsieur, M. Abelson, m'expliquait la philosophie de je ne sais plus qui. Je n'avais pas la tête vraiment ouverte à la philosophie. On arrive à Angoulême. Et dans une ferme où j'étais passée avant, la femme, en voyant le couple juif, n'a pas voulu s'en occuper. Elle m'a dit : « Je n'ai jamais fait ça de ma vie. » Je lui ai dit : « Mais, Madame, vous m'avez fait passer. Vous n'allez pas laisser ces gens se faire tuer. » « D'accord, mais mettez-vous dans la bergerie avec les moutons. »

Quand les bergers sont revenus, on est parti, on a traversé les champs à la tombée de la nuit. Il ne fallait faire aucun bruit. Il y avait une grande route toute blanche qui, dans la nuit, brillait. Et c'était la route qu'empruntait la troupe de soldats allemands qui faisaient la patrouille. Et l'un des deux guides que nos amis juifs avaient payés nous a dit : « Vous allez traverser l'un après l'autre. » M. Abelson avait un problème cardiaque et il avait peur. L'un après l'autre, on est donc passé. Et pas de bruit. Mais ce n'était pas possible la nuit de voir s'il y avait des brindilles de bois. Bref, on est passé tous. Les jeunes guides nous ont dit : « Nous sommes en zone libre. » On s'est embrassé, on était content. Je m'étais vue morte, parce que si j'avais été prise avec eux, c'était fini.

On marche encore plusieurs kilomètres et je pensais que M. Abelson allait mourir pendant le voyage. On arrive donc dans un petit café où l'on nous dit : « Vos amis vous ont attendu, il est deux heures du matin, vous deviez arriver à minuit, ils sont partis à Limoges. » Il fallait remarcher encore jusqu'à Limoges. On arrive dans un hôtel. Monsieur et madame dorment dans un lit, et moi, dans un petit lit dans la même pièce. La nuit, j'ai envie de me lever pour aller aux toilettes. Je me lève. M. Abelson se réveille et dit : « Qu'est-ce que c'est ? Un rat ? » « M. Abelson, ce n'est rien, c'est moi ! » Le lendemain, on s'est séparés. Ils sont restés dans le Limousin des mois, près de Limoges, jusqu'à la fin de la guerre. J'étais contente. Rien ne nous est arrivé. J'en ai connus qui avaient l'habitude de passer et qui sont morts.

Je peux raconter un autre événement qui m'est arrivé lors de ces passages. J'étais à côté d'un jeune homme dans un bus et je lui dis : « Enfin en zone libre ! » Il dit : « Non. Pour vous, peut-être, mais pas pour moi. Je suis juif. » Le bus s'arrête, on nous demande nos papiers. J'avais mon papier d'étudiante. Le jeune homme donne son papier et le gendarme lui dit : « Sortez du bus, venez avec nous. » Le garçon m'a regardée, l'air de dire : « Vous voyez, j'avais raison, ils ne me laissent pas passer. » Donc vous voyez, c'était les Français du Sud qui donnaient ce jeune homme juif aux Allemands.

Une autre fois, je revenais à Paris, et je traverse Vierzon[*]. Il faisait beau, mais il y avait plein de boue autour de la rivière. J'avais un petit chapeau *velvet* [en velours] violet, j'étais assez élégante, mais mes pieds étaient pleins de boue. Et j'arrive à la gare. Je marche. Devant moi, arrive un Allemand qui me regarde des pieds à la tête. Il a vu tout de suite que je n'étais pas juive malgré tout. Et il regarde surtout mes pieds en se moquant de moi. « Alors, vous avez passé la zone, vous ? » Je me suis dit : ça y est, je suis fichue. Je n'ai rien dit, je l'ai regardé en souriant. Je ne risquais pas d'être tuée, mais je risquais d'être arrêtée. J'arrive au train et je vois le conducteur qui me dit : « Allez, venez vite, Mademoiselle. Alors, on vient de passer la zone ? » J'ai dit : « Oui, mais l'Allemand vient de me voir. » Mais l'Allemand a continué, il est rentré dans un bureau. Je m'attendais à ce qu'il m'appelle, et rien. Il a laissé partir le train et il m'a laissée.

Une autre fois, on arrive dans une ferme avec un garçon qui s'était évadé de prison ou je ne sais quoi. Il voulait absolument coucher avec moi. Je lui ai dit : « Écoutez, Monsieur, je n'ai pas du tout envie de coucher avec vous. Laissez-moi tranquille ou j'appelle les fermiers. » Il me dit : « Venez dans mon lit. » Je dis « Non. » Tout d'un coup, il se met dans le lit, le lit se casse, etc. Ça m'a bien faire rire et après, il ne m'a plus embê-tée. C'était un malfaiteur ou je ne sais quoi. Il aurait aimé pro-fiter de la petite jeune femme qui traverse.

J'ai fait toutes ces traversées pour différentes raisons. Parce que j'avais ma famille dans la zone libre et que j'en avais assez

---

* Sur la ligne de démarcation.

de Paris. Je voulais aller me reposer en vacances. On ne pouvait pas se reposer dans la zone occupée. Et une fois que j'avais commencé, j'y avais pris goût. Pour les Abelson, j'ai fait l'aller, il a fallu faire le retour ; une autre fois, j'y suis allée pour des vacances dans ma famille, il a fallu revenir. Les jeunes avaient envie d'aventure. J'ai rencontré une jeune femme après la guerre, quand je travaillais chez les Américains, qui m'a dit : « Moi, aussi, j'ai traversé huit fois. » Nous étions contentes de parler de nos expériences. C'était la grande aventure. Quand on n'était pas juif. Parce que j'avais mon papier d'étudiante de Paris. Et mon nom, T., faisait *everything except juif* [tout sauf juif]. C'est le vrai nom du terroir, de la terre.

Pendant la guerre, chez Papa, il ne fallait pas sortir le soir. Nous fermions les volets, on mettait des rideaux bleu marine, parce que la lumière traversait moins. Et nous, les filles, on ne sortait jamais le soir. On restait à la maison. Papa nous enfermait. On devait descendre à la cave, mais on ne le faisait pas.

Je me rappelle qu'un jour, je marchais avenue de l'Opéra, et un Allemand me dit : « Montre ta belle jambe. » Moi, je ne suis jamais allée avec des Allemands pendant la guerre. Il y avait des filles pour qui ça était égal. Nous, on les détestait. Enfin, ce n'était pas de la haine, mais on ne les aimait pas, c'étaient des étrangers. Après la guerre, les filles qui couchaient avec les Allemands, elles perdaient leurs cheveux[*] Les filles qu'on voyait avec un bonnet, on savait tout de suite.

Le mari de ma sœur, c'est-à-dire le fils de ma belle-mère, était dans les FFI[**]. Il a presque été tué. Il était marié, il avait un bébé. Un jour, un Allemand vient chez ma sœur. « Où est votre mari ? » « Je ne sais pas », elle dit. Il était dans les Forces libres[***] et faisait de l'espionnage. Heureusement, l'Allemand est parti.

Voilà la fin de la guerre. J'habitais toujours Saint-Denis. Et finalement, je me suis installée à Paris, à côté de Maman. Et

---

[*] En 1944-1945, de nombreuses Françaises ayant fréquenté des Allemands furent tondues publiquement. Voir Fabrice VIRGILI, *La France « virile » : des femmes tondues à la Libération*, Paris, Payot, 2000.

[**] Forces françaises de l'intérieur : regroupement, au début de 1944, des groupes armés de la Résistance intérieure.

[***] Forces françaises libres (FFL) : les forces militaires de la France libre.

l'on a bien ri le jour où les Américains sont venus, tout le monde était content. Ma mère ne s'est jamais remariée. Elle était coquette, mais un mari, c'était assez. *One was enough.* [Un suffisait.]

Puisque j'avais fait des études commerciales, j'ai pu travailler dans le commerce comme sténo-dactylo comptable. Pendant longtemps, j'avais travaillé chez les Abelson. C'était le couple juif que j'avais aidé à passer en zone libre. Mme Abelson m'aimait beaucoup, elle m'a appris l'anglais. Elle me parlait anglais tout le temps. Elle connaissait l'allemand, l'anglais, le français. Elle était très belle. Le mari n'était pas beau, mais il était gentil, bon garçon. Après être passés en zone libre, ils sont restés dans le Limousin. Et en 1944, les Allemands étaient partis et eux, ils voulaient revenir. Ils sont finalement revenus à Paris et ils ont retrouvé l'appartement libre, mais les Allemands avaient pris tout ce qu'il y avait dedans. Quand ils sont revenus, Samuel était horrible de visage *(sic)* ; quand on l'embrassait, sa barbe nous piquait. Et Mme Abelson était habillée comme une concierge, comme une pauvre femme, alors qu'elle avait été la plus jolie femme, la mieux habillée, de tout Saint-Pétersbourg.

Les Américains se sont installés à Paris. Une amie me dit : « Viens donc chez les Américains, tu seras très bien payée. » Alors, je commence à travailler pour les Américains. Et voilà mon Jim qui arrive à Paris. Il avait été soldat régulier et avait débarqué en Normandie, traversé la France, puis il est allé jusqu'en Allemagne. Il a continué avec un convoi jusqu'à Berchtesgaden. Il conduisait. J'ai des photos.

Il vient à Paris et il travaille dans mon bureau. Il est mon chef, et très gentil. On est tous camarades, femmes et hommes. Et un jour, Jim dit : « Je vais en Suisse. » Et il me demande : « Que voulez-vous que je vous rapporte de Suisse ? » Je lui ai répondu : des bas. À cette époque, on se peignait les jambes avec de la couleur parce qu'on n'avait pas de bas. Jim revient et il me rapporte un joli bracelet, mais pas de bas.

Jim retourne en Amérique. Quand il est parti, il n'était pas du tout question qu'on se marie. On est bons copains. On s'écrit pendant un an. On s'aime bien, il aime écrire et lire en français, il est content. On se raconte un tas de choses. On commence à bien se connaître. Je sais que c'est un intellectuel, qu'il veut enseigner. Un jour, il m'écrit : « Venez en Amérique. » « Non, je dis, c'est trop loin, etc. » Pendant un an, il me fait la cour par correspondance, et je dis oui et je dis non, et je ne peux pas me décider. Je me dis que ce garçon est un peu fou. Je ne peux pas dépendre de lui. Il est gentil, mais ce n'est ni un père ni une mère ni un oncle. « Mais Tony, vous ne comprenez donc pas ? » Il m'explique qu'il veut m'épouser. Et puis, finalement, je me décide. Un jour, il me dit : « C'est oui ou c'est non ? » Et j'ai dit « Oui. » Plus tard, Jim me disait toujours : « Cette année-là, vous m'avez rendu fou, oui non, oui non. » C'était en 1947. J'avais vingt-neuf ans.

Ça a été facile d'avoir un visa puisque j'étais une fiancée de guerre. Je suis partie en Amérique en 1947, par avion. À ce moment-là, les gens qui ont fui la France pendant la guerre, juifs et autres, revenaient à Paris, et ils voulaient les appartements. J'avais un petit appartement qui ne valait rien du tout, puisque c'était juste une chambre avec cuisine et salle de bains, mais une famille juive me dit : « Si vous nous la donnez, on vous paie le voyage en Amérique. »

J'arrive donc en Amérique. Jim était originaire de Seattle, mais il m'attendait à San Francisco. Nous avons été mariés immédiatement à la mairie de San Francisco par un juge. Un camarade de mon mari était notre témoin. Plus tard, nous nous sommes mariés à l'église française de San Francisco. Le curé a écrit à mon curé de Paris. Nous avons fait un voyage de noces à Carmel. J'étais contente de m'appeler Mrs. K.

J'aimais bien la gaieté des Américains. Je venais d'un pays triste. Nous avions perdu des personnes dans la famille ou des amis, les juifs, les Allemands. On voulait se débarrasser de tout ça, de tous ces souvenirs. Et ici, on avait beaucoup d'argent. Mon mari avait une petite pension d'ancien soldat, et l'on vivait très bien, on mangeait très bien, on était gais, joyeux. Après quatre ans sans rire, sans plaisir, dangereux, tout d'un coup, on pouvait sortir la nuit. En France, pendant la guerre, on ne pouvait pas. Toute ma jeunesse, je ne suis jamais sortie le soir en France. C'était triste pour une jeune femme.

Tout le monde était très gentil avec moi, sauf ma belle-famille. Nous sommes allées les voir à Seattle. La mère de Jim avait un nouveau mari qui buvait trop. Mon beau-frère, le mari de la sœur de Jim, était le beau-frère d'un commandant de la marine américaine qui avait été tué par un Français. Alors, mauvaise réputation des Françaises. « Tu épouses une Française ? » Il a dit à sa femme : « Ton frère est à moitié fou. Ça ne m'étonne pas de lui. » Ils nous ont accueillis, mais ils étaient froids. Même s'il n'y avait pas eu de guerre et s'ils n'avaient pas été américains, c'était un peu le genre bourgeois. Jim et moi, nous étions un peu bohème.

Jim buvait un peu trop à mon avis. Nous, les Français, nous buvons, mais c'est tout. Quand on visitait ma belle-mère et son nouveau mari, qui buvait, je disais toujours à Jim : « C'est assez. » Après un temps, il n'a plus bu à cause de sa position de professeur à Berkeley [université de Californie]. Mais quand il était jeune, oui. C'était la réaction de la guerre, je crois. Il avait d'anciens copains. Tous les jeunes Américains buvaient trop. Et puis, une fois qu'il a été marié, qu'il étudiait et qu'il enseignait, il a perdu ses mauvaises habitudes. Mais il était gentil. Quand il avait trop bu, il se mettait à dormir. Ça ne me plaisait pas. Mais dans tous les pays, il y a des gens qui boivent trop et d'autres qui ne boivent pas beaucoup.

À l'époque, nous vivions dans un appartement, pas une maison, dans un quartier noir de San Francisco. Je trouvais ça très amusant. Les gens me disaient : « Comment pouvez-vous habiter là ? » Moi, j'aimais bien. Les Noirs riaient, ils étaient heureux. Par exemple, un soir, Jim avait un rhume et il me dit : « J'ai envie de lait. » Il était minuit. Et je suis descendue dans la rue Fillmore, je suis partie toute seule à la recherche de lait, et les Noirs me disaient des blagues et je trouvais ça amusant.

On était très bohème. Dans un tiroir, il y avait de l'argent. On avait faim, on voulait voyager, on tirait de l'argent. Et un beau jour, on ouvre le tiroir et il n'y avait presque plus rien dedans. Jim me dit : il faut travailler. Je vois donc une annonce où ils demandaient quelqu'un pour un travail de bureau. J'y vais. La jeune fille me demande : « Vous êtes une mariée de guerre, de France ? » Je réponds : « Oui, j'adore l'Amérique, et mon mari est très gentil. » Et elle me dit : « *Well, you don't get the job !* » [Vous n'aurez pas le poste] Puis, je réponds à la deuxième annonce. Un monsieur me reçoit. Il me regarde et me dit : « Vous venez de Paris, Madame ? » Il était très impressionné, je crois. Beaucoup de garçons me trouvaient belle à l'époque.

Donc, j'ai travaillé dans le commerce. Jim est retourné à l'école et je l'ai aidé à obtenir ses diplômes. Jim recevait une petite pension de guerre. Il étudie pour enseigner l'anglais Tout le monde savait que mon mari était étudiant, et ils nous aimaient bien à cause de cela. Jim fait donc ses études à Berkeley, et moi, je travaille pour l'industrie. Il va jusqu'à son *Master's* [maîtrise]. Après, il a enseigné dans une *high school* [lycée] très cotée, très bonne, de San Francisco. On lui offre un poste à Berkeley. Il n'a pas son Ph.D. [doctorat], alors on lui conseille de l'avoir. Mais il dit : « Non, je ne veux pas enseigner dans les universités, je veux enseigner dans la *high school*, c'est là où il faut former les jeunes. » Et finalement, il adorait le lycée où il était. Il y était très content. Il adorait l'enseignement. Il était beaucoup plus intellectuel que moi. Plus tard, il a enseigné à Berkeley, où il était chef d'un petit département, mais il regrettait toujours ses jeunes de la *high school*. Jim adorait San Francisco aussi. Mais quand il a eu son poste de professeur à Berkeley, nous avons quitté San Francisco pour acheter une maison ici, à Orinda.

Moi, j'ai travaillé dans les affaires pendant vingt ans. Parfois, il y avait des vieilles bonnes femmes qui ne m'acceptaient pas dans les bureaux. Mais tant pis. Je leur disais : *« How are you to-day ? »* [Comment ça va ?] Elles ne répondaient pas. Il y a des gens comme ça partout. Un jour Jim me dit : « Maintenant, tu devrais faire le même métier que moi. Nous aurons des vacances ensemble. » Car, c'était vrai, au moment des vacances, il fallait que je quitte mon bureau. Les gens ne me donnaient pas deux mois de vacances. Jim me dit : « Ce qu'il faut que tu fasses, c'est que tu ailles à l'école. Tu prends un diplôme en français et tu enseignes le français. Nous serons tous les deux à l'école, aussi bien pour étudier que pour enseigner. » Et c'est ce que j'ai fait, et on aimait ça.

Quand il m'a dit qu'il fallait que je retourne à l'école, je n'ai plus travaillé dans le commerce. Je suis entrée à Berkeley pour étudier, pour avoir mon MA [*Master's of Arts* : maîtrise]. J'ai enseigné dans plusieurs écoles à San Francisco. Mais mes professeurs et moi, nous voulions que j'aie mon PhD [doctorat]. Jim me dit : « Je ne sais pas si tu vas aimer, si c'est bien pour toi, le travail en université est dur. » Il n'était pas fier, je veux dire que ça ne le gênait pas que moi, je sois PhD. et lui pas. Il disait que chacun devait suivre sa propre voie. J'ai donc fait mon PhD. Ma thèse était sur Marie de France, une femme poète. Après, j'ai enseigné dans un *college* [université] qui n'existe plus, qui s'appelait Lone Mountain. Ce *college* appartenait aux Sœurs du Sacré-Cœur. J'y ai enseigné pendant des années.

J'ai eu une expérience à Lone Mountain. J'avais un étudiant, je suis sûr qu'il faisait du commerce de drogue *(sic)*. Il avait peur qu'on l'arrête, alors on ne le voyait plus dans la classe. Il revenait, il repartait. Sur six semaines, je l'ai vu deux ou trois semaines. C'était un grand garçon noir sympathique. Mais le jour où je corrigeais les examens, il arrive avec un camarade aussi beau, aussi grand, que lui et me dit : « Madame K. ? » Et je dis : « Ah, vous voilà ! Et qui est ce garçon ? C'est votre copain ? » Il me dit : « Oui. Madame K., *if you don't give me an A, I'll kill you.* » [Si vous me donnez pas 16, je vous tue.] Je réponds : « *Consider me as dead then because you don't get an A.* » [Je suis morte alors, parce que je te donnerai pas 16.] Et je lui dis : *« Get out, you see I'm busy. »* [Sors d'ici. Tu vois bien que je suis occupée.] Je n'avais pas peur, je l'aimais bien. Après avoir connu la guerre et les Allemands, je n'avais pas peur de mon élève. Il a eu un B [14]. Il méritait un C ou un D [10 ou 8].

Au début, quand on vivait dans le petit appartement tout simple, pas cher du tout, on mettait de côté tout ce que je gagnais, ou tout ce que lui gagnait, tous les mois. En juin et juillet, on fichait le camp en France, on est allé en France je ne sais combien de fois. Moi je me disais peut-être que Jim va aimer et qu'on va rester, mais lui, il me disait : « Ne te mets pas en tête l'idée que je veux vivre en France, ça va pour les vacances. » Un autre jour, il me dit : « Ne te fais pas d'illusions, jamais nous n'irons vivre en France, je ne veux pas vivre en France. Moi, j'ai toujours un accent, les gens se moquent un peu de moi. » Je pense que jamais personne ne lui a dit ça, mais enfin, il se sentait un peu inférieur en France, et un homme avec un ego n'aime pas vivre ça. Vous savez, les Américains sont très fiers de leur pays, et les Français n'ont pas de tact bien souvent, ils disent les choses comme ils le pensent. Ça l'ennuyait, et il ne connaissait pas assez bien le français pour pouvoir bien discuter. Pendant un certain temps, il aimait aller en France, et puis, à un certain moment, il a moins aimé la France, il a moins voulu y aller. Jamais je ne suis allée en France sans lui, sauf après sa mort.

À San Francisco, il y avait beaucoup de Françaises. J'y ai fait connaissance de ma grande amie, Colette. Elle aussi avait épousé un Américain. Mais le mari de Colette et le mien ne s'aimaient pas beaucoup. Parce que lui était travailleur, ouvrier... je ne sais plus exactement ce qu'il faisait. Et mon mari était un intellectuel. Il adorait l'opéra, le théâtre, le cinéma. Il était très cultivé.

Colette et moi étions toutes les deux de Paris, c'était donc un lien. On parlait de la France, de la guerre. Je crois que son père faisait un peu de marché noir. Il faisait de la confiture et avec la nourriture, on achetait beaucoup de choses. L'argent ne valait rien, mais la nourriture, si. Nous sommes toujours de très bonnes amies. On ne se voit plus souvent, parce qu'elle est à South San Francisco et moi à Orinda, mais on se téléphone. Tout d'un coup, l'une ou l'autre a envie de parler à l'autre.

Colette a eu quatre enfants. Je suis marraine de l'aîné. Moi, je n'ai pas tellement regretté les quatre enfants parce qu'avec toutes les disputes entre enfants quand j'étais chez mon père et ma belle-mère, je n'ai jamais eu vraiment envie d'enfant. Jim non plus n'avait pas envie d'enfant. Il ne regrettait pas. Lui est devenu presque aussitôt professeur, et il avait ses enfants toute la journée. Ma foi, tant pis. On n'a pas eu d'enfant. Ça nous était égal à l'un et à l'autre. Finalement, on était heureux comme ça. Jim était intelligent. Il n'était pas *selfish* [égoïste]. Au contraire, il aimait aider les gens.

Dans un sens, j'étais sa première élève. Nous écrivions chacun notre journal. Ça m'a beaucoup aidée pour mes études. Quand vous écrivez, vous êtes obligée de former, d'organiser. Et Jim me donnait des conseils. Il me disait : c'est très bien ce que tu as fait, c'est bien organisé.

C'est Mme Hall, la présidente de l'association des *French War Brides*, les mariées de guerre, qui m'a présentée à Colette. Mme Hall était une femme du Midi comme moi. C'était une *war bride* de la Première Guerre. Elle n'a pas eu d'enfant non plus. On se ressemblait beaucoup, on s'aimait beaucoup, comme mère et fille. Elle était de Bordeaux, elle avait l'accent de Bordeaux. On n'était pas très loin l'une de l'autre, finalement. J'ai vécu à Paris, mais je suis quand même de sang limousin et je sens que je ne suis pas tout à fait comme les Parisiennes.

Mme Hall travaillait pour la Croix-Rouge américaine à San Francisco. Elle écrivait aussi pour le journal français, c'est-à-dire *Le Courrier français des États-Unis*. C'est elle qui m'a fait entrer au journal. J'y suis restée de 1948 à 1963.

Le 1er décembre 1948, j'ai écrit un article sur Mme Hall, qui était, en fait, secrétaire générale du *National French War Brides Club* Je vous lis un extrait :

« [...] Le Club des *French War Brides*, une des principales activités de Mme Hall, ne pouvait être créé que par un Française au grand cœur et à l'énergie vive et agissante, *French War Bride* elle-même.

« [...] Mme Hall arriva dans ce grand pays inconnu en 1921, sans en connaître même le langage. Toutes ses difficultés, ses doutes, ses craintes, elle les a vaincus par la patience, par son désir de comprendre et d'aimer, par sa confiance et sa gaieté. Ayant "fait de sa vie un succès", elle s'est sentie solidaire des autres épouses de guerre et plus tard elle a voulu mettre au service de ses petites amies de 1940 son expérience et son soutien[7]. [...] »

En juin 1949, j'ai écrit un article intitulé, « Souvenirs de Guerre », où je décrivais Paris en juin 1944, et j'écrivais : « Paris libéré, la France libérée... les années ont passé, mes émotions et mes espoirs d'alors parmi ceux du peuple de France se sont réveillés à cet anniversaire[8] [...] »

Le journal m'a donné une colonne toutes les semaines. Moi qui venais du centre de la France, j'appelais ces articles-là « Souvenirs limousins ». Les Français de San Francisco venaient tous du midi de la France, de l'Auvergne et du Limousin, et ils adoraient mes articles. J'ai écrit pendant plus de dix ans. Tout en travaillant. Je n'étais pas payée pour ça, c'était l'amour du terroir.

Après, j'ai fait une petite colonne qui s'appelait : « Ma petite chronique » Et les gens adoraient parce que je parlais d'eux. J'étais membre du club des *French War Brides*. J'appartenais à l'Alliance française. Je fréquentais l'église française. Je connaissais toute la colonie française de San Francisco. Le journal français attirait tous les clubs. Il y avait des clubs de paysans du Sud, etc. Je m'occupais plutôt des *war brides*. En janvier 1949, le club des *French War Brides* a organisé une grande soirée française, où j'ai présenté un petit sketch : « Mimi apprend l'anglais », que j'avais écrit. Il parlait de l'amour entre un GI et une Parisienne[*].

Les gens aimaient bien mon style. Ils cherchaient à avoir un article écrit par moi. Écrire tous ces articles, ça m'a redonné envie d'écrire en français et mon style se formait. J'avais toujours bien aimé écrire à l'école. On avait des rédactions, les compositions françaises. J'étais très bonne, sans me vanter. Il y a beaucoup de lacunes en moi, mais j'aime écrire. J'adore ça. Pendant quelques années, j'ai signé « Antoinette K. », mais après, en 1949, je suis devenue « Tony K. ». Je relis ces articles encore de temps en temps. Il y a une certaine exaltation dans le fait que j'avais quitté la France en deuil, affaiblie, les choses ne marchaient plus très bien, on avait vu des crimes. Et j'arrive ici, en Californie, au soleil.

À un certain moment, vers 1963, je crois, le journal ne marchait plus. Il a été racheté par France-Amérique. Et la typographe a volé les listes des clients. J'étais un peu l'âme de ce journal, ils voulaient que je continue à écrire, mais j'ai dit non. Travailler pour ceux qui volent les listes, non. Ça m'a dégoûtée. Et puis, on n'était plus à San Francisco. Tant que j'habitais à San Francisco, ça allait, mais quand on est parti, ça devenait difficile. Et puis, j'avais mes études qui me demandaient d'écrire.

------

[*] Tony avait promis de m'envoyer un exemplaire de cette petite pièce, mais depuis son départ en maison de retraite, personne ne sait ce que sont devenus ses documents.

Dans le club des *war brides*, on était bien une cinquantaine. Beaucoup arrivaient à San Francisco. Certaines y sont restées, mais beaucoup ont quitté San Francisco à cause du travail de leur mari. Et j'en connaissais qui n'ont pas aimé l'Amérique. Il y en avait une dont Jim n'aimait pas beaucoup le mari et moi non plus. Il avait un gros défaut, *he was tight with his money* [il était radin]. Sa femme s'appelait Madeleine. Il ne voulait jamais dépenser son argent, c'était épouvantable. Mon mari, au contraire, était généreux, ouvert, on dépensait. Finalement, la mère de Madeleine est venue la voir, et Madeleine est retournée en France avec sa mère. Il y avait aussi d'autres Françaises qui divorçaient. Les mariages marchaient mieux quand le mari parlait aussi français. Mon mari parlait français à la maison. C'est pourquoi je n'ai pas perdu mon français. D'autres *war brides* que je connais parlent mieux l'anglais que le français, maintenant.

Jim est mort en 1976. On devait partir ensemble en France, et il est mort quelques jours avant. Un matin, la fille d'une voisine vient pour voir notre jardin, parce qu'elle devait arroser pendant notre absence. Et je me rappelle que sa maman vient la chercher en voiture et klaxonne. Et je lui ai dit : « Adèle, ne klaxonnez pas, *don't do that, Jim is still asleep.* » [« ne faites pas ça. Jim dort toujours. »] Elles s'en vont. Je vais voir. Je me dis qu'il est un peu tard, il est neuf heures, Jim est toujours au lit. Il était mort. C'était horrible. C'était le cœur. Avant, il buvait, comme un GI, mais après, ce n'était pas indiqué. Et il fumait beaucoup, il m'a donné de l'asthme. Après l'enterrement, je me suis dit qu'est-ce que je vais faire ? Finalement, je suis allée en France toute seule, et je me sentais bien là-bas. Mieux. Je pouvais parler français. Ma petite-nièce m'avait reçue.

Jim avait été gentil et malin. Il avait une grande personnalité que j'aimais bien. Il était intelligent, plein d'humour et puis changeant aussi de temps en temps. Je ne me suis jamais remariée. J'avais assez de personnalité pour me débrouiller sans un mari. *Except sex.* Je ne m'en suis pas tout à fait passé, mais pas de mariage. Maintenant, je le regrette, j'aimerais bien un petit vieux mari comme moi.

Il faut quand même que je dise, qu'avant sa mort, l'amour avec Jim n'était plus ce qu'il était au début. D'abord, sa situation nous a séparés. Il aimait mieux la *high school*, et moi, j'aimais mieux l'université. Et ça indique aussi des différences plus profondes. Il était très autoritaire, et moi, je n'aimais pas trop l'autorité. Étant catholique, l'idée de divorcer ne me serait pas venue. Disons, ça allait moins bien. Et puis, il y avait une petite femme… Alors, un jour, il me disait quelque chose de désagréable et je réponds : « Mon vieux, divorce si tu veux. Mais moi, je garde la maison. » Il adorait sa maison. Du coup, il ne voulait plus divorcer. On s'entendait toujours bien, mais ce n'était plus ça…

À l'époque de la mort de mon mari, l'université Lone Mountain avait beaucoup de problèmes, et j'ai décidé de démissionner. Impossible à mon âge de trouver un autre poste dans la région. Et je ne voulais pas aller au Nebraska ou je ne sais où. Qu'est-ce que j'ai donc fait ? Un jour, je rentre à la maison, je déjeune, je lis le journal et je vois une annonce : « marchand de bois cherche… » J'étais veuve et j'avais besoin d'argent. Je me suis dit que j'allais demander. S'ils ne me veulent pas, ils ne me veulent pas. Parce qu'on m'avait dit : quand vous êtes professeur et que vous cherchez à travailler dans le commerce, ne dites pas que vous êtes professeur. Eh bien moi, je me suis dit : tant pis, je ne veux pas nier que je suis professeur, s'ils ne me veulent pas, je m'en fiche.

J'arrive habillée en bleu marine avec une blouse *(sic)* blanche. Le patron m'a dit plus tard : « Quand je vous ai vue, je me suis dit : si on ne prend pas cette femme-là, elle va s'engager dans la Navy. » Le sous-directeur ne voulait pas de moi, il ne voulait pas quelqu'un qui faisait sa petite orgueilleuse. Mais *the owner* [le propriétaire] de la compagnie a dit : « Écoutez, ça serait amusant, elle apporterait des idées nouvelles. » Il m'engage. Et j'ai bien réussi dans le commerce. Chez mon marchand de bois, j'ai gagné beaucoup d'argent. J'avais un salaire dans les affaires beaucoup plus important que dans les écoles. Tous les trois mois, le patron comptait les bénéfices et les partageait entre ses ouvriers.

Au même temps, j'ai continué à étudier, à écrire. Je suis spécialiste de littérature française du Moyen Âge. Je suis retournée à Berkeley dans le département de *Comparative Literature* [littérature comparée]. J'ai écrit un livre sur Marseille, qui est très gros. Ma thèse a été publiée ; mais le livre que j'ai écrit sur saint Dominique n'a pas été publié. Moi, je suis catholique, mais je ne suis pas religieuse. Pour certains, saint Dominique, c'est un autre dieu. J'ai donc dit les choses comme elles étaient, mais elles n'ont pas plu aux Dominicains. Et les autres trouvaient que c'était trop dans le sens de leur religion. Bref, je n'ai plu à personne. Mais je suis contente de mon livre quand même.

Je voudrais écrire maintenant un livre sur Marie-Madeleine, et lui donner le titre de *Marie-Madeleine courtoise*. Courtoise, c'est la jeune fille, la jeune femme aimée par les troubadours du XIIe siècle. Et c'est une période où Marie-Madeleine a été très en vogue en France. On a raconté des choses comme quoi c'était une sainte, mais toutes ces choses ont été inventées. C'était une femme qui écrivait des contes courtois, et la grande vogue de Marie-Madeleine est arrivée au moment de l'épanouissement de la littérature courtoise, la littérature qui a surgi vers le XIIe-XIIIe siècle. Je veux expliquer pourquoi.

Après avoir passé mon doctorat, j'ai étudié l'italien et l'espagnol. Je n'ai jamais l'occasion de parler ces langues, mais je les lis très bien J'ai voyagé partout. En Italie, en France, dans l'Est, dans le Sud, partout, pour donner des conférences. J'ai eu une bourse pour aller en Italie de la AUW, *American University Women**. Je les ai mis sur mon testament pour les remercier. J'ai eu une vie que je trouve un peu extraordinaire. Alors que j'étais une simple dactylo.

Pendant la guerre, je sentais déjà que j'étais appelée à faire quelque chose d'important, de différent. Pendant tous ces passages en zone libre, Dieu m'a guidée, m'a aidée. Plusieurs fois, j'aurais pu être prise. Ceci dit, ils étaient surtout à la recherche des juifs.

---

* En fait l'AAUW, *American Association of University Women*, affiliée à la Fédération internationale des femmes diplômées des Universités.

J'habite cette maison toute seule maintenant. J'y fais un tas de choses. J'ai dépensé quatre cents dollars pour faire tailler les arbres qui sont au fond. Mais le jardinier n'a pas très bien fait la colline, et c'est moi qui l'ai finie. Ma maison est toute propre. Ça, c'est mon côté paysan. J'ai la piscine. J'y suis contente.

Au début, tout ce qui était français me plaisait. Mais après vingt ans, il y avait des Français que je n'aimais plus. Ça a été fini. Au lieu de n'aimer que les Français, maintenant j'ai beaucoup d'amis Américains. J'en ai qui parlent français ou qui ont eu un petit lien avec les Français. Mais j'aime les gens parce que je les aime, pas parce qu'ils aiment la France. Il y en a beaucoup que j'aime à mon église, il y a un jésuite, par exemple. Les Jésuites sont très aimés en France. C'est en France que sont nés les Jésuites*. Étant petite fille, j'allais dans une école qui appartenait aux Jésuites.

Je suis toujours catholique et je suis assez bonne pratiquante. Je suis allée à la messe ce matin. J'y vais souvent le matin. Mais je n'appartiens à aucun groupe spécial, je suis seulement membre de l'église de Santa Maria.

Je suis contente d'être venue ici. Et je me sens très américaine, bien que les Américains croient toujours que je suis française, peut-être à cause de mon accent. Et les Français me trouvent bien américaine.

Je me sens les deux. J'ai la nationalité américaine. Je sens en moi des choses que j'approuve de l'ambiance américaine et des choses françaises que je préfère. Par exemple, la façon de cuisiner, la nourriture. Je ne ferais pas de bouillie le matin. Le matin, c'est toujours les toasts, les œufs, les fruits. Mais mon repas de Mardi gras, je le fais à la française. Je fais des crêpes. Je préfère le rôti au ragoût. Ma belle-mère faisait des ragoûts à n'en plus finir. Moi, j'aime les choses rôties, le poulet rôti.

Je n'oserais pas voyager la nuit ici, en voiture toute seule. Mais en France, je le ferais. Et puis, les hommes français sont amusants. « Eh, la petite dame, qu'est-ce qu'elle veut ? » « Ah,

---

* À Montmartre, le 15 août 1534, par le vœu de saint Ignace de Loyola et de six compagnons.

elle est mignonne, la petite. » Un Américain ne dirait jamais ça. Il y a une certaine ouverture en France, on ne connaît pas les gens, mais on leur parle. Est-ce parce que ici, à Orinda, c'est un peu collet monté ? Peut-être. Mais quand je suis longtemps à Paris, j'en ai assez. Je suis plus indépendante aux États-Unis. Ça fait vingt-cinq ans que je suis seule dans cette maison. J'ai perdu mon job, j'en ai eu d'autres.

« MA PETITE FRANCE »

Jacqueline P., lorsqu'elle parle des membres de sa famille et de ses proches, dit : « mon amour de... (père, mère, frère, amie...) » ; et elle appelle la France « mon joli petit pays ». Mais lorsqu'il s'agit de son mariage avec un ex-GI, elle est catégorique : ce fut la plus grosse « bêtise » de sa vie.

Divorcée depuis trente-cinq ans, Jacqueline s'est juré de ne jamais se remarier. Elle a élevé seule sa fille unique, qui a fait des études supérieures et est actuellement institutrice. Aujourd'hui à la retraite et grand-mère de deux petites filles, Jacqueline a eu une longue carrière de secrétaire de direction. Elle habite à Claremont, petite ville universitaire au sud de la Californie.

Jacqueline était très directe et me parlait comme si j'avais été une amie. Le « courant » passait entre nous, et nous sommes restés en relation. Voici son histoire...

Je suis née en 1923 à Mirecourt, dans les Vosges, mais j'ai passé la plus grande partie de mon adolescence à Nancy. Papa était juge, c'était un amour de père. J'ai eu énormément de chance avec mes parents et j'ai eu une enfance très heureuse. Papa est mort très jeune, avant que je ne rencontre mon mari, mais j'avais aussi un amour de mère et un amour de frère. Je dis toujours que j'ai eu deux hommes formidables dans ma vie, mon père et mon frère. Après tout, ce n'était pas si mal. Mais avoir un père adorable comme ça, c'est presque un handicap. Parce qu'aucun homme n'arrive à sa cheville.

À Nancy, nous avions très faim pendant et après la guerre, comme la plupart des gens qui habitaient les villes. Les gens de la campagne se débrouillaient en échangeant, en trouvant certaines choses. Les gens des villes, même avec de l'argent, ne trouvaient rien à manger. On était vraiment très malheureux. Et puis, il n'y avait rien à faire pour les jeunes de mon âge. Il n'y avait pas de bal, et le cinéma était uniquement de la propagande nazie. Donc, nous n'y allions pas. Et il y avait le couvre-feu. Parfois à sept heures, parfois à cinq heures, quand il y avait eu des Allemands tués par la Résistance. Vous savez, on s'amusait entre nous parce que les jeunes trouvent toujours le moyen de s'amuser. Mais on avait faim, on était habillé comme des mendiants. C'était une période épouvantable et nous n'avions pas de distraction. Nous avons perdu les meilleures années de notre jeunesse. En cinq ans – j'avais quel âge, dix-sept ans –, enfin, les meilleures années de l'adolescence. Pas seulement moi, mais toute ma génération.

J'ai fait mes études à Nancy. J'ai eu mon baccalauréat et, en même temps, j'ai étudié au conservatoire de Nancy. J'étais pianiste. J'ai donc suivi des cours de piano, d'orgue et même de comédie, mais mon véritable instrument, c'était le piano. Avec mon cousin, qui était aussi lauréat du conservatoire, nous avons donné quelques concerts. Je donnais des leçons de piano *part time*, en plus de mon travail régulier chez les militaires américains, d'abord à Nancy, et puis à Paris pour les PX [cantines militaires américaines], comme caissière. Nous avions encore très faim, alors j'étais bien contente de travailler dans un endroit où je pouvais manger du chocolat ! Ensuite, j'ai travaillé pour la *Joint Construction Agency*. C'était le corps des ingénieurs américains qui travaillait en conjonction avec les Ponts et Chaussées en France. Ils construisaient les circuits ferroviaires, les châteaux d'eau, enfin toutes ces bases américaines.

J'ai rencontré mon mari dans un club américain. Vous savez, à ce moment là, après la guerre, on allait danser ; il y avait des clubs, des bals de la Croix-Rouge américaine. Mon mari était alors le *boyfriend* de ma cousine. Je le lui ai chipé et j'ai été bien punie ! Mais à ce moment-là, moi, j'étais jeune et innocente. Je pensais que ce garçon était *sexy*, qu'il avait du charme. Et c'est vrai qu'il avait du charme. Et aussi beaucoup d'humour. Il était très drôle. Évidemment, maintenant je me rends compte que je ne comprenais pas toujours son humour. Enfin, il pouvait être très drôle. Je croyais que je l'aimais ! En fait, c'était surtout une question de sexe. Je me suis laissée prendre dans tout ça, sans penser à des qualités qui sont vraiment valables.

Quand je l'ai connu, il travaillait pour l'*American Grave Registration Command,* l'AGRC*. De profession, il était prothésiste. Il travaillait dans des laboratoires de dentistes pour faire des dentiers, des bridges, des choses comme ça.

Il avait fait la guerre en Italie. Une fois la guerre terminée, il est retourné aux États-Unis. Il est allé à Washington, D.C. pour faire une demande d'emploi, d'où on l'a renvoyé comme civil en Europe. Il est resté en France pendant plusieurs années. Moi, je l'ai rencontré en 45, je pense, ou 46. Nous nous sommes mariés en 48, et nous sommes restés en France jusqu'en 50.

Toute ma famille était contre mon mariage, mais naturellement, je croyais que je savais tout. Quand on est jeune on croit tout savoir. Je pense aussi que j'étais un peu fâchée contre la France à ce moment-là. Parce que mon amour de Papa – qui avait perdu une partie de son pied pendant la Première Guerre mondiale – m'avait dit qu'il n'y aurait plus jamais d'autre guerre. C'était, disait-on, « la der des ders » – *the war to end all wars*. Mais la guerre s'est encore déclarée, et cela a fait mentir mon amour de Papa. Et, de plus, on l'a perdue et il y a eu l'occupation allemande. C'est pourquoi j'étais fâchée contre la France.

Mon mari n'était pas un méchant homme, mais un homme tout à fait irresponsable. Il faisait n'importe quoi, n'importe quand, quand il voulait. En fait, il était un peu victime de la guerre et, quand il est venu en Europe, il en est tombé amoureux. Il ne voulait plus retourner aux États-Unis. Évidemment, pour tous ces civils-là, après un certain temps, il n'y avait plus d'emplois en Europe, et on les a renvoyés en Amérique. À partir de ce moment-là, mon mari a détesté l'Amérique. Ce qui n'a pas été très facile non plus pour moi quand je suis arrivée aux

---

* Organisme qui s'occupe des tombes militaires.

États-Unis. Parce qu'au lieu de m'aider à m'adapter, il me disait tout le temps, « l'Amérique, c'est épouvantable, on serait mieux en France », ce qui n'a pas arrangé la situation.

Au début, nous sommes allés à Buffalo. Tout à fait par hasard, car mon mari y avait trouvé un emploi. Il est parti en premier, et je l'ai suivi plus tard. Il fallait que j'attende en France, car c'était compliqué d'avoir mes papiers. Enfin, je l'ai retrouvé à Buffalo, où nous sommes restés un moment. Mais j'ai eu une vie vraiment épouvantable avec cet homme. Il était si fantaisiste quant à ses horaires qu'il perdait souvent son travail. Il retrouvait un emploi, puis le perdait à nouveau. Il était du genre à dire, par exemple : « Tiens, nous n'avons plus beaucoup de pain, je vais aller en acheter à l'épicerie du coin », et à ne revenir que trois semaines plus tard. Sans le pain !

Je me retrouvais souvent toute seule, je parlais à peine l'anglais, et mon mari me laissait pendant des semaines sans un sou. C'était vraiment très, très dur. Un jour, j'étais tellement désespérée d'être toute seule dans ce pays avec un mari pareil que je suis allée me promener au bord des chutes du Niagara avec l'intention d'y jeter ma fille et de m'y jeter ensuite. Mais un amour de femme belge qui avait le même âge que moi et qui habitait le même immeuble, m'a littéralement sauvé la vie. Elle avait vu comment mon mari se conduisait et, me voyant quitter l'immeuble, elle m'a suivie. Je ne savais pas d'ailleurs qu'elle était derrière moi. Elle m'a vraiment sauvé la vie, et je lui [en] suis très reconnaissante. Elle est malheureusement décédée il y a quelques années.

Le plus grand problème était que mon mari buvait. Il allait dans les bars et ne revenait que trois semaines plus tard. Quelquefois, il revenait sans la voiture, parce qu'il l'avait perdue quelque part et ne se rappelait plus où. Personne dans ma famille ne buvait. Bien sûr, comme beaucoup de Français, on vivait comme des rois et des reines, on mangeait et l'on buvait, mais je n'ai jamais vu quelqu'un dans ma famille ou parmi mes connaissances boire à l'excès. Je ne savais pas que ça existait, les ivrognes.

Au bout d'un certain temps, mon mari et moi avons décidé de nous séparer à l'amiable. Je suis alors retournée en France et j'ai habité avec Maman et sa bonne. J'ai retrouvé un autre job avec les Américains, et j'ai recommencé ma vie. Tout allait très bien. Nous habitions à ce moment-là à Paris dans un très joli appartement, j'étais très heureuse avec ma Maman et ma petite fille. Mais, par suite d'une réduction d'effectifs (une *RIF, Reduction in Force*, disait-on), j'ai perdu mon travail. Et presque simultanément, mon amour de Maman est morte. Je me suis retrouvée absolument désemparée, ne sachant pas quoi faire de moi.

Par une malheureuse coïncidence, mon mari est arrivé à Paris à ce moment-là et il m'a dit : « Tu me manques, le bébé me manque, et patati et patata... » J'étais dans un tel désarroi que j'ai pensé que peut-être, après tout, on pouvait recommencer. Je me culpabilisais parce que ma fille n'avait pas de père, moi qui adorais tellement Papa. Alors, je suis revenue et ça a été une deuxième grosse erreur.

C'est fois-ci, nous sommes allés à Los Angeles. Mon mari était originaire de Californie. Pendant un mois, il a été raisonnablement gentil, mais après, cela a recommencé. Notre situation était comme un bateau en train de sombrer. Je voulais me sauver et sauver ma petite fille du naufrage. Alors, j'ai dit que je voulais divorcer. Mon mari n'a pas contesté ma décision. D'ailleurs, il a complètement disparu. Oui, même sa mère – et je pense qu'il aimait sa mère, je pense que c'était peut-être la seule personne au monde qu'il aimait – même sa mère ne savait pas où il était, il a complètement disparu. Et naturellement, jamais il ne m'a donné un sou pour notre fille, jamais il ne m'a aidée. J'ai eu une vie très dure et cela ne m'a pas fait beaucoup aimer les États-Unis.

De plus, j'étais vraiment une imbécile. Mon mari m'avait dit que je pouvais avoir la garde de ma petite fille que j'adorais. Alors, je me suis dit : « Ce pauvre homme, s'il n'a pas sa fille, il n'a rien. » J'ai donc fait un emprunt, pour lui donner une certaine somme d'argent – c'était en 1960 – pour l'aider à recommencer sa vie. C'était cinq mille dollars, ce qui représentait pas mal d'argent à ce moment-là. Le juge trouvait que j'étais complètement folle, mais moi j'avais cette générosité. Pour l'aider à recommencer sa vie, j'ai fait un emprunt, qu'il a dépensé en un mois en payant à boire à tous ses amis. Et moi, j'avais à cœur de repayer cet emprunt, parce que je ne voulais pas qu'on pense que les Français ne payaient pas leurs dettes.

Je me suis donc trouvée, par ma propre stupidité, coincée aux États-Unis. Il m'a fallu des années pour rembourser cet argent, et pendant ce temps-là, ma fille a grandi et elle est devenue plus américaine que française.

À ce moment-là, je travaillais pour une base aérienne à Ontario, ici en Californie, naturellement, pas au Canada. Ce n'était pas tellement facile d'élever ma fille seule. Je n'ai jamais pu faire tellement d'économies. J'avais de petits moyens, mais je voulais que ma fille fasse des études. Je l'ai envoyée au *college* [université], et puis pour un *Master's degree* [maîtrise]. Nous nous sommes débrouillées comme nous avons pu, mais il ne nous restait pas beaucoup d'argent pour de petits voyages en Europe. Mais quand j'ai pris ma retraite, en 92, non en 88, alors là, je me suis payé trois mois de vacances en France. J'étais heureuse comme tout.

Pendant au moins vingt ans, je n'ai pas revu mon mari, et puis – c'est absolument ridicule cette histoire, ma fille avait vingt-deux, vingt-trois ans – un beau jour, un oncle de mon mari est venu nous dire qu'il était très malade. Je lui ai répondu : « Je suis désolée, mais je n'y peux rien, de toutes façons, je n'ai plus rien à voir avec lui. » Mais ma fille, qui est un amour de fille, m'a dit : « Mais on devrait quand même s'occuper de lui. » Elle a donc demandé dans quel hôpital il était. C'était un hôpital pour vétérans, quelque chose comme Veterans'Administration Hospital. Mais j'ai dit à ma fille : « Tu sais, tu ne dois absolument rien à cet homme. Il n'a jamais rien fait pour toi. » Mais ma fille est un amour de fille et elle est allée le voir à l'hôpital. Elle a appris qu'il allait être bientôt renvoyé de cet hôpital, pour une raison quelconque, et elle a trouvé que c'était abominable parce qu'il avait encore besoin de soins. Comme par coïncidence, elle avait un ami médecin dans cet hôpital, et elle est allée lui demander s'il pouvait faire quelque chose pour que son père reste jusqu'à sa guérison. Ce médecin était très gentil, il a arrangé ça, et on s'est très bien occupé de mon mari. Ma fille allait le voir tous les jours à Long Beach, et, vous savez, d'ici, ça fait une trotte. Finalement, son père est mort dans cet hôpital à l'âge de soixante ans. Ma fille est contente d'avoir agi ainsi, d'avoir connu son père, parce qu'elle l'avait si peu connu quand elle était petite.

J'ai le regret constant d'avoir fait la bêtise d'épouser cet homme. Je me suis fait coincer uniquement par ma propre stupidité. Je ne peux blâmer personne d'autre. J'ai un immense regret d'avoir gâché ma vie. Alors que j'avais eu la chance d'avoir des parents tellement gentils qui m'avaient donné toutes les chances possibles ! Et moi, je n'ai rien compris et j'ai tout gâché. Mais c'est comme ça ! Et je ne suis quand même pas trop malheureuse, parce que j'ai eu la chance d'avoir une fille et des petites filles gentilles. Et j'ai aussi de gentils amis.

Depuis toutes ces années, je n'ai pas eu de petit ami. J'ai trouvé que les hommes que je rencontrais étaient un peu trop inférieurs à moi, et je n'aime pas vivre avec des inférieurs. J'ai dit à mon ami André – c'est un Français que je connais ici : « Tu es presque à mon niveau, pas tout à fait, mais presque ! » Nous avons bien ri. Les hommes bien, il n'y en pas tellement, à part André. Nous les femmes, nous sommes formidables !

J'ai dû prendre la nationalité américaine au moment où je travaillais pour *l'Air Force*, parce que je devais avoir une *Top Security Clearance** – je ne sais même pas comment on dit ça en français – et je devais me faire naturaliser. Je vote aux États-Unis, mais sans grande conviction parce que je suis une idéaliste par nature. J'aime bien voter pour quelqu'un en qui je crois, et je pense que finalement ce sont tous des clowns. En fait, quand je vote, je n'ai que deux critères. Je regarde les noms, et puis je vote pour les femmes, et pour les juifs. D'abord pour les femmes, mais si je ne trouve pas assez de noms de femmes, je cherche un nom juif. Non parce que je suis juive moi-même, mais parce que je suis musicienne, et les juifs sont les meilleurs musiciens du monde. Ils ont une sensibilité très aiguë parce qu'ils ont été persécutés pendant de si longues années. Ils le sont toujours, d'ailleurs.

Je trouve la langue anglaise assez facile. J'avais fait un peu d'allemand autrefois, et je trouvais la grammaire allemande très difficile. C'est pourquoi, en arrivant aux États-Unis, j'ai trouvé que, grammaticalement, l'anglais était une langue vraiment facile. C'est aussi une jolie langue, et je l'aime beaucoup. Mais je pense que pour nous les Français, la prononciation reste difficile.

---

* Un contrôle de sécurité.

J'ai un accent quand je parle, mais ça ne me gêne pas, car, en général, les Américains aiment l'accent français. Je parle très facilement l'anglais maintenant, et je ne me rends même pas compte quand je passe d'une langue à l'autre. Mais dans des cas de crise ou quand je rêve, c'est toujours en français.

Beaucoup d'Américains sont excessivement gentils, mais le mode de vie américain ne me convient pas. Je n'aime pas le fait qu'ils ne prennent pas de repas ensemble, qu'ils attrapent un sandwich par ci, par là. Pas tous évidemment, mais la majorité. Je n'aime pas la familiarité américaine non plus. Quelqu'un vous rencontre et se permet de vous appeler « Jacqueline » tout de suite. Je n'aime pas ça. Je n'aime pas ce genre de manières. J'appelle les gens *Mr.* ou *Mrs.* et j'attends qu'on me rende la pareille.

J'ai de très bons amis américains qui me sont très chers, mais je dois dire que je trouve beaucoup d'Américains très superficiels dans leur affection. Ils ont l'air d'être vos amis, et au bout d'une semaine, ils ne se rappellent plus de vous. Et ça, ça me choque. Je pense qu'en France, on est beaucoup plus circonspect. Ça prend longtemps de se faire des amis, mais une fois qu'on les a, c'est très solide.

Même si je suis d'origine française, je n'ai jamais vraiment souffert de discrimination ici. Je pense que c'est parce qu'en général, les Américains ne prennent pas très au sérieux les Français. Ils pensent un peu que les femmes sont des filles *ouh la la* ! Et que les hommes sont des *French lovers* ! C'est un peu insultant, mais en général ce n'est pas méchant. Il n'y a pas d'animosité. Je n'ai jamais éprouvé d'autre genre de discrimination.

Mais je me sens toujours étouffée par la religion. En France, je n'y pense jamais, on n'y fait pas attention et on n'en parle pas tout le temps. L'atmosphère laïque de la France, me manque terriblement. Ici, on entend toujours *God bless you*. Il y a des invocations à chaque petite réunion, et tout ça, ça m'énerve. Il y a, soi-disant, une séparation de l'Église et de l'État. Mais même sur leur billet d'un dollar, il y a *In God We Trust*. C'est tout à fait incongru. Et il y a tellement de religions, des religions à la gomme.

Moi, je suis athée. Quand les Américains l'apprennent, ils disent : « *I'll pray for you.* » C'est dit gentiment, mais pour moi, c'est insultant. Alors, je réponds toujours : « *Please don't* ! » Moi, ça me serait absolument impossible de croire en quoi que ce soit. Je crois en moi, je crois en vous. Je vais de temps en temps a un club d'athées à Los Angeles. Ils font un dîner au moment de Noël, et c'est vraiment magnifique de s'y trouver entourée d'athées. L'atmosphère est si saine ! Il n'y a pas toutes ces superstitions, toutes ces idioties.

Oui, j'aime beaucoup aller à ce club, mais c'est quand même assez loin pour y aller seule. Los Angeles est tellement immense, et l'on risque de prendre la mauvaise direction. Il faut vraiment faire attention. C'est très dangereux aussi. Il y a des crimes partout, mais à Los Angeles, je crois que nous tenons le pompon ! Et depuis le procès Simpson, je pense que les différences raciales sont encore plus exagérées qu'auparavant.

J'ai constamment le mal du pays. Quand je suis retournée en France en 88, j'avais l'impression, au bout d'une semaine, que je n'étais jamais partie. Il y avait des changements, bien sûr. Mais il y a des choses, dans ma petite France, qui restent toujours les mêmes.

Je me considère à 200 % française. Plus je vieillis, plus je suis française. Je voudrais bien réintégrer *(sic)* la nationalité française. C'est possible de le faire, mais il faut faire le grand voyage à Los Angeles. Il faut aller au consulat, où ils ne sont pas toujours très aimables, et alors j'ai un petit peu la flemme. J'ai une vieille voiture et j'ai peur de la prendre pour aller jusque là-bas. Et je me dis, après tout, ce n'est qu'un bout de papier, dans mon cœur je suis française. Je suis très fière de la pensée française. Je suis très fière de notre système... de tout un tas de choses.

Aux États-Unis, je suis *démocrate*, mais en France je suis royaliste. J'aime les jolies choses et les châteaux. Je suis tellement contente que Louis XIV nous ait laissé Versailles que je lui pardonne tout parce qu'il nous a donné toute cette beauté ! Je crois que c'est ce que j'aime le plus au monde – la beauté sous toutes ses formes. En musique, en littérature, dans une rose, chez les gens aussi, pas seulement la beauté physique mais une beauté de l'âme, une beauté d'émotion. Moi qui ne crois pas en Dieu, je crois en la beauté.

DE LA NOUVELLE-CALÉDONIE À LOS ANGELES

Georgette a répondu à une de mes annonces dans la presse française aux États-Unis. Je l'ai interviewée chez elle, à Los Angeles, en 1995. Depuis, nous nous sommes revues une fois à Paris lorsqu'elle est venue pour le Salon du livre. Ayant perdu son deuxième mari depuis notre interview, elle s'était plongée dans l'écriture et avait écrit deux romans. Georgette et moi nous écrivons tous les ans. Elle m'a toujours beaucoup encouragée dans ma propre écriture.

Je suis née à Nouméa. Notre famille est en Nouvelle-Calédonie depuis la fin du XIXᵉ siècle. C'est une très jolie île, et j'y suis très attachée même si je n'y suis retournée que deux fois depuis mon départ en 1945.

Mon arrière-grand-père était irlandais. Il a quitté le *county* de Cork avec ses quatre frères pour aller faire fortune dans les mines d'or en Australie. Puis, en Australie, ils ont entendu dire que John Jacob Astor* cherchait du bois de santal. M. Astor transportait à ce moment-là des fourrures depuis le Canada jusqu'à la Chine, et ses bateaux revenaient de Chine vides. Alors, mon arrière-grand-père et trois de ses frères ont acheté un bateau, et ils se sont mis à faire du cabotage le long des côtes de la Nouvelle-Calédonie, et d'autres îles, troquant des

---

* John Jacob Astor (1763-1848) : grand négociant new-yorkais d'origine allemande. Le succès de son American Fur Company, fondée en 1810, lui permit d'acquérir la première fortune des États-Unis.

vieux clous et des cercles de barrique contre le bois de santal. Malheureusement, lors d'un de leurs voyages, il y a eu une grosse tempête. Le bateau de mon arrière-grand-père a échoué sur les récifs, et il s'est fait manger par les indigènes !

Mon grand-père, qui n'avait que dix ans à la mort de son père, était aussi irlandais. C'est lui qui est venu s'installer définitivement en Nouvelle-Calédonie. Il a eu quatorze enfants. Il y a des O'C. partout en Nouvelle-Calédonie maintenant. Mon grand-père ne parlait qu'anglais au début, mais il a dû se mettre rapidement au français.

Quant à mon père, malgré son nom irlandais, il ne parlait pas un mot d'anglais. Il y a une histoire de famille à ce sujet. Un jour, des Australiens viennent le voir. Il n'arrête pas de leur dire : « *You don't speak English. You don't speak English.* » [« Vous ne parlez pas anglais ! Vous ne parlez pas anglais ! »] Les Australiens sont perplexes, mais ils continuent à lui parler. Bien entendu, Papa voulait dire *I don't speak English* [Je ne parle pas anglais] au lieu de *You don't speak English* [Vous ne parlez pas anglais].

Mes parents ont eu six enfants, trois garçons et trois filles. Moi, j'étais l'aînée. J'ai été élevée de façon très stricte, très catholique, chez des sœurs de Saint-Joseph-de-Cluny, mais j'ai été dégoûtée de l'église vers l'âge de neuf ans lorsqu'on m'a dit qu'une fille ne pouvait pas être pape. J'ai fait des études jusqu'au baccalauréat. J'avais un très bon professeur, Timothée Auriol, qui était ancien élève d'Henri Bergson et de Pagnol. Je voulais aller à la Sorbonne continuer mes études, car il n'y avait pas d'université à Nouméa de mon temps. De toute façon, ce n'était pas possible. Il y avait la guerre, et en plus, je me suis mariée. Mais en épousant mon mari, je lui ai fait promettre qu'un jour je pourrais continuer mes études.

Les Américains ont débarqué à Nouméa en 42. Je me souviens très bien du jour, c'était le 12 mars 1942. Je montais la côte de la vallée des Colons en bicyclette. C'était un samedi et j'allais jouer au tennis. Qu'est-ce que je vois ? Des milliers et milliers de soldats américains qui descendaient la côte en marchant. Ils avaient comme consigne : « Marchez ! Marchez ! Ne vous arrêtez pas avant la nuit ! » Personne ne savait qu'ils avaient débarqué. On ne nous disait rien au sujet de la guerre.

Je pense qu'environ un million de soldats et marins américains sont passés en Nouvelle-Calédonie pendant la guerre. Mais nous ne savions pas ce qui se passait, seulement quelques petites choses. Nous voyions les blessés arriver de temps en temps, mais c'est tout.

Nous avons eu une chance inouïe grâce aux Américains. Les Japonais ne nous ont ni bombardés ni envahis. Et, en plus, nous avons passé des moments très agréables avec tous ces jeunes gens d'Amérique. Comme il y avait peu de femmes par rapport au nombre d'hommes, nous étions absolument les reines. Quand les soldats revenaient de la guerre en Nouvelle-Calédonie, il y avait beaucoup de choses pour eux. Il y avait des shows de Jack Benny et de Larry Adler[*]. Il y avait des cinémas et des danses en plein air. C'était une vie formidable !

Les Américains nous ont aidés financièrement aussi. Je me rappelle qu'un jour je vois ma sœur en train de coudre des petites pochettes. Je lui demande : « Qu'est-ce que tu fais là ? » « Je brode ces petites pochettes pour les vendre aux Établissements Baland. Ils me les achètent un dollar pièce et ils les revendent aux Américains », elle me répond. Et j'ai dit : « Mais moi aussi je peux faire ça. Je vais les peindre ! » J'avais pris des leçons de peinture et je savais peindre sur l'étoffe avec une peinture spéciale.

J'ai donc mis toute la famille au travail sur notre grande table de cuisine. J'ai acheté du tissu, que je coupais, et puis Maman tirait les fils, un frère faisait ceci, l'autre frère faisait cela, une sœur faisait autre chose, etc., etc. Ensuite, je peignais une petite indigène et des mots comme « *Hi, Man !* » ou « *Hello, Sweetheart !* » Et on les vendait aux Américains. Je me suis fait une petite fortune, si bien que, même si j'étais encore très jeune, j'ai pu ouvrir un magasin de souvenirs.

J'avais un petit appartement à moi. Je gagnais bien ma vie. J'étais très indépendante. Mes copines me regardaient avec des gros yeux. Même toute jeune, j'aimais mieux jouer au tennis ou au football avec des garçons que de jouer à la poupée avec des

---

[*] Célèbres comiques engagés dans les tournées destinées aux armées *(USO shows)* dans le Pacifique et en Europe.

filles. Je me souviens très bien qu'une fois je voulais faire le tour de l'île en bicyclette, et j'ai demandé à deux jeunes amis garçons de m'accompagner. Ils m'ont dit : « Mais nos parents ne voudront pas. » Alors, je suis allée voir leurs parents, et ils ont accepté. Ils ont dit à leurs fils : « C'est d'accord, mais seulement parce que c'est avec Georgette. »

Alors, un jour, un jeune homme, un marin américain, s'arrête devant le magasin. Il me regarde, je le regarde. Puis, il me demande, en anglais, bien sûr : « C'est à vous ce magasin ? » Je lui réponds : « Oui. » Et je lui demande qui il est. Il me répond qu'il est photographe de l'amiral Halsey*. Il s'appelle Glenn. Il repasse plusieurs fois dans le magasin. On commence à sortir ensemble. Finalement, nous nous marions. C'est en 44.

Glenn venait d'une petite ville du Texas. Quand il était très jeune, quand il avait une dizaine d'années, il a rencontré un homme qui s'appelait « Willard the Wizard** ». C'était un prestidigitateur ambulant qui allait de ville en ville. Il a beaucoup impressionné mon mari, et ils sont devenus amis. Glenn me l'a même présenté plus tard. Très jeune, donc, mon mari est devenu illusionniste professionnel, il s'est joint à la troupe d'Howard Thurston***, qui était très connu.

Glenn avait fait disparaître la montre de J. Edgar Hoover et grâce à ça avait gagné tout un tas de publicité. Il est parti en Angleterre. Glenn était un homme formidable. Il pouvait être ami avec le jardinier ou avec les rois et les reines. Il a fait très bonne carrière en Europe. Il a aussi appris à utiliser un Leica, et il est devenu bon photographe. Alors, quand il a dû aller dans l'armée, il s'est dit que dans l'armée il ne pouvait pas faire trop d'illusion, alors il s'est déclaré photographe. L'armée l'a nommé l'*aerial photographer* de l'amiral Halsey. Par la suite, lorsque ça a commencé à Guadalcanal, il allait en avion prendre

---

* William Frederick Halsey (1882-1959), amiral américain, commandant la *South Pacific Area* (1942-1944) puis la 3ᵉ flotte (1944-1945) sur le front du Pacifique.
** Harry Francis Willard (1895-1970), fameux magicien américain.
*** Howard Thurston (1869-1936), le plus célèbre illusionniste des Etats-Unis dans le premier tiers du XXᵉ siècle.

de l'air des photos de Guadalcanal et d'autres îles. Il s'est battu à Guadalcanal, mais il n'aimait pas du tout être soldat.

Nous nous sommes mariés fin 45, à la mairie de Nouméa, et presque tout de suite après il a été rapatrié. Lui est parti d'abord en bateau, et moi je l'ai suivi après dans un autre bateau, le *General Polk*. Nous étions une dizaine de femmes et des centaines d'hommes de troupe. On ne se mélangeait pas du tout. Glenn m'attendait à San Francisco. Nous étions passés sous le Golden Gate, et il y avait tous les bateaux, avec les bateaux pompiers qui lançaient de l'eau partout pour nous accueillir. Les bateaux étaient tout autour de nous. Il y avait de la musique, on jouait *California Here We Come*. Nous étions parmi les premiers à revenir après la guerre. C'était vraiment formidable.

J'ai été accueillie par un ami prestidigitateur de Glenn, qui n'était pas encore démobilisé. L'ami me dit : « Nous avons retenu une chambre pour vous à l'Hôtel Mark Hopkins. » Glenn a été démobilisé dans la journée, et nous avons fêté ça au Mark Hopkins. C'était absolument fantastique, une vraie lune de miel. Nous étions là-haut dans les nuages, avec une vue merveilleuse. Mais nous ne pouvions rester que cinq jours. Après la guerre, personne ne pouvait retenir une chambre plus de cinq jours.

Nous sommes restés quelque temps à San Francisco. Glenn recommençait à faire des *bookings,* à arranger des engagements. J'ai pris la place de sa sœur, qui avait été son assistante avant la guerre. Son *show* s'appelait *Magic Flirtation*. Je tenais un petit parasol et portais une jolie robe longue avec un ruban autour de taille comme ceinture. On jouait *Une jolie femme est comme une mélodie* ou *In a Small Hotel*. Puis, Glenn s'approchait de moi. Pour attirer mon attention, il attrape le ruban puis il le tire, le froisse et le coupe en deux. Ensuite, je fais semblant de dire : « Ah non ! Il a coupé ma ceinture ! » Tout ça, c'est fait en pantomime. Mais voilà, le ruban est de nouveau tout droit et pas coupé ! Je suis tout étonnée. Il me demande d'emprunter mon parasol, il prend mon petit sac, il ouvre le sac, il met le parasol dans un petit tapis, il fait du *hocus pocus* [des tours de passe-passe], il enlève le parasol, le parasol revient mais avec des petit objets du sac – mon rouge à lèvres, mon peigne, ma glace – au bout des tiges. C'était un *show* très amusant.

J'ai fait ça pendant cinq ans. Glenn connaissait beaucoup de monde, et j'ai rencontré un tas de gens très intéressants, très amusants. Il aimait voyager et il voulait me montrer les choses. Nous sommes allés d'un côté à l'autre de l'Amérique. Nous avons travaillé au Grand Canyon, à Yellowstone, dans les Yosemite, aux Séquoias. Et puis, à New York. Et pendant que nous étions à New York, je lui ai dit : « Tu t'en souviens ? Tu m'a promis qu'un jour je pourrais aller à l'université. » Alors, pendant un an j'ai suivi les cours à l'université de Columbia.

Mais, malheureusement, dans un métier comme la magie, on ne peut pas rester toujours dans un seul endroit, il faut bouger. Mon mari est parti travailler à La Nouvelle-Orléans et au Texas. Il venait de temps en temps pendant l'année me voir à New York. Il n'aimait pas que je reste à New York.

Quant à moi, j'étais aux anges. J'habitais l'International House. Simone de Beauvoir et Albert Camus sont venus donner des conférences à la Maison française, où je faisais partie d'un petit groupe d'étudiants. J'ai proposé à Albert Camus de lui faire visiter New York. Je l'ai emmené à l'Empire State Building et à d'autres endroits. Nous sommes devenus amis.

J'ai beaucoup aimé Columbia, mais je voyais [bien] que je ne pouvais pas y rester. Je me suis rendu compte qu'ou bien on est marié, ou bien on est étudiant. En plus, mon mari était malin. Il s'est trouvé des engagements à Paris. Il savait très bien que je n'allais pas rester en Amérique avec lui à Paris.

Nous sommes partis en Europe vers la fin de 1946. Notre premier engagement était au casino d'Enghien, puis à La Baule, puis à Paris, au cirque Medrano, près de la place Clichy.

Mon mari gagnait très bien sa vie. Le seul ennui, c'est qu'entre les engagements, tout l'argent s'en allait. Moi, j'avais mis de l'argent de côté en Nouvelle-Calédonie, et quand nous n'avions pas d'engagements, c'était mon argent qui payait les factures. Ça ne m'ennuyait pas, jusqu'au jour où il n'y en a plus eu.

De plus, après cinq années ensemble, je me suis rendu compte que ce n'était pas le genre de vie que je voulais. Mon mari aimait aller d'une ville à l'autre rencontrer des gens. Il était toujours invité, et il buvait trop. On lui payait toujours tout un tas de tournées. J'ai essayé, mais je me suis rendu compte qu'on ne peut pas changer un alcoolique, il faut que ce soit lui qui le veuille.

Moi, je voulais écrire. Je voulais être écrivain. J'aurais peut-être pu écrire comme Colette sur l'envers du music-hall*, par exemple, mais je n'aimais pas trop ce genre de vie. J'avais écrit un peu pour *France Illustration* et pour *Paris Soir*, mais ça payait très peu. D'ailleurs, je voulais écrire ce que je voulais, pas ce qu'on me disait d'écrire. Je voulais être indépendante.

Alors, quand je voyais que tout mon argent disparaissait et que mon mari n'allait jamais changer, je me suis dit : « Tu vas te retrouver coincée dans une vie que tu n'aimes pas avec un mari alcoolique. Va-t-en vite, ma petite. C'est fini. » Je crois qu'il me restait deux cents cinquante dollars, et le billet d'avion pour Los Angeles m'en a coûté environ cent quatre-vingts. En fait, en venant ici, je n'avais que cinquante dollars dans ma poche et une montre que mon mari m'avait donnée en venant ici. J'ai dû mettre la montre deux fois « aux clous », mais je l'ai toujours.

En arrivant à Los Angeles, j'ai travaillé dans un magasin de souvenirs, mais cette fois-ci, il n'était pas à moi. Je me suis nourrie de hamburgers pendant des années. Enfin, petit à petit, j'ai réussi à m'établir. J'ai vendu des produits Avon et Watkins (les *Fuller brush*), des vitamines, des cours de musique, des tulipes, des chinchillas. J'ai écrit pour un journal et j'ai interviewé des *stars* pendant les années cinquante et soixante. Finalement, après avoir vendu et acheté des appartements, je me suis taillé une jolie carrière dans l'immobilier.

J'adore la France et la culture française. Tout ce que j'écris est en français. J'adore aussi la Nouvelle-Calédonie. Je connaissais des Mélanésiens quand j'habitais là-bas et je connais beaucoup de personnes de la Nouvelle-Calédonie ici en Californie. Mais je voulais toujours partir, voir le monde, être près des grandes villes.

---

* COLETTE, *L'Envers du music-hall*, Paris, Flammarion, 1913.

J'adore l'Amérique. Je me sens beaucoup plus américaine que française dans ma façon de penser, d'être. Je me suis remarié en 1962 avec Robert, ancien diplomate et agent de publicité. Nous partageons les mêmes intérêts, nous avons beaucoup voyagé ensemble. Et maintenant que nous sommes tous les deux à la retraite, j'ai enfin le temps d'écrire.

VIVE LA REINE !

Reine est la sœur d'une très chère amie et collègue disparue il y a deux ans. Mère de huit enfants et grand-mère de dix-neuf petits-enfants et trois arrière petits-enfants, elle est l'épouse d'un médecin aujourd'hui à la retraite. La famille vit dans l'Arkansas et Reine parle avec un délicieux accent du Middle West, tandis que ses sœurs, toutes les deux professeurs d'anglais, avaient un accent britannique très marqué. Reine a répondu en détail à un questionnaire que je lui avais envoyé et nous avons eu une longue conversation au téléphone.

Je suis née pendant l'été de 1923, à Mazamet, dans la région de la Montagne noire dans le Tarn. J'étais la troisième fille de mes parents, et l'on m'a appelée Reine parce que mon entourage regrettait que je ne sois pas un garçon. Les gens étaient déçus pour mon père et pour moi. À ma naissance, Paul M., un cousin de Paris, professeur de mathématiques à la Sorbonne, a envoyé un télégramme avec ces mots : « Vive la Reine ! »

Mazamet était une petite ville protestante et industrielle où l'on tannait les peaux et tissait la laine importée d'Australie. Mon père était le principal d'une école technique, l'École de commerce et d'industrie, appelée Collège technique Marcel Pagnol.

Mes parents étaient tous les deux professeurs. Ils sortaient de l'École normale d'Aix-en-Provence. Ils avaient un idéal très élevé, c'étaient des produits de la Troisième République. Ils croyaient en l'éducation gratuite pour tous. « Liberté, Égalité, Fraternité », c'était leur devise. Les écoles publiques étaient laïques, mais enseignaient une morale très stricte.

Quand la Première Guerre mondiale a éclaté, mon père enseignait les mathématiques appliquées et la mécanique à l'École technique de Marseille. Il a combattu pendant quatre ans et a été nommé lieutenant après avoir été blessé. La dernière année de la guerre, il a enseigné la mécanique aéronautique aux soldats américains de Lyon. En 1934, il nous avait emmenées, ma mère et moi, voir les champs de bataille du nord de la France.

Mes parents s'étaient mariés en 1918. Leurs deux familles étaient marseillaises. Nos ancêtres sont enterrés dans la section juive du cimetière Saint-Pierre. Les deux familles se connaissaient. C'étaient des familles d'artisans. Les M. travaillaient sur les bateaux à vapeur. Ils avaient travaillé sur des chantiers navals et sur le canal de Suez. Mon grand-père maternel était un sellier de luxe.

La vie dans la petite ville de Mazamet était bien différente de la vie à Marseille. Mon père avait combattu dans ce qu'il pensait être la dernière guerre. L'école était un pensionnat, et mes parents y avaient un appartement. Ma mère en était la comptable et la diététicienne. Elle avait une cuisinière, une femme de ménage et une femme qui lavait le linge. Je suis née dans la chambre de mes parents, au premier étage.

Après deux ans à Mazamet, mes parents ont déménagé dans une école plus grande à Agen, dans le Lot et Garonne. C'était une école de garçons qu'on venait d'installer dans un ancien séminaire. À l'entrée de l'école, les mots que nous lisions tous les jours, Liberté, Égalité, Fraternité, étaient gravés dans la pierre. L'école avait des dortoirs et un grand parc, avec à l'arrière des tilleuls et des châtaigniers, et sur le côté, une cantine et de vieux canons de la guerre de 1870. Pendant les vacances d'été, mes sœurs et moi nous y amusions beaucoup. Je peux dire que nous avons eu une enfance heureuse.

Mon père était un homme actif. Il se levait tôt et allait sonner la cloche à main pour réveiller les élèves. Nous formions une famille heureuse, élevée dans le respect de hautes valeurs morales. Mon père nous parlait philosophie et religion. Il était franc-maçon et l'un de ses grands-parents était juif. Mais il nous a toujours dit qu'il ne nous imposerait aucune croyance religieuse. Nous prendrions nos propres décisions quand nous y serions prêts.

Nous avons vécu à Agen de 1924 à 1934. Pendant cette période, nous avions des jeunes filles anglaises au pair chez nous. Elles apprenaient le français et nous parlaient anglais. Je suis devenue bilingue à trois ans. Mes sœurs et moi sommes allées au lycée de jeunes filles. Nous faisions de la bicyclette, jouions au tennis, passions nos vacances dans les Pyrénées ou sur la côte basque.

Agen était une ville où il n'y avait pas de juifs. Un jour, en 1933, quelqu'un m'a traitée de « sale Juive ». J'avais dix ans. Hitler avait une cinquième colonne dans les environs de notre ville.

Pendant l'été de 1934, mes parents sont retournés à Marseille. Mon père y est devenu le proviseur de l'École technique. Depuis que la Première Guerre mondiale avait interrompu sa carrière d'enseignant, cela avait été son rêve d'occuper ce poste. C'était un très bon proviseur, il avait beaucoup d'amis dans l'industrie et s'était gagné la confiance de ses collègues, du maire de la ville et du recteur d'académie de toutes les villes où nous avons habité. C'était un ancien combattant de la guerre de Quatorze. Un peu avant la Seconde Guerre mondiale, il a été décoré de la Légion d'honneur pour son travail dans l'enseignement technique et il a reçu le plus haut degré des palmes académiques. Nous avions un grand appartement avec vue sur la Méditerranée. Les familles de mes parents vivaient à Marseille.

J'ai fait mes études au lycée Montgrand. Nous passions les week-ends et les vacances avec nos cousins. Nous allions à La Ciotat, Les Lecques, Bandol ou en pique nique à Géménos. En hiver, nous allions prendre le thé sur le cours Mirabeau à Aix-en-Provence.

Par un bel après-midi d'octobre, notre père nous a dit qu'il avait remarqué de la fenêtre de notre appartement une flottille de vaisseaux escortant le bateau transportant le roi Alexandre de Yougoslavie. Mais quelques minutes après leur accueil par les membres du gouvernement français, un *oustachi* a tiré sur la voiture du roi et du ministre Barthou. Ils furent tués tous les deux*. Nous étions en classe quand cela est arrivé, mais ensuite le lycée a été fermé.

J'ai compris alors que la vie dans une grande ville était très différente de celle d'Agen. Les choses ont continué normalement après cet incident grave. Mais les gens de Marseille ne l'ont pas oublié. En 1944**, quand la Yougoslavie a rejoint les Alliés, malgré l'occupation allemande, nous avons été déposer des gerbes de fleurs à l'endroit où le roi était mort.

Nous étions donc à Marseille, et mes parents désiraient que nous poursuivions nos études. Mes sœurs ont préparé le baccalauréat. Alice était si jeune qu'il a fallu demander une dispense. J'étais bonne élève même si je n'aimais pas beaucoup lire et n'ai jamais vraiment appris à étudier. La plupart de ce que je sais, je l'ai appris de mes conversations avec mon père et des répétitions de mes sœurs. Je savais raisonner et j'étais bonne en sciences et en géographie. J'adorais les cartes. Les mathématiques me venaient aisément. J'ai passé le bac A'(latin, anglais et math) en 1940. Pour la seconde partie, j'ai choisi sciences, mathématiques, mais j'ai dû redoubler, car le programme était difficile et j'étais distraite par la guerre.

En septembre 1939, j'ai vu de grosses larmes couler sur les joues de mon père. Il voyait s'écrouler le mythe voulant que la Première Guerre mondiale soit la dernière. Mais la vie a continué. Pendant cette partie de la guerre, de 1939 à l'armistice de 1940 – la drôle de guerre –, Père a fait travailler les ateliers de l'école pour la manufacture de l'armée. Nous vivions toujours dans l'école. La cave avait été transformée en abri de jour pour les élèves de mon père, et la nuit pour les gens du voisinage. Nous avons appris à garder nos masques à gaz prêts. Au son de la sirène, nous nous habillions, laissions les fenêtres légèrement entr'ouvertes, fermions les volets, le gaz et l'électricité et nous précipitions dans la cave. Un jour, le portier a dit à ma

---

* Alexandre Iᵉʳ de Yougoslavie et le ministre français Louis Barthou furent assassinés à Marseille le 9 octobre 1934 par un terroriste croate, membre du groupe extrémiste des *oustachis*.
** Plutôt en mars 1941.

mère : « Madame, même si une bombe tombe tout près de vous, votre chapeau restera posé impeccablement sur votre tête ! » Ma mère aimait la perfection. Nous devions garder notre dignité.

Puis est venu le premier jour de classe d'octobre 1941. En un seul coup de téléphone, mon père a été remercié de son poste de principal, congédié sans salaire. Pourquoi ? *Le statut des juifs et des francs-maçons* selon le gouvernement de Vichy* ? Mon père n'avait qu'un seul grand-père juif, son grand-père paternel. Selon la loi de Vichy, il fallait trois grands-parents juifs pour l'être aussi. Il avait épousé une juive, mais à la mairie de Marseille, non pas dans une église. Apparemment, cela voulait dire qu'il voulait être juif. Par ailleurs, il était parvenu à un niveau élevé chez les francs-maçons. Tout cela avait conduit à son limogeage.

La famille M. était une vieille famille de Provence et du Comtat. La mère de mon père était née près de Gap dans les Alpes, dans la région de Serres. Mon grand-père avait de la famille à La Ciotat et Nice. Avant la Troisième République, il n'y avait pas de séparation entre l'Église et l'État. Mariages et naissances n'étaient reconnus que s'ils étaient enregistrés par l'église catholique. Mes grands-parents n'avaient apparemment pas voulu d'un mariage catholique. Après 1870, quand ce fut à la mairie d'enregistrer l'état civil, mes grands-parents ont déclaré leurs quatre enfants et prononcé leurs vœux nuptiaux. Ils ont eu encore de nombreux enfants après la légalisation de leur situation. Ils vivaient près de la synagogue. Les aînés des enfants y sont allés en classe. Cette école est devenue publique et c'est là que mon père, le septième enfant, a fait ses études secondaires.

Après 1940, je me rappelle que ma mère me répétait que Napoléon avait émancipé les juifs français. Ils étaient des citoyens comme les autres. Ceux de Provence avaient eu cette citoyenneté bien avant les autres. Ils ont joué un rôle important

---

* Reine fait ici allusion à deux ensembles de mesures distinctes : la politique antisémite (statuts des juifs du 3 octobre 1940 et du 14 juin 1941) et la répression des francs-maçons (notamment la loi du 14 août 1940 interdisant les « groupements ou associations à caractère secret).

dans l'histoire de la France. Le gouvernement de Vichy n'a pas osé y toucher. Ce fut tragique pour ma mère de voir l'application et l'extension de ces lois et l'envoi des juifs français à l'Holocauste.

Nous avons dû quitter l'appartement de l'école. Mon père n'avait aucun revenu, juste sa petite pension d'ancien combattant de la Première Guerre que le gouvernement de Vichy n'a pas osé lui retirer. Il a loué un *bungalow* dans une petite ferme à Camp Major près d'Aubagne. On pouvait s'y rendre en tramway depuis Marseille. Mon père a dû vendre la voiture, une Citroën familiale. Mes sœurs ont terminé leur année scolaire à Aix-en-Provence, où elles habitaient dans une résidence universitaire. La salle à manger y était divisée en deux parties, l'une pour les Allemands, l'autre pour les étudiants. Le menu n'était pas le même pour les uns et les autres : beaucoup de beurre et de viande pour les Allemands, des tickets de rationnement pour les étudiants.

À la fin de l'année, mes deux sœurs réussirent l'examen donnant le droit d'enseigner, mais elles n'ont pu le faire parce qu'elles étaient considérées comme juives. Elles sont donc allées dans une école de secrétariat privée et ont pris du travail à Marseille. À cette époque, nous vivions dans un autre appartement, mais nous nous rendions en visite dans le *bungalow* près de Camp Major le week-end et nous achetions des légumes, des fruits et parfois un poulet aux gens qui avaient de la terre. Nous ne fumions pas, mais ma sœur Élise, qui avait un côté pratique, a demandé des rations de tabac que nous échangions contre des pommes de terre. C'était notre *système D.*

L'Occupation a installé son système progressivement. Chaque jour amenait quelque chose de pire. On a commencé par supprimer les coupons de pain, viande, huile, margarine, haricots, pommes de terre, etc, ainsi que le savon et la pâte dentifrice. Pour obtenir des coupons, il fallait des cartes d'identité. Devions-nous nous déclarer juives ? Ma mère avait quatre grands-parents juifs, mes sœurs et moi en avions trois et tous nos ancêtres étaient enterrés au cimetière juif. Donc, comme beaucoup, nous avons été honnêtes, et le mot *juif* a été tamponné sur notre carte d'identité. Dans la zone sud, on ne nous a pas imposé de porter l'étoile de David[*]. J'étudiais à la faculté des sciences, où l'on ne tolérait que trois pour cent d'étudiants juifs[**]. Pour m'inscrire, j'ai dû présenter une histoire de ma famille et passer un examen d'entrée.

Je me rappelle qu'un matin de novembre 1943[***], en sortant de l'université, j'ai pris le tramway pour rentrer chez moi. Le tram s'arrêtait toujours à un endroit d'où je voyais la boutique familiale de cuir, qui présentait en vitrine de très beaux objets en peausserie. À l'intérieur, il y avait un cheval grandeur nature fait par un taxidermiste, avec de belles selles en cuir. Après la mort de ma grand-mère en 1940, mon oncle Albert, qui avait quarante ans, est devenu propriétaire de la boutique. Il vivait avec ma tante Laure, la sœur de ma mère et la sienne, à l'étage au-dessus. Elle avait quarante-trois ans et venait de perdre son mari, elle avait donc décidé de quitter Romans, dans la Drôme, et de venir vivre à Marseille pour suivre les mêmes cours de secrétariat que mes deux sœurs.

Quand j'ai regardé le magasin ce jour-là, vers dix heures du matin, les volets en bois étaient à demi fermés et battaient au vent. Il y avait eu une grande rafle pendant la nuit. Marseille devait fournir son quota de déportés aux Allemands, la police française avait donc rassemblé beaucoup de gens. Les voisins nous ont dit que la police était montée dans l'appartement et avait appelé mon oncle par son surnom. Il avait ouvert la porte et ils l'avaient saisi. Les voisins nous ont dit qu'il s'était débattu, mais que la police les avait emmenés tous les deux, Albert et Laure. Pendant longtemps, je n'ai pas su ce qu'ils étaient devenus. Beaucoup plus tard, en 2000, je suis allée en Israël et je me suis rendue au mémorial des déportés français, et j'ai vu les noms d'Albert et de Laure et d'autres personnes que

---

* Les Allemands imposèrent en zone occupée la mention « juif » ou « juive » sur la carte d'identité (ordonnance du 10 décembre 1941) et le port de l'étoile jaune (ordonnance du 29 mai 1942). La première mesure fut étendue à la zone sud par une loi du 11 décembre 1942 ; la seconde, en revanche, n'y fut jamais appliquée.

** Ce quota de 3 % à l'entrée des établissements d'enseignement supérieur fut imposé par la loi du 23 juin 1941.

*** Il s'agit plus probablement de la grande rafle de Marseille, suivie de l'évacuation forcée du Vieux-Port, du 22 au 24 janvier 1943.

nous connaissions, ainsi que le numéro de leur convoi. Ils sont morts à Auschwitz.

Après cela, nous avons décidé de rester à Camp Major et j'ai interrompu mes cours à l'université jusqu'à la fin de la guerre. Le doyen m'avait dit qu'il ne pouvait garantir ma sécurité. Nous avons décidé d'effacer le mot *juif* de nos cartes en utilisant un mélange de peroxyde à 40 % et de poudre de charbon pour donner l'impression d'ancienneté. Nous avons évité les foules. Je donnais quelques cours privés de maths et de physique à Marseille un jour par semaine, et prenais le tramway pour aller en ville. Je ramassais le courrier, achetais quelques rations et vérifiais que nos numéros figuraient bien chez le boucher.

On avait l'impression que Marseille était en état de siège. Le cercle de la Gestapo se faisait de plus en plus serré. Il avait beaucoup de couvre-feux – parfois, l'heure était différente de chaque côté d'une même rue. Élise a eu de la chance parce qu'elle était à Camp Major quand une bombe est tombée sur l'immeuble où elle travaillait rue de Rome, le 3 juin 1944. Nous sommes restés à Camp Major jusqu'au milieu de septembre 1944, quand Marseille et Aubagne ont été libérées. Nous sommes alors retournés à Marseille. La faculté m'a aidée à obtenir une bourse pour finir mes études en vue de mon examen de chimie. Peu à peu, la situation s'est améliorée pour Père. Il a été réhabilité, il a pris sa retraite et on lui a payé ses quatre années de salaire en retard. Ma sœur Élise a obtenu un travail auprès des Affaires civiles américaines, et ma sœur Alice a pris un poste d'enseignante à Digne.

Nous vivions près de l'École de médecine. Le service des premiers secours médicaux de l'armée américaine, ainsi que le quatrième laboratoire médical y avaient établi un laboratoire de médecine générale et une banque de sang. Une branche de la banque de sang s'était ouverte sur la Cannebière, la grande rue de Marseille. Je passais devant tous les jours en me rendant à l'université. J'habitais avenue Pasteur, une rue qui monte au Pharo. Je découvris que certains soldats qui s'occupaient des phlébotomies se rendaient aussi au Pharo dans un camion ouvert qui passait sous ma fenêtre. Ils ressemblaient aux étudiants de mon âge à l'École de chimie. Ils avaient l'air heureux.

Un jour, comme je marchais sur la Cannebière, je me suis arrêtée pour donner mon sang. Ce sang était destiné aux soldats de la bataille de la Bulge*. Je n'avais pas le type « O », qu'ils prenaient à l'époque, mais j'ai rencontré un garçon du nom de David, qui avait à peu près mon âge. Il m'a dit qu'il avait un « ami », et qu'un jour où ils seraient libres, ils voudraient voir Marseille. J'ai oublié comment nous avons décidé de la date et du lieu, mais je me souviens que nous sommes montés ensemble à Notre-Dame de la Garde et sur la Corniche.

Ensuite, nous sommes allés à la maison boire un verre. L'« ami » était quelqu'un de très calme, qui s'appelait, je l'ai appris ensuite, Arthur. Il avait les yeux bleus et une moustache blonde. Il observait tranquillement ce qui se passait autour de lui. Il avait alors vingt-trois ans et j'en avais vingt et un. Il travaillait comme laborantin et prélevait le sang dans un laboratoire médical et il était dactylo pour l'organisation.

Arthur venait d'une ferme du Kansas près de Ruleton, une ville rurale de soixante-cinq habitants. Les Français avaient de très bonnes cartes, mais ce nom ne figurait sur aucune d'elles ! Son père était fermier céréalier et facteur de campagne. Sa mère était institutrice. Il avait cinq frères et trois sœurs. Ils étaient protestants et républicains.

Arthur avait été mobilisé après Pearl Harbor. Il voulait entreprendre des études de médecine, mais il avait dû remettre son projet à plus tard. Il avait été sélectionné pour être formé comme technicien de laboratoire médical et fut envoyé dans le Laboratoire mobile de premiers soins. L'équipe comprenait des médecins, des vétérinaires et des ingénieurs sanitaires. Le groupe incluait des pharmaciens, des instituteurs et des étudiants, tous à peu près du même âge. Après l'entraînement d'Arthur à Springfield, dans le Missouri, et à San Antonio, au Texas, le laboratoire a été envoyé en Algérie, en Tunisie, en Sicile et à Naples, puis enfin dans le sud de la France pour le débarquement. Le premier et le quatrième laboratoire s'arrêtèrent à Marseille et se séparèrent. Une partie suivit les troupes

---

* La contre-offensive allemande des Ardennes (décembre 1944-janvier 1945).

jusqu'au lieu de la bataille de la Bulge, l'autre est restée dans le sud et a fini par s'installer à Istres, où travaillait Arthur.

D'Istres, Arthur venait nous rendre visite le dimanche entre trois et cinq heures. Après sa permission à Londres, il a voulu se marier. Un groupe d'officiers du laboratoire sont venus chez nous pour une interview officielle, accompagnés d'un interprète. Notre famille a réussi le « test ». Mais mon père a pensé que si Arthur voulait se marier, c'était peut-être parce qu'il avait le mal du pays. Il lui a donc dit de retourner dans le Kansas et, si jamais il m'aimait vraiment, de revenir me chercher. En octobre 1945, Arthur est rentré dans le Kansas et a été démobilisé. Mais il est revenu chez nous en juin 1947.

Pendant son absence, je suis entrée comme secrétaire à mi-temps dans le Comité France-Amérique de Marseille. Nos bureaux se trouvaient dans le Service de renseignements français. J'y ai rencontré beaucoup de gens, dont Edmonde Charles-Roux et sa tante, Mme Bourde, veuve d'un chirurgien mort pendant la Résistance. Gaston Defferre était maire de Marseille et directeur du *Provençal*.

Arthur et moi avons correspondu pendant deux ans. Mes sœurs ont trouvé drôle qu'il m'envoie une Bible et un livre de cuisine. Il m'a aussi donné un manuel de chimie sur les graisses où j'ai trouvé les références nécessaires pour passer ma licence de chimie. Notre brève première rencontre amoureuse s'était transformée en amitié intellectuelle. Lorsqu'il m'a offert une bague de fiançailles, nous nous étions simplement tenu la main une fois ou l'autre, et une fois embrassés sur la joue.

Puis, ce fut 1947. Le pasteur qui nous a mariés nous a d'abord fait un petit sermon. Il nous a dit qu'il faut au moins trois ans pour s'habituer à la vie conjugale. Nous faisions une promesse à Dieu, que nous devions tenir. Après l'arrivée d'Arthur à Marseille, la couturière s'est mise à ma robe de mariée. Nos amis et des membres de notre famille sont venus nous rendre visite – les bans ont été publiés. La date a été fixée.

La cérémonie civile a eu lieu le premier juillet à la mairie de Marseille. Ma tante, qui était conseillère municipale, a présidé à notre échange de vœux. Le 3 juillet, la cérémonie religieuse a eu lieu au temple protestant, rue Grignon à Marseille. Arthur n'avait aucun membre de sa famille avec lui. Ma sœur Alice a été son témoin. Ma sœur Élise et une amie ont été demoiselles d'honneur. Mon oncle s'est occupé des voitures.

Nous avons passé notre lune de miel à Bornes-les-Mimosas, où nous nous sommes rendus en bus. Là, notre nouvelle vie a commencé. Nous sommes retournés à Marseille en micheline après dix jours de lune de miel. Puis, nous avons préparé nos bagages pour le départ pour l'Amérique. Mes parents étaient très émus de me voir partir.

Nous devions prendre un avion TWA, le *Constellation*, au Bourget. Mes sœurs étaient à Paris où elles assistaient à un séminaire au lycée Louis le Grand. Notre vol a été retardé. Après avoir pris quelques renseignements, nous avons su que c'était à cause de la peste en Égypte. Ce qui nous a donné le temps de visiter Paris et Versailles. Il y avait une vague de chaleur et les poissons mourraient dans la Seine. J'ai dépensé mon argent français à Paris. Je ne pouvais emporter aux États-Unis que l'équivalent de cinquante dollars Nous avons aussi fini toutes nos rations de pain. Le dernier jour, je suis entrée dans une boulangerie proche de l'hôtel et l'on m'a vendu du pain qui restait sans exiger de tickets. J'ai aussi acheté quelques belles pêches, et ce fut la fin de mon argent français. J'ai juste eu de quoi payer l'hôtel et le taxi jusqu'au Bourget le lendemain.

Au Bourget, j'ai présenté mon passeport et l'homme au guichet a lu : Profession, chimiste. Il m'a demandé si le vinyle était fait à partir du vin. J'ai dit non. Je me suis gargarisé avec les syllabes de *polymérisation* et il a semblé satisfait. L'avion nous a emmenés jusqu'à l'aéroport de Gander à Newfoundland [Terre-Neuve]. De là, mon mari a envoyé un télégramme à mes parents pour leur dire que nous partions pour Chicago.

L'air à Newfoundland était frais et sentait les pins. On nous a servi de la dinde avec de la sauce de canneberge et quelques énormes petits pois très verts. Je n'avais pas faim ! Ensuite, nous nous sommes arrêtés à Detroit. Là, on a nettoyé notre avion, on nous a pesés, pris notre température, puis nous nous sommes envolés pour Chicago. À Chicago, j'ai eu mon premier contact avec le service d'immigration. On m'a demandé si j'étais communiste. Pour entrer aux États-Unis, j'ai dû payer une taxe de huit dollars, puis on a pris mes empreintes digitales. J'ai demandé de me laver les mains, et un énorme agent avec un revolver à sa ceinture m'a suivie dans les toilettes pour s'assurer que je n'essayais pas de me sauver.

Arthur a pris une chambre à l'hôtel La Salle. Tout était noirci par un incendie récent dans la région. Arthur avait un ami pharmacien, du laboratoire médical et de la banque du sang, qui nous a emmenés jusqu'au bord du lac Michigan, puis dans un restaurant. J'ai très peu mangé. Mais le lendemain, je suis allée dans un salon de beauté. Puis, nous sommes montés dans le *Rock Island Rocket*, un train rapide à destination de Goodland, Kansas. Il y avait l'air conditionné avec de grands blocs de glace et, pour la première fois, j'ai vu du thé glacé préparé devant le client. Le train était rapide, mais j'ai un peu rattrapé mon retard de sommeil. Puis, le train a ralenti jusqu'à s'arrêter complètement : nous nous trouvions au beau milieu d'une inondation. L'Ohio avait débordé.

Je me trouvais dans un monde complètement différent. Des femmes mennonites* avec des bonnets et des robes de coton ! Des prêtres catholiques allant à Des Moines, dans l'Iowa, vêtus comme au Moyen Âge ! Nous avons fini par arriver à Goodland, dans le Kansas, à cinq heures du matin. Le soleil brillait déjà ! Mon mari avait un très grand sourire La gare de Goodland était un arrêt régulier sur le trajet du *Rocket* à destination de Denver. À côté, il y avait un hôtel avec des tables dehors, et je m'y suis assise.

Devant moi s'étalait une grande plaine, pour l'imaginer, pensez à Alice Springs d'Australie. Goodland se trouve sur un plateau à 1 250 mètres d'altitude. Arthur a appelé sa famille à la ferme, et peu après, son père est arrivé dans une belle Ford avec ses deux derniers enfants, Rachel et Norman. Tout le monde souriait.

La ferme se trouvait à seize kilomètres à l'Ouest. Devant une grande table de petit-déjeuner, sa mère et presque tous ses frères et sœurs nous attendaient. Je crois qu'ils étaient aussi intimidés que moi Mais ils m'ont vraiment observée des pieds à la tête et m'ont reçue très poliment. Quelques jours plus tard, des voisins nous ont donné un charivari, qu'ils prononcent

---

* Membres d'une secte anabaptiste très répandue en Amérique du Nord.

*sheeveree**. Puis, j'ai rencontré une famille suisse. Plus tard, on m'a emmenée au bureau du journal local où l'on m'a dit que je parlais mieux anglais que beaucoup de gens dans le pays.

Il y a de cela cinquante-cinq ans et je suis américaine. Je n'ai pas quitté la France parce que je ne l'aimais pas. Pendant dix ans, j'ai vécu dans un bâtiment où étaient gravés les mots Liberté, Égalité, Fraternité, et je crois toujours en cet idéal. Je n'ai pas de préjugés contre les Américains. J'ai vécu dans des communautés agricoles du Middle West où les gens avaient beaucoup de bon sens. Ils disaient ce qu'ils pensaient. Les femmes étaient très travailleuses et savaient faire beaucoup de choses : sauter sur un tracteur ou sur une moissonneuse, relever un patron, coudre une robe dans de la toile à sac, la porter avec de jolis bas et des souliers en cuir, se boucler les cheveux, etc. Elles cuisaient leur pain et des petits pains. Beaucoup jouaient du piano, de l'orgue et des instruments à vent. Elles prenaient des notes en tant que secrétaires de leurs clubs, etc.

Nous vivons à Fayetteville, dans l'Arkansas, depuis août 1959. Nous nous sommes installés ici parce qu'il y a une université et de bonnes écoles, et parce que le milieu y est international. C'était là qu'habitait le sénateur Fulbright**. Sa mère, Roberta, possédait le journal de la ville. La bibliothèque porte son nom. Son père avait une usine de Coca-Cola. J'allais l'écouter quand il venait ici de Washington.

Avant de déménager ici, nous avons vécu à Concordia, dans le Kansas. Nous avons aussi vécu à Lawrence et Sunflower, dans le Kansas, pendant que mon mari faisait ses études de médecine. Nous avons déménagé à Denver, dans le Colorado, où il a été interne en médecine interne au Presbyterian Hospital. De là, nous sommes allés à Clifton, dans le Kansas, où il a essayé d'exercer comme médecin de campagne. Mais il a trouvé qu'il avait intérêt à terminer son internat et on lui a proposé un

---

* Sérénade jouée avec des bouilloires, des casseroles et des klaxons pour les jeunes mariés.
** J. William Fulbright (1905-1995), sénateur de l'Arkansas de 1945 à 1974, président du comité des relations extérieures à partir de 1959, inspirateur en 1946 du *Fulbright Program* de bourses d'échanges accordées aux étudiants américains et étrangers.

poste au Veterans'Administration Hospital de Houston, au Texas, et il a également enseigné à l'école de médecine de la Baylor University.

En 1947, quand nous habitions Lawrence, j'ai enseigné la conversation française à l'université du Kansas. Je me suis bien amusée et mes collègues étaient gentilles et prêtes à m'aider. Les étudiantes membres des « sororités* » m'étonnaient. Certaines appartenaient à des sociétés rurales. Elles étaient un peu jalouses de moi parce que j'étais une épouse de guerre. C'était difficile pour une fille de la campagne d'adopter les attitudes maniérées des étudiantes du campus.

Puis, nous avons eu les enfants. J'étais proche d'eux. J'allais à des clubs. D'abord, aux clubs des femmes de membres du personnel médical, puis aux clubs des femmes de médecins. J'ai rencontré des épouses de guerre anglaises, quelques Françaises aussi. Pendant de longues années, je suis restée à la maison. Après la naissance de mon huitième enfant, j'ai commencé à suivre des cours par correspondance pour enseigner dans le secondaire. Deux directeurs d'école, l'un ancien de la guerre de 1914, l'autre qui avait vécu le Débarquement, m'invitèrent à faire des remplacements dans diverses matières. Je me suis liée d'amitié avec les professeurs. C'était un cercle que j'aimais. Je pouvais entrer dans n'importe quelle classe et, avec quelques instructions du professeur, me débrouiller. J'ai fait cela de 1965 à 1985.

Ni mon mari ni moi n'avons eu de problèmes avec l'alcool ou le tabac. Il n'a jamais bu ni fumé pendant ses trois années de service militaire. Pendant ses études de médecine, il a vu le mal que faisaient ces produits. Il est devenu l'un des pionniers de la lutte contre le tabac dans les salles d'hôpital et aussi de la prescription d'aspirine pour les malades souffrant du cœur. Il a maintenant pris sa retraite. Nous avons célébré en septembre 2002 le cinquantième anniversaire de son examen de fin d'études à l'école de médecine de l'université du Kansas.

En 2001, Arthur a reçu un diplôme pour sa participation à la libération de la France de 1944 à 1955. Il lui a été remis par le

---

* Les fraternités d'étudiants masculins (*fraternities*) et féminins (*sororities*) jouent un grand rôle dans la vie universitaire américaine.

consul français de Houston, au cours d'une cérémonie dans le bâtiment du gouverneur de Little Rock, dans l'Arkansas. Quelques-uns de nos enfants et petits-enfants sont venus.

J'ai été naturalisée américaine en septembre 1950 et j'ai voté à chaque élection. Mes enfants ont tous fait des études universitaires et eu un *Master* [maîtrise]. Ils ont tous trouvé un travail dans leur domaine. Je ne sais pas s'ils auraient pu réussir cela en France... J'ai gardé le contact avec la France par lettre, écrites en français à ma famille et aux amis, environ une tous les dix jours, et je suis abonnée à des magazines français. Je parle français et anglais et pense dans les deux langues. J'ai toujours parlé anglais avec mon mari.

Quand mes enfants étaient prêts à aller en France, dans leur dernière année de secondaire, ils se rendaient chez leur grand-mère, leur tante Élise à Paris et leur tante Alice à Marseille. Certains y sont allés plusieurs fois. Je suis retournée en France en visite en 1958, 1976, 1979, 1983, 1984, 1994, 1998. J'étais triste de quitter ma famille, mais contente aussi de revenir chez moi, à Fayetteville.

J'ai eu la chance d'avoir une merveilleuse famille française, et un bon mari, une belle-famille gentille et beaucoup de famille dans l'Arkansas, le Colorado et le Kansas. Quand Arthur et moi nous sommes mariés, nous avions de grands espoirs pour nos enfants. J'ai toujours eu une attitude positive dans la vie et oublie facilement les accrocs.

JE TRICOTAIS DES CHAUSSETTES...

J'ai beaucoup aimé discuter avec Pierrette S. Professeurs toutes les deux, nous nous comprenions lorsque nous parlions des différences entre les systèmes éducatifs américain et français. Dynamique et entreprenante, Pierrette ne s'est jamais plainte de son sort. Elle se trouve bien aux États-Unis et n'a pas honte de le dire.

Je suis née en 1924 à Marseille. Ma mère était parisienne. C'est pour cette raison que je n'ai pas l'accent marseillais. Elle détestait cet accent, il fallait parler avec l'accent de Paris chez nous. Papa était artiste, il travaillait dans la publicité.

J'ai fait des études tout à fait normales à l'école communale de Marseille. Et puis, après à l'école supérieure Anatole-France à Marseille. Je me suis présentée à l'examen pour entrer à l'école normale [d'instituteurs], et j'ai été admise treizième sur six cents candidates. Seules, les trente premières ont été acceptées. L'école normale devait être à Aix-en-Provence, mais à cause de la guerre et de l'Occupation, on nous a mis à Marseille. Et après ça, j'ai décidé que je préférais enseigner au lycée, plutôt que dans une école communale. Alors, j'ai continué mes études à la fac, j'ai fait une licence d'anglais, une licence classique d'anglais. Je n'avais jamais fait de latin, donc j'ai avalé tout le latin en trois ans. En France, le latin comptait beaucoup à cette époque.

Comme je l'ai dit, nous étions trente nouvelles reçues à l'école normale la même année. Nous étions toutes internes, bien protégées, comme chez les religieuses. C'était l'Occupation. Dans nos moments de libre *(sic)*, on ne pouvait pas danser, les Allemands nous l'interdisaient. Mais on dansait quand même, d'une façon clandestine. On faisait tout ce qu'ils nous interdisaient de faire avec des lois. Mais officiellement je ne dansais pas.

Alors, quand les Américains sont venus, la première chose qu'ils ont faite, c'est d'ouvrir des bals et d'y inviter les jeunes filles de Marseille. C'était très bien chaperonné, c'était très convenable, c'est la Croix-Rouge américaine qui avait arrangé tout ça. Alors, on pouvait aller danser, et aussi, moi, quand je sortais avec un jeune homme en particulier, on allait au cinéma. Les Américains avaient des cinémas avec des films américains. Alors, nous qui étions étudiantes d'anglais, nous pouvions voir des films américains. On avait été sevré de films américains. Pendant la guerre, on n'avait que des films français médiocres, très médiocres, et des films allemands horribles. Donc, tout d'un coup, on a vu *Autant en emporte le vent*.

En fait, ma vie a complètement changé quand les Américains sont arrivés. Ce fut d'un jour à l'autre. Un jour les Allemands sont partis avec leurs camouflages, et puis le lendemain, les Américains sont arrivés. Ça a été une véritable joie extraordinaire quand ils sont venus. Et moi naturellement, je voulais parler anglais, alors je suis allée demander à un groupe, qui était là avec une Jeep : « *Where did you land ?* » [« Où avez-vous débarqué ? »] Et ils ne m'ont pas comprise, mais ils m'ont donné des cigarettes, que je ne voulais pas. Pourtant après, ils m'ont finalement répondu : « Saint-Tropez » Je me rappelle très, très bien ce jour. Mais les Français étaient jaloux. Moi j'avais un *boyfriend* français qui était avec les FFI[*] à la Libération. Il était furieux parce qu'il savait très bien que j'étais sortie avec des soldats américains. Mais mes amies et moi, nous étions très sages. On n'allait jamais dans des voitures avec des hommes. On allait en train ou à pied. Donc, il ne se passait absolument rien, et l'on était très content comme ça.

---

[*] Voir *supra*, p. 194.

Par contre, l'une de nous à l'école normale n'a vraiment pas eu de chance. Elle faisait de l'auto-stop entre Aix-en-Provence et Marseille, je crois, quelque chose comme ça. Faire de l'auto-stop maintenant, c'est très imprudent. Mais à l'époque, nous les jeunes Français, on faisait de l'auto-stop tout le temps. Et là, quand les Américains sont arrivés, elle faisait de l'auto-stop. Elle a été ramassée par deux noirs américains qui l'ont violée et tuée. Elle n'avait que dix-neuf ou vingt ans. C'était absolument horrible. Après quatre ans d'études, on se connaissait comme des sœurs. Ce fut très dur. Non, les Américains n'étaient pas tous des *gentlemen*.

Mais moi, je n'avais pas à me plaindre quand je sortais avec un soldat américain. Il me respectait. D'abord, parce que je travaillais à la Croix-Rouge américaine, et j'étais souvent en uniforme quand je sortais avec eux. En plus, je me conduisais bien. Je ne peux pas me plaindre. Vous savez en ce temps-là, on était peut-être un peu bête, mais au moins, on savait à quoi s'en tenir, on faisait attention.

Mon futur mari, Paul, venait de près de Fresno en Californie. Il avait été étudiant avant la guerre. Nous nous sommes rencontrés au château d'If, près de Marseille. Je travaillais comme interprète pour la Croix-Rouge et je faisais des visites guidées deux fois par semaine pour les soldats américains... Je leur parlais du comte de Monte-Cristo, et à un moment pendant la visite, je leur montrais un trou entre deux cellules. Ce jour-là, je leur racontais que la semaine précédente, un Américain avait voulu passer par là, mais la pile devait être trop vieille car la lampe ne marchait pas. Alors, un soldat m'a prêté la sienne. Après, quand j'ai voulu la lui rendre, il me l'a offerte comme cadeau. Ce soldat, c'était Paul. Deux ou trois jours après, on s'est rencontré dans la rue. C'est comme ça que tout a commencé. On se fréquentait, mais après, Paul est reparti aux États-Unis. Ensuite, il s'est réengagé dans l'armée pour deux ans de plus, et il est revenu ensuite en Europe, cette fois-ci en Allemagne.

J'étais amoureuse de l'Amérique, mais je pense aussi que j'étais vraiment amoureuse de lui. Mes parents étaient très gentils avec moi. Ils se rendaient compte que c'était quelque chose de très fort. Ils m'ont demandé de réfléchir. J'ai bien réfléchi, je ne me suis pas précipitée. Ce n'a pas été comme les gens qui se rencontraient un jour et qui se mariaient le lendemain. Nous nous sommes mariés en 1947. Malgré les restrictions, mon père a réussi à faire un repas de noces fantastique avec des produits du marché noir. On a même eu des vol-au-vent comme entrée. Cela a dû coûter une fortune. Mes parents ont très bien fait les choses. Tout était délicieux.

Il y avait juste une chose qui choquait un peu mes parents. C'est-à-dire, en France à cette époque, on prenait des renseignements sur les jeunes gens que votre fille allait épouser. Au fond, ce n'était pas une si mauvaise idée. Des agences s'occupaient de cela et vous disaient si le garçon avait un casier judiciaire, et des choses de ce type. Mais pour faire ce genre de recherches avec un Américain, c'était beaucoup plus dur. Alors, j'ai dit à Papa : « Non, non. Ne gaspille pas ton argent. Moi, je sais qu'il est très bien. » D'ailleurs, il était très bien au début. C'était après que ça n'allait plus. Enfin, ça embêtait beaucoup Papa qu'on n'ait pas pris de renseignements sur mon mari avant notre mariage.

Après notre mariage, nous avons vécu ensemble en Allemagne pendant à peu près un an. Nous avions une maison, et je donnais des cours. Puis, en 1948, nous avons pris le bateau pour aller en Amérique. D'ailleurs, un jour, je ne m'en souviens pas quand, j'ai écrit un petit texte sur mon voyage. Voici ce que j'ai écrit :

> « Je suis arrivée en Amérique en 1948 sur un navire de l'armée, le *Zebulon Vance* La traversée de l'Atlantique de Bremerhaven en Allemagne à New York, sur ce bateau triste et gris plein d'hommes de l'armée américaine et de leurs "épouses de guerre", a duré deux semaines. On nous avait tous soigneusement examinés (poumons, sang, etc.) pour démasquer tout risque de maladie et nous étions impatients de commencer une nouvelle vie aux États-Unis, qui paraissaient une terre heureuse en comparaison de nos pays européens où nous venions de subir six années de terreur, de rationnement et de bombardements.

> « Monter à bord de ce bateau a causé quelque déception à celles qui n'y étaient pas préparées. Nous n'allions pas voyager dans des cabines confortables en compagnie de notre mari, mais

dans des dortoirs d'environ quarante personnes. L'attribution d'une couchette à une épouse se faisait selon des critères de sélection très simples : l'âge (nous étions toutes jeunes), la nationalité ou la race n'entraient pas du tout en ligne de compte dans "son" système. Mais elle nous posait la question : "Êtes-vous enceinte ?" ; Si nous ne l'étions pas, elle nous donnait une couchette en hauteur, c'est tout. "Elle" était la matrone responsable.

« Quelle vie en comparaison de la vie en Allemagne, où nous étions toutes très gâtées et servies par des domestiques et des jardiniers. Mais ces deux semaines n'ont pas été désagréables non plus. Ma peur du scorbut (c'était ma première traversée de l'Atlantique) s'est vite évanouie quand j'ai vu qu'on pouvait manger autant de pommes qu'on voulait. La nourriture n'était pas bonne mais abondante, je me demande si quoique ce soit de servi sur ces plateaux en métal à compartiments pouvait avoir bon goût. Au bout de quelques jours, toutes les fleurs offertes en souhait de "bon voyage" s'étaient fanées. Nos dortoirs étaient sinistres.

« À peu près à ce moment-là, Paul, mon mari, a lavé une de ses chemises et m'a demandé si je pouvais la lui repasser. J'avais déjà vu des gens repasser des chemises mais je ne l'avais jamais fait moi-même. Je croyais que n'importe qui pouvait s'acquitter de ce travail et j'ai mis mon nom sur la liste d'attente pour la planche à repasser. Mais quand enfin mon tour est arrivé, nous nous trouvions en pleine tempête et la salle de la blanchisserie était vide. Je me suis retrouvée toute seule avec la planche à repasser, le fer et la chemise. Le bateau et moi nous balancions d'avant en arrière de façon tout à fait comique et je suis rarement arrivée à atteindre la chemise. Il m'a fallu vraiment très longtemps. Quand la chemise a fini par avoir l'air présentable, je l'ai portée dans mon dortoir. Il était fort difficile de tenir à la fois la chemise et la rampe, mais j'ai eu de la chance et j'y suis arrivée.

« C'était le milieu de l'après-midi, mais je suis montée dans ma couchette. C'est alors que je me suis rendu compte que le dortoir était plein et que la plupart des gens avaient le mal de mer. J'entendais des plaintes et des gémissements. Une boîte de bonbons était tombée en s'ouvrant dans sa chute : les bonbons roulaient sur le sol en suivant le mouvement du bateau. Le bruit empêchait tout le monde de dormir. Je suis restée allongée près du plafond et je réfléchissais. Je me demandais ce qui arriverait à toutes mes compagnes une fois qu'elles seraient éparpillées dans toute l'Amérique. Combien de ces mariages tiendraient ? Nous étions toutes jeunes, amoureuses et pleines d'espoir.

« Quand le remorqueur nous a tirés jusque dans le port de New York, le brouillard était si épais qu'on ne voyait rien. Pour moi, cela n'avait pas d'importance. Ils avaient égaré mon dossier médical et j'ai dû rester à bord deux ou trois jours de plus. J'ai fini par "les voir", Manhattan, la Statue de la Liberté, les boutons dorés sur la large poitrine de l'agent du service d'immigration, qui a commencé par me demander si j'avais l'intention de renverser le gouvernement des États-Unis. Je n'ai pu m'empêcher de penser que si c'était le cas, il serait la dernière personne à laquelle je le dirais ! En marchant dans une rue de New York, j'ai entendu Jean Sablon, qui chantait "La Mer" et je me suis sentie moins exilée... »

Quelles étaient mes impressions quand je suis arrivée aux États-Unis ? Dans l'ensemble, j'étais enchantée. Il y a quelques années, en essayant de me rappeler comment je me sentais, j'ai encore écrit un petit texte. Le voilà :

« L'Amérique que j'ai découverte était jeune, gentille, propre, optimiste et travailleuse. Elle n'était pas encore allée au Viêt-nam, elle ne connaissait guère les drogues, et pas du tout le SIDA. Elle était encore raciste et sexiste, mais faisait de grands progrès dans ces deux domaines.

« J'étais prête â aimer "mon" Amérique, mais j'allais tout de même de surprise en surprise. Au mess des officiers américains de Francfort, en Allemagne, j'avais déjà vu des hommes très distingués se jeter sur leur *corn on the cob*[*] comme des chiens sur un os. Et aux États-Unis, j'ai vite découvert que les invités qui gardaient leur main gauche sous la table n'étaient pas en train de ne subtiliser mon argenterie !

« En général, mes surprises étaient bonnes. Dans les restaurants, on servait la salade au début du repas et donc presque tout de suite. Le service rapide et courtois me plaisait. J'ai vite

---

[*] Voir *supra*, p. 76.

découvert la tarte au citron, les *corn flakes* et les hamburgers. J'ai surtout réalisé que la gentillesse américaine n'était pas un mythe et je le crois encore. »

Mon mari avait demandé à être envoyé le plus près possible de la Californie. Et, bien sûr, on l'a envoyé dans le New Jersey ! Moi, qui étais habituée à la bonne température méditerranéenne, j'ai beaucoup souffert dans le New Jersey. En plus, c'était une année épouvantable parce qu'on n'avait pas d'argent. La vie était très dure. Paul était dans l'armée, et l'appartement qu'on avait enfin trouvé coûtait autant que son salaire comme sergent. Alors, je tricotais des chaussettes, trois dollars la paire, pour que nous puissions manger.

En ce temps-là, dans les écoles du New Jersey, à Trenton, on n'embauchait ni les femmes mariées, ni les étrangers. Donc, je n'ai pas pu travailler dans l'enseignement public. Alors, j'ai fait des remplacements dans les écoles privées, j'ai été vendeuse dans un magasin, j'ai fait un peu de tout. Mais ce qui me tenait vraiment bien, c'est que tous les jours, je faisais ma paire de chaussettes. Je les apportais à un magasin très chic qui me les vendait *(sic)*. Et d'une certaine façon, je pense que c'était bien parce que je n'ai jamais eu besoin d'aucun secours.

Après, on est allé en Californie, et j'ai rencontré mes beaux-parents. Mon beau-père était d'origine prussienne. Il a beaucoup critiqué la France. Mais j'aimais beaucoup ma belle-mère. Elle était formidable. Elle a eu treize enfants, et elle m'a enseigné comment on fait l'accouchement naturel.

En Californie, j'ai commencé à faire des études pour avoir mon *teaching credential* [diplôme d'enseignant], je prenais des cours par correspondance de l'Université de Californie. En même temps, je travaillais quand j'avais le droit de le faire et je tricotais des chaussettes.

Mon mari faisait des études à l'Université grâce au *GI Bill** et, en même temps, il travaillait pour que nous ayons un peu plus d'argent pour vivre plus à l'aise. Enfin, on n'est jamais morts de faim. Quand il a reçu son premier emploi d'ingénieur,

---

* Voir *supra*, p. 51.

on a pu s'acheter une petite maison ici. Notre fils est né en 1955. Mais, déjà ça n'allait plus très bien entre mon mari et moi. Je me suis rendu compte qu'au fond, il n'accepterait jamais ma culture française. Il ne voulait pas que je parle français. Cela ne lui plaisait pas du tout que je fasse des amies françaises aux États-Unis. Il ne voulait pas qu'on retourne en France, même pour une visite. Il voulait que j'oublie mon pays. Moi, je suis restée loin de la France pendant onze ans à cause de lui ! En plus, il ne s'est pas beaucoup occupé de son fils.

Je suis restée un certain nombre d'années avec mon mari à cause de mon fils, mais vers 1962, j'ai demandé le divorce. Je me rappelle que l'avocat m'a dit : « Vous aurez de la chance si on vous accorde la garde de vote enfant. Vous savez, ici, les Françaises ont mauvaise réputation. D'ailleurs, votre mari vous accuse d'être infidèle. »

Ça, c'était le comble ! Moi, infidèle ? Je ne l'ai jamais été. D'ailleurs, je n'aurais pas eu le temps. Je travaillais très dur. Je donnais des cours dans la journée, j'avais l'enfant et les cours par correspondance le soir.

Mon mari ne voulait pas que je le quitte, il a vidé le carnet de chèques, c'était très compliqué. Mais j'ai obtenu le divorce et la garde de mon fils. Le tribunal lui a enlevé son droit de paternité plus tard parce qu'il ne payait pas de pension alimentaire pour le gosse. Après notre divorce, il est disparu de ma vie.

Je me suis remariée. Mon deuxième mari a adopté mon fils, qui porte son nom. En Californie, sur le certificat de naissance, l'enfant porte le nom du père qui l'a adopté, pas le nom du père naturel. Mon deuxième mari et moi avons été très heureux ensemble, mais il est décédé en 1974. Je me suis remariée une troisième fois en 1981 avec mon mari actuel.

J'étais dans un état lamentable après le décès de mon deuxième mari, complètement effondrée. On avait été tous les deux en congé d'études juste avant sa mort. C'était un « étudiant éternel », comme moi. Quand il est mort, j'étais en pleine recherche. J'avais écrit un essai important sur les femmes dans la littérature mexicaine, je me suis mise à l'espagnol. Alors, plutôt que de me tirer une balle dans la tête, j'ai décidé de faire un doctorat à une université en France. Je suis partie donc faire des recherches à Paris, à Montpellier et au Mexique. En 1976, j'ai soutenu ma thèse et j'ai obtenu mon doctorat en littérature comparée de l'université Paul-Valéry à Montpellier. J'avais cinquante ans. Mais certains membres du jury là-bas n'étaient pas très gentils. Je voyais très bien qu'ils se demandaient pourquoi « cette Américaine » voulait... enfin, on ne m'a pas traitée très bien. Je l'ai gagné, ce doctorat !

J'ai reçu la nationalité américaine deux ans, je pense, après mon arrivée, c'était automatique. Et je pense que c'est normal quand on enseigne. Parce qu'à l'école, les élèves se lèvent le matin et récitent le « salut au drapeau ». Et bien, si on n'est pas américain, on ne peut pas saluer le drapeau. Mais, en plus, je voulais voter. J'aimais beaucoup la politique. Je l'aime un peu moins maintenant, mais, tout de même, je vote toujours et je suis bien informée.

Je trouve que c'est très important de s'occuper de ce qui se passe. Ici, par exemple, ma voisine est maire de la ville. De temps à temps nous allons à des réceptions ensemble. Mon mari et moi contribuons à des œuvres. Je pense que quand on a un assez bon salaire, il faut en rendre un peu à la communauté.

Je suis à la retraite maintenant. J'ai été professeur de français dans une *high school* [lycée], pendant trente-six ans j'ai eu la même salle de classe ! Je continue à donner des cours, mais seulement aux adultes. J'ai une assez bonne retraite, j'ai assez d'argent, alors si on me propose un cours que je n'aime pas, je peux dire non. C'est ça qui est merveilleux. Au printemps dernier, j'avais fait un cours sur la Provence et c'était merveilleux pour moi. La Provence, c'est mon pays !

Ici, quand on enseigne au lycée, les parents nous rendent la vie très dure. Parce qu'ils veulent que leurs enfants aient de très bonnes notes, quel que soit leur niveau. Vous avez des élèves qui n'étudient pas du tout, mais les parents accusent le professeur si les élèves n'ont pas de très bonnes notes ; Il leur faut des « A » s'ils veulent entrer à l'université. Que leur enfant ne sache pas conjuguer le verbe être, ça leur est absolument égal. C'est pourquoi je ne regrette pas le lycée. Les jeunes me manquent beaucoup. D'ailleurs, ce sentiment est réciproque. Il y en a qui m'écrivent, qui me téléphonent toujours. Mais le grand problème, c'est les parents ! C'est probablement le grand cancer de l'éducation en ce moment.

Nous avons aussi ici aux États-Unis un mot qui est très important... c'est le *self-esteem*, l'estime de soi. Il faut mentir, il faut fabriquer une personnalité fausse. Un enfant qui fait un dessin tout à fait médiocre, on lui dit : « Mais ce jeune artiste, c'est formidable ! » Pourquoi ferait-il des efforts s'il a déjà reçu les compliments ? On me dit que c'est l'autre extrême en France. On n'encourage pas. Il faut entre les deux. Ne pas dire à un gosse « c'est très bien » si ce n'est pas bien, mais ne pas le traiter d'imbécile non plus. Moi, je me rappelle quand j'étais élève en France, si on faisait une erreur de calcul, par exemple, on nous disait « espèce d'imbécile ». Si je disais ça ici, je serais renvoyée tout de suite.

En Californie, il y a tellement de gens divers. Par exemple, il y a une école ici où les élèves parlent cinquante-trois langues différentes ! Et si vous regardez la liste d'une classe, par exemple, il y a très peu de noms comme « Smith » ou « Jones ». Il y a énormément de noms orientaux, polonais, russes, espagnols. Mais ils ne se mélangent pas. Et malheureusement, il y a des élèves qui n'apprennent jamais l'anglais. On nous dit : « Il faut leur laisser leur culture. » C'est très bien, mais est-ce qu'ils vont devenir avocats ou médecins comme ça ? Après tout, la famille a décidé de venir ici. C'est un peu comme moi. Personne n'a traduit en français pour moi quand je suis arrivée aux États-Unis. J'avais beaucoup de mal à comprendre les gens dans la rue malgré ma licence d'anglais. Ce n'était pas la langue de Shakespeare que j'entendais.

J'ai toujours aimé les gens ici. Les Américains sont très gentils. Mais c'est peut-être un peu injuste de dire cela, car je n'ai jamais vécu en France en temps normal, en tant qu'adulte. La guerre, ce n'était pas un temps normal. Les gens avaient faim, ils étaient prêts à se bagarrer pour un bout de pain. Je pense que les Français sont beaucoup plus calmes maintenant. Néanmoins, je m'y sens parfois étrangère parce que la France a fait des progrès incroyables. Et si on ne connaît pas le système, si on ne sait pas peser les légumes au supermarché, par exemple, ou si on ne sait pas composter son billet à la gare, alors là...

Je connais d'autres *war brides* françaises ici. La plupart ne sont pas restées mariées au même homme, mais elles sont quand même restées en Amérique. Je me demande parfois si les mariages ont échoué parce que c'étaient de mauvais mariages, où si c'était parce que l'homme ou la femme ne connaissait pas assez la famille et le passé de l'autre. Moi, par exemple, j'étais élevée dans une famille où l'on appréciait les arts, les musées. Il y a d'autres familles où les arts ne sont pas très importants. Qu'on soit français ou américain, ce n'est pas ça qui compte. Au fond, c'est la façon dont on regarde la vie qui importe.

Comme les autres *war brides* que je connais ici, moi aussi je suis restée en Amérique. Je me suis sans doute mal mariée la première fois. Mais dans la vie, je crois qu'on fait ce qu'on peut, et il ne faut pas essayer de refaire ce qu'on a déjà fait.

CONCLUSION

Quatre-vingt-cinq ans après l'armistice de 1918 et soixante ans après la fin de la Seconde Guerre mondiale, les *mademoiselles* sont maintenant décédées ou devenues des grands-mères franco-américaines aux cheveux blancs. Mais leurs souvenirs perdurent, comme en attestent les histoires reproduites ici et celles que j'ai rassemblées par ailleurs. On ne peut qu'admirer le courage dont elles ont fait preuve en se lançant dans la *grande aventure*, commencée lorsqu'elles ont rencontré leur mari *doughboy* ou GI, l'ont épousé et suivi en Amérique.

Ce fut un véritable périple. Nous les avons accompagnées depuis l'époque de leur enfance dans diverses régions de France ou dans les colonies françaises jusqu'aux années de guerre et d'Occupation, puis jusqu'à la Libération. Deux d'entre elles racontent leur participation à la Résistance. Certaines relatent leurs contacts avec des soldats allemands dans la France occupée, tandis que d'autres (surtout celles de Nouvelle-Calédonie et d'Algérie) disent n'avoir connu que les combattants des forces alliées. Quelques-unes ont assisté à des scènes insoutenables, ou terriblement marquantes, ou encore ne se souviennent que peu ou très partiellement de la guerre.

Mais toutes ces femmes ont à un moment donné rencontré un soldat américain en uniforme et un changement radical est intervenu dans leur vie autour de leur vingtième année. Elles ont quitté la France et embarqué sur un *liberty ship* reconverti, elles ont été accueillies à New York et emmenées, en voiture ou en train, jusqu'à leur point d'arrivée, que ce soit Chicago ou l'Iowa agraire, l'Alabama de la ségrégation, la ville ensoleillée de Los Angeles, ces endroits qui allaient devenir leur lieu de résidence pour cinquante ou cinquante-cinq ans, ou ne rester qu'un endroit de transit.

Une fois installées, elles se sont lancées dans une autre aventure, celle de mère et de femme au foyer, parfois en menant une carrière professionnelle, dans une Amérique conventionnelle où dominait le culte de la vie domestique. Elles ont souvent dû lutter contre l'image stéréotypée de la Française, puis apprendre une nouvelle langue et s'adapter à une nouvelle culture. Certaines ont été heureuses dans leur couple et vivent toujours avec leur mari GI, d'autres ont divorcé pour se remarier, quelques-unes sont restées célibataires. Parfois, elles habitaient à proximité de compatriotes ou de clubs français, parfois, non. Si elles travaillaient en dehors de la maison, c'était souvent comme professeur de français dans un lycée ou une université ou comme secrétaire bilingue. Elles retournaient en France rendre visite à leurs familles tous les ans, ou tous les deux ou trois ans, selon leurs moyens financiers. Mais avec l'âge, surtout après la retraite ou la mort de leur conjoint, ou leur propre retraite, le rythme de leurs visites s'est ralenti. Et très peu (seulement deux dans mon groupe échantillon) sont rentrées vivre en France de façon permanente.

*
* *

Les histoires de ces femmes publiées ici, je les ai d'abord entendues racontées de vive voix, tout en les enregistrant. J'ai voyagé sur le *memory lane* avec elles. Puis, en réécoutant les cassettes, en relisant les transcriptions et en les réécrivant, j'ai vu se détacher plusieurs thèmes. Certains sont peu surprenants, d'autres tout à fait inattendus.

Le premier d'entre eux est évidemment le « rêve américain », ou l'une de ses variations. Malgré l'antiaméricanisme français de l'après-guerre, l'Amérique était pour la majorité des jeunes Françaises, comme pour « nos » épouses de guerre, la terre du « lait et du miel ». Après des années de privations et de pénurie, elles découvrirent un monde où la nourriture abondait, où les maisons étaient bien chauffées et où la vie matérielle était très confortable. Même si quelques-unes découvrirent un style de vie un peu plus « primitif » que ce qu'elles avaient connu jusque-là, elles jouirent en général de conditions meilleures.

Les Françaises s'adaptèrent bien à la vie domestique américaine de l'époque. Élevées pour la plupart dans des familles traditionnelles, où la « place de la femme était à la maison », elles étaient presque toutes d'excellentes cuisinières, de bonnes maîtresses de maison, des mères attentives. Et même si certaines se mirent plus tard à travailler à l'extérieur, comme beaucoup des *superwomen* françaises d'aujourd'hui, elles réussissaient à combiner activité professionnelle, préparation de *petits plats* délicieux et entretien de la maison. Avec les années, elles s'habituèrent aux demeures spacieuses et au confort matériel. Et cet aspect de la vie américaine apparaît dans presque tous leurs récits.

Par ailleurs, pour ces jeunes femmes qui avaient vécu leurs années de formation dans un pays de drames et de restrictions, l'Amérique représentait un pays riche de possibilités où l'on pouvait tenter l'aventure. En revenant sur leur passé, beaucoup d'entre elles ont reconnu avoir grandement apprécié les possibilités d'étude et de réalisation professionnelle offertes par les États-Unis. Plusieurs ont même laissé entendre que leur mariage et leur départ pour les États-Unis avaient été une manière d'échapper à des parents surprotecteurs ou à des situations difficiles.

Et l'on peut se demander si le mariage avec un GI équivalait pour ces jeunes femmes à un voyage gratuit pour New York, tous frais payés par le gouvernement américain. En d'autres termes, l'ont-elles utilisé comme un moyen d'émigrer aux États-Unis et un tremplin pour accéder à une vie meilleure ? Certains le pensent, et ce fut parfois le cas. Mais la réalité est évidemment plus complexe, car, nous l'avons vu, la plupart des femmes que j'ai interviewées étaient amoureuses des hommes qu'elles ont épousés.

Il ne faut pas oublier leur grande jeunesse à l'époque de leur mariage. Ni celle de leurs maris. Il suffit pour s'en assurer de consulter les registres de mariage des mairies françaises ou les tombes du cimetière américain de Colleville. Les *boys* avaient presque tous été conscrits juste au sortir de l'école secondaire et certains n'étaient jamais encore partis de chez eux. Ils avaient peut-être vécu une courte aventure sentimentale en Angleterre avant le *D Day*, mais pas toujours. Ils pensaient sans doute encore à leur petite amie d'enfance, inquiets de savoir si elle attendrait leur retour. Quant aux Françaises, qui pour la plupart venaient de familles catholiques très strictes, elles n'étaient encore jamais sorties avec un garçon et n'avaient pas vécu de relation amoureuse durable. Ou si elles l'avaient fait, elles craignaient que leur bien-aimé ne revienne jamais. D'autres facteurs pouvaient aussi entrer en jeu. Parfois ce fut l'opposition de leur famille qui poussa les jeunes filles dans leur liaison romantique et dans quelques cas, ce fut les parents eux-mêmes qui les encouragèrent à sortir avec un GI.

En outre, l'époque était électrique, avec dans l'air un sentiment d'urgence. Quand Harry, ou Dick, allait-il regagner le front ? Serait-il blessé, ou tué ? Jeannette, ou Marie, resterait-elle fidèle ? Quand allaient-ils se revoir ? Puis, une fois la guerre terminée, la question devenait : « Quand allait-il repartir pour les États-Unis ? » Ce sentiment d'urgence, lié à l'exaspération de la sexualité qui va de pair avec la jeunesse et la guerre, favorisait les coups de foudre. Parfois les jeunes gens attendaient le mariage pour avoir des relations sexuelles, mais pas toujours. Et dans ce cas, si la fille tombait enceinte, le GI la demandait en mariage. Ou du moins c'est ce qui est arrivé aux femmes de ce livre. C'est ainsi que le voulaient les mœurs américaines de l'époque, dans un mélange d'attitude morale et de comportement de *gentleman*.

Un autre thème apparaît dans ces histoires, une certaine naïveté ou inconscience de la part de ces jeunes épouses. Elles s'engageaient précipitamment dans le mariage avec un homme qu'elles connaissaient à peine, prêtes à quitter leur pays natal et à émigrer aux États-Unis sans même avoir considéré les conséquences de leur acte en cas d'échec. Et pour la majorité d'entre elles, la traversée de l'océan était bien un voyage à sens unique, car ni elles ni leurs parents n'avaient les moyens de payer leur retour. D'ailleurs, elles furent très peu nombreuses à l'envisager car elles auraient dû affronter les reproches de leur famille, surtout celles qui « avaient dû » se marier.

L'engagement de ces femmes avec un homme resté pour elles presque un inconnu s'expliquait par leur conviction romantique que tout irait bien une fois qu'ils « seraient ensemble », que l'amour « conquerrait tout ». Ou bien, si cela ne marchait pas, comme le dit l'une d'elles : « J'étais vraiment amoureuse, mais quand on a dix-neuf ans, on est toujours un peu amoureuse... aussi je me suis dit que cela n'avait pas d'importance. Si cela ne marchait pas, je divorcerais. »

Mais comme cette femme allait le découvrir, les procédures de divorce aux États-Unis n'étaient pas toujours faciles à entamer, surtout pour les étrangers. Et comme cela s'est souvent produit, ce fut souvent le mari qui partit ou demanda le divorce, en laissant parfois la jeune femme d'origine française dans des conditions financières très difficiles et sans l'aide d'une pension alimentaire pour leur enfant*.

Autre difficulté que les jeunes femmes n'avaient pas prévue, le « choc culturel ». Même si l'Amérique et son mode de vie étaient pour elles un idéal, l'adaptation à une nouvelle culture, qu'elles durent mener seules sans le soutien de leur famille et de leurs amis, se révéla un chemin semé d'embûches. Comme les chercheurs en sciences interculturelles nous le disent, on commence par s'adapter au niveau superficiel : on apprend la langue, adopte les vêtements et habitudes, on cuisine la nourriture. Puis, apparaissent nombre de différences cachées – la partie immergée de l'iceberg, pour ainsi dire –, les façons de penser, les normes et valeurs, les croyances fondamentales. C'est à elles qu'il est difficile de s'adapter, et pour une jeune femme des années quarante, la démarche n'était pas aisée. En outre, la plupart du temps, elles durent se débattre par elles-mêmes. Leurs maris ne se rendirent pas compte, ou refusèrent de les reconnaître, des changements qu'elles affrontaient et des efforts qu'elles faisaient. Et même si à cette époque déjà, il existait en certains endroits des programmes d'orientation organisés par la Croix-Rouge et des clubs de *war brides*, les séminaires interculturels, les livres sur le choc culturel ou les « kits

---

* Une des femmes que j'ai interviewées, mais qui a demandé que je ne publie pas son histoire, m'a dit que son mari l'a laissée seule avec deux enfants et, en tout et pour tout, quinze dollars en poche.

de survie pour l'existence outre-mer[*] » n'étaient pas encore apparus.

Que nombre de ces unions se soient terminés par un divorce n'a donc rien de surprenant ! Tout mariage est difficile, mais un mariage « mixte » ou exogame l'est encore davantage. Ce qui est admirable, en revanche, c'est que les femmes qui ont divorcé aient eu le courage de rester et de reconstruire leur vie dans leur pays d'adoption. Ce qui ne veut pas dire que celles qui sont restées mariées ont manqué de courage. Simplement, une femme divorcée rencontre des difficultés supplémentaires, surtout dans un pays dont la langue n'est pas la sienne et où le système légal est différent. Les épouses françaises découvrirent que les États américains avaient tous des lois différentes et que les droits des résidents étrangers n'étaient pas toujours très clairs. Dans certains États, paraît-il, le mari n'était même pas tenu de notifier à son épouse qu'il divorçait d'elle[1] !

À vrai dire, en France aussi, il était très difficile d'obtenir un divorce, et y revenir, une fois le divorce obtenu, l'était tout autant. Ces femmes venaient presque toutes de familles catholiques où le divorce, dans les années cinquante, infligeait encore un stigma plus lourd que dans l'Amérique conventionnelle de cette époque.

La cause majeure de la brisure de ces couples a été l'incompatibilité, qu'elle soit due aux différences culturelles, à l'absence d'intérêts communs, ou autre chose. Évidemment, l'incompatibilité existait parfois aussi lorsque le mariage tenait. Comme cela se faisait souvent à cette époque, et encore aujourd'hui dans certains milieux, les femmes restaient dans des unions malheureuses à cause des enfants, de la sécurité matérielle ou d'autres raisons.

Selon les épouses que j'ai interviewées, l'incompatibilité avait pour facteur majeur le « fossé intellectuel » entre elles et leur mari GI. Même si la plupart ne détenaient pas de diplôme universitaire, celles à qui j'ai parlé avaient dans l'ensemble un assez bon niveau d'instruction avant leur mariage. Quelques-

---

[*] En référence au manuel bien connu de L. Robert Kohls, spécialiste des relations interculturelles, *Survival Kit for Overseas Living* (1984).

unes avaient commencé des études universitaires avant la déclaration de la guerre, et presque toutes avaient passé le brevet supérieur ou le baccalauréat. Plusieurs étaient musiciennes, l'une était danseuse à l'opéra de Paris. Très peu avaient quitté l'école prématurément.

Comme nous l'avons déjà indiqué, leurs maris avaient souvent été conscrits juste à leur sortie du second cycle américain, ou après une formation professionnelle quelconque. Sans être allées plus loin que le lycée, les Françaises avaient un niveau d'instruction et d'éducation culturelle en général plus élevé que celui des Américains du même âge. Il existait évidemment de bonnes écoles aux États-Unis, mais dans les années quarante comme aujourd'hui encore, cela dépendait de l'endroit où l'on vivait. Les garçons originaires de régions agricoles ou de ghettos urbains avaient une « instruction livresque », comme on dit, très limitée. Tandis qu'en France, le système d'éducation nationale imposait un bon niveau dans tous les lycées et si l'on réussissait à finir ses études dans l'enseignement secondaire, on avait en général un bon bagage de connaissances.

En outre, les écoles françaises enseignaient aussi la « Culture » (avec un grand C), l'histoire, la philosophie, l'art, la musique, et ainsi de suite, si bien que les femmes étaient plus *cultivées* que leurs maris américains. Il y avait évidemment des exceptions. Ainsi, un mari officier avait probablement fait des études universitaires ou venait d'une famille cultivée. Et une épouse orpheline ou issue d'une famille pauvre, avait probablement quitté l'école pour travailler dès l'âge de quinze ans. Mais dans l'ensemble, les femmes que j'ai interviewées composaient un groupe d'un bon niveau général, et certaines se plaignirent de la différence de culture et de niveau d'études entre elles et leur mari et sa famille.

La famille du mari, où de nombreuses épouses françaises ont dû vivre les premiers mois de leur mariage, pouvait être elle aussi cause d'incompatibilité. Dans plusieurs cas, ces belles-familles étaient elles-mêmes d'immigration de première ou de seconde génération et, comme on l'observe souvent, ces nouveaux arrivés étaient « plus américains » (comme l'on est plus « français », « italiens » ou « anglais », etc) que les natifs du pays. Quelle n'était donc pas leur déception de voir leur GI de fils ramener chez eux une épouse ou une fiancée étrangère ne parlant pas l'anglais, et de surcroît, une FRANÇAISE, sans doute de petite vertu ! Les belles-mères pouvaient se montrer extrêmement critiques. Les jeunes mariées bien élevées, à qui leur propre mère manquait cruellement, devaient donc subir non seulement l'image péjorative de la Française mais la désapprobation de leur belle-mère. Pas toujours, heureusement : certaines surent accueillir la jeune Française et l'aider à s'adapter à la vie américaine.

Autre cause d'incompatibilité, l'alcoolisme du mari. Beaucoup des hommes avaient commencé à boire lorsqu'ils étaient soldats, de la bière dans les camps d'entraînement aux États-Unis, du whisky dans les pubs anglais, du Calvados en Normandie, du vin dans les cafés et bars de nuit parisiens. Après la fin de la guerre, ils avaient continué avec leurs « copains » en attendant leur rapatriement, et même une fois rentrés en Amérique. Une scène très évocatrice du film *Les Meilleures Années de notre vie* (1947) montre trois soldats rentrant chez eux et délaissant dès la première nuit leur famille pour se retrouver dans un bar.

Dans les États-Unis des années cinquante, une consommation aussi lourde d'alcool ne passait pas pour de l'alcoolisme ou de la dépendance. C'était une habitude d'homme, que beaucoup de femmes de l'époque ont tolérée sans parler ouvertement du problème. En revanche, pour celles avec lesquelles je me suis entretenue, ce phénomène a été un véritable choc. Elles avaient été élevées, disaient-elles, dans des familles où l'on buvait beaucoup de vin, mais elles découvraient chez leur mari un côté noir de l'ivresse qu'elles ignoraient. Comme beaucoup de leurs semblables américaines de l'époque, elles osèrent rarement en parler.

La véritable question évidemment était de savoir POURQUOI ces hommes buvaient. Pour le sergent Al Sampson, dans *Les Meilleures Années de notre vie*, un homme de la bonne société, heureusement marié et père de famille, c'est à cause de son impossible réadaptation à son ancien mode de vie normal : son travail dans une banque et les repas d'affaires. Tout cela lui semblait, après les horreurs du champ de bataille et le massacre de ses hommes, superficiel et absolument vain. C'est bien de cela dont souffraient beaucoup de GI's à leur retour de la guerre, de ce qu'on allait appeler après la guerre du Viêtnam *posttraumatic stress disorder* (troubles post-traumatiques). Malheureusement, dans les années quarante et cinquante, on n'avait pas compris la gravité de leur état et ils n'ont pas cherché, et on ne les y a pas incités, une aide médicale. Ils buvaient donc, tombaient dans la dépression ou recourraient au suicide, et leur état s'est aggravé dans les années qui ont suivi, jusqu'à détruire leur couple et leur famille.

Certaines des femmes de ce recueil se sont donc retrouvées avec un mari qui buvait ou se comportait de manière étrange. La plupart ont divorcé et leur vie ensuite a été très difficile. Certaines, plutôt que de se remarier, ont cherché un réconfort dans la foi, leur travail, leurs enfants, le bénévolat ou les arts. Très peu en ont développé de l'amertume ou se sont plaintes de leur sort[*].

Ce qui m'a surprise pourtant, c'est que pendant leurs interviews, rares sont celles qui ont véritablement analysé les raisons de leur divorce ou les difficultés de leur mariage. Le thème de la guerre vécue par leur mari est absent de leurs récits. Pour beaucoup, elles ne savaient pas, ou ne se rappelaient pas, les lieux où il avait combattu ni ce qu'il avait fait pendant la guerre. Elles n'ont pas non plus réfléchi au traumatisme vécu par l'homme qu'elles aimaient, à ce qui constituait indubitablement la grande expérience de leur vie.

Peut-être parce que, outre le fait d'être nées en France, elles appartiennent à une autre génération, à une époque peu portée à l'analyse psychologique, au contraire de celle d'aujourd'hui. Pendant leur adolescence en France, la guerre faisait rage et

---

[*] Seuls deux exemples me viennent à l'esprit : le premier, celui d'une épouse de guerre française du Midwest qui a assimilé son mari à tous les Américains, « qui ne font rien d'autre que de boire de la bière en regardant la télévision et qui n'ont aucune culture ». L'autre d'une épouse de guerre de Californie du Sud, qui a répondu à mon annonce. Je me rappelle qu'elle m'a accusée d'être devenue plus « française que ces putains de Français ». Avant de me rencontrer, avec l'aide d'un avocat, elle avait dressé une liste de deux pages de questions auxquelles je devais répondre, notamment en ce qui concernait les droits qu'elle toucherait. Une telle amertume est si exceptionnelle que j'ai décidé de ne pas inclure leurs interviews dans cet ouvrage.

personne n'avait le temps d'«analyser» les choses. Malgré quelques exceptions, dans l'ensemble, les dames d'un certain âge qu'elles sont devenues ne sont pas davantage penchées sur les causes sous-jacentes aux difficultés ou à l'échec de leur mariage, ou sur leurs propres failles, qu'elles n'avaient réfléchi à leurs véritables sentiments en se mariant.

Et s'il est vrai que les maris n'ont pas compris les difficultés d'adaptation à l'Amérique et à la culture américaine de leurs épouses françaises, ces dernières n'ont en général pas su partager avec eux (ou leurs ex-maris) ce qu'ils avaient vécu pendant la guerre. En se plaçant d'un point de vue contemporain, on pourrait dire que ni les maris ni les épouses n'ont su reconnaître leurs sentiments sous-jacents ni « travailler » à l'établissement d'une bonne relation.

Mais encore une fois, ces hommes et ces femmes étaient très jeunes lorsqu'ils se sont mariés, et à l'époque, même parmi les Américains, entreprendre une thérapie était quelque chose d'extrêmement rare. Dans les années quarante et cinquante, on ne consultait pas de psychologue et n'exprimait pas ses sentiments aussi ouvertement qu'aujourd'hui. On taisait ses souvenirs de guerre (ou de l'Holocauste) ou ne les partageait qu'avec ceux « qui y avaient été », ou « ceux qui pourraient comprendre ». On mettait cette partie de sa vie derrière soi et tentait d'oublier.

Jamais mon propre père, par exemple, ne nous a parlé de son expérience de la guerre dans le Pacifique, et je doute que ma mère, elle-même épouse de guerre, l'ait beaucoup interrogé à ce sujet au début de leur mariage. Alors qu'aujourd'hui, surtout depuis le cinquantième anniversaire du Débarquement en 1994, et la publication de nombreux livres sur la « grande génération », on parle de la guerre et de l'Holocauste, et l'on encourage les anciens combattants et les survivants à raconter leurs souvenirs personnels et à exprimer leurs sentiments.

D'autres thèmes encore émergent dans ces récits, les différences de religion, de conception sur l'éducation des enfants et la vie quotidienne, mais l'on pouvait s'y attendre. En revanche, un certain manque de conscience politique parmi la plupart de ces femmes est quelque peu surprenant. Dans l'ensemble, elles ont acquis la nationalité américaine (et donc perdu leur passeport français) dès les années quarante et cinquante. Mais elles sont une minorité à voter régulièrement dans des élections nationales ou régionales, ou à se déclarer pour un parti ou l'autre. En fait, la plupart semblent apolitiques. Caractéristique qui, aussi surprenante soit-elle, s'explique peut-être par leur enfance dans un pays où les femmes n'ont reçu le droit de vote que grâce au général de Gaulle en 1945 !

De même, sans doute à cause de leur éducation française et de leur génération, les femmes de mon étude étaient dans l'ensemble très réservées sur leur vie intime, sur leur attrait pour leur mari, leurs relations sexuelles avant le mariage et le fait de tomber enceinte. L'une d'elles a reconnu qu'elle attendait un enfant avant de se marier. Une autre a parlé librement de sa vie sexuelle, aussi bien avant, pendant et après son mariage. Mais elles étaient l'exception. Toutes les autres ont évité le sujet et se sont montrées très discrètes à ce propos. J'ai soupçonné deux ou trois d'entre elles d'avoir été enceintes avant le mariage, mais j'ai jugé inconvenant de les interroger là-dessus. Les femmes de cette génération ont encore le sens de la bienséance. Je me rappelle qu'une fois, juste après avoir lu un manuel d'histoire orale plutôt « féministe », j'ai essayé de plonger un peu dans les mœurs sexuelles des Françaises de l'époque. Plusieurs jours après notre conversation, la femme que j'avais enregistrée m'a dit avoir été tellement choquée qu'elle avait été sur le point d'interrompre l'interview !

Inutile de dire, comme je l'ai déjà fait dans l'introduction, que toutes les Françaises n'étaient pas aussi pudiques, mais dans de nombreux cas, leurs attitudes et comportements démentent le stéréotype de la sensuelle « *ooh-la-la* » !

Cette image « sexy » des Françaises a la vie dure aux États-Unis. Comme nous l'avions vu, ce sont les *doughboys* de la Première Guerre mondiale qui ont créé ce mythe et ont fait croire aux GI's envoyés en France en 1944 que toutes les Françaises s'empresseraient de coucher avec eux. Mais on peut remonter plus loin, aux Françaises qui se sont aventurées dans l'Ouest américain au moment de la ruée vers l'or. Employées comme *dames de comptoir* dans les maisons de jeux, les restaurants et les bars, elles étaient fort appréciées. Selon un historien français :

« La Française était... un objet tout nouveau. Cette démarche, cette désinvolture souple et aisée, ce laisser-aller charmant qu'on ne trouve enfin que chez nous, avaient... un attrait irrésistible. Tous les hommes suivaient à la piste la femme française qui s'aventurait dans la rue ; c'était pour eux un objet d'une curiosité rare qu'ils ne pourraient se rassasier de voir et d'admirer[2]. »

Beaucoup de ces femmes, évidemment, avaient été danseuses ou actrices à Paris avant la révolution de 1848. Parties en Californie dans l'espoir de recommencer à zéro – et aussi de gagner beaucoup d'argent –, elles y exerçaient souvent « la plus vieille profession du monde ». Mais pas toutes, et selon Annick Foucrier dans *Le Rêve californien*, c'est là que réside un certain gouffre culturel entre les Français et les Américains :

« Les frontières entre femme libre, libertine, courtisane, femme entretenue, lorette et prostituée sont parfois très floues. Lorsque l'on passe d'une culture à l'autre, les distinctions se brouillent en fonction de la place de la femme dans la société, de ses possibilités d'autonomie financière et affective, du degré d'ouverture sociale dans la compétition matrimoniale, des rapports entre argent et sexualité[3]. »

Prostituée, libertine, fille « *ooh-la-la* » –, c'est l'image de la Française qui a souvent été plaquée sur les épouses de guerre à leur arrivée aux États-Unis dans les années quarante et cinquante[*]. Alors qu'elles étaient en fait presque toutes issues d'un milieu strict et très protégé et qu'à l'époque de leur mariage, elles étaient plutôt naïves. Et s'il est vrai que certaines étaient très belles dans leur jeunesse, elles ne l'étaient pas toutes. L'écrivain Alice Kaplan se souvient de sa première professeur de français, une épouse de guerre qui complétait le maigre salaire de son mari, comme « d'une femme lasse et mal fagotée,

---

* Il en reste quelques séquelles encore aujourd'hui. La fille d'une de mes amies travaillant à San Francisco a été traitée récemment de *French bitch* et de « voleuse d'hommes ».

aux cheveux très noirs, habillée de beige, à la peau d'une pâleur presque maladive décorée d'une verrue[4] ».

Se forger une identité franco-américaine n'a donc pas été chose facile pour les épouses françaises. Elles ont dû, comme le montrent leurs récits, adapter leurs valeurs et leur éducation à un mariage interculturel et à la culture américaine de l'époque en devenant des *hyphenated Americans* (Américains à la double origine). Ayant émigré en solitaire et contracté un mariage mixte, elles ont eu tendance à vivre en milieu non français. Et comme d'autres immigrants de la première génération, elles se sont intégrées assez vite. C'était indispensable, car elles ne côtoyaient pas de compatriotes. Situation qui s'explique, selon l'anthropologue Jacqueline Lindenfeld, « par le nombre insignifiant de la population française de cette époque aux États-Unis ; dépourvue de territoire identitaire, car elle est éparpillée géographiquement et n'a pas créé de lieux communautaires d'immigrants nouvellement arrivés de France. Son degré d'identité nationale est faible car son infrastructure religieuse, culturelle et politique est pauvre[5]... »

La plupart de nos épouses sont de citoyenneté américaine, parlent anglais à la maison et ont élevé des enfants qui sont plus américains que français et parfois ne parlent même pas la langue de leur mère[*].

Ces *war brides* sont néanmoins restées profondément attachées à la France, leur lointaine patrie, leur lieu de naissance. À chaque fois qu'elles le peuvent, elles y retournent en visite, ouvrent leur maison à de la famille et des amis de leur pays. Malgré leur français un peu rouillé, elles parlent toujours leur langue maternelle et beaucoup continuent à l'enseigner, même à un âge avancé. Et les Français ont beau ne pas trop aimer les groupes, certaines sont membres de l'Alliance française ou d'un groupe de Françaises local. D'autres vivent dans des endroits où ces associations n'existent pas ou bien sont difficiles d'accès. Quelques-unes m'ont confié qu'elles n'aiment pas l'atmosphère ringarde de certaines de ces organisations aux États-Unis.

---

* On pourrait faire une étude intéressante sur le degré de « francitude » et de bilinguisme des enfants et petits-enfants des épouses de guerre.

*
* *

Ces femmes se sont mariées et ont traversé l'Atlantique à la fin des années quarante. Une vingtaine d'années plus tard, j'ai épousé un Français et me suis installée en France. Et mon propre mariage ainsi que mon expérience de l'immigration est en beaucoup de points le miroir des leurs. Comme la plupart des épouses de guerre, j'ai élevé des enfants biculturels, dont la langue maternelle n'est pas en fait, celle de leur mère « étrangère », mais celle de leur père et de leur entourage. Comme ces femmes, je parle couramment ma langue d'adoption, mais avec une petite trace d'accent, si justement décrit par Nancy Huston. Ainsi, comme elle, quand je laisse échapper « une mélodie ou une tournure de phrase inattendue, une faute de genre ou une forme verbale imperceptiblement maladroite... il n'en faut pas plus pour... me dénoncer[6] ».

Certaines d'entre nous ont divorcé, mais après tant d'années vécues loin de notre terre natale, notre vie est maintenant établie dans notre pays d'adoption. C'est là que nous avons vécu en tant qu'adulte, là où habitent nos enfants et petits-enfants. Nous « ne pouvons plus rentrer chez nous », comme l'a dit James Jones. Et de toute façon, où est « chez nous » désormais ?

C'est en avion que je suis venue à Paris quand j'ai épousé mon mari français, mais je partage avec les épouses de guerre le souvenir d'une traversée de l'Atlantique. En 1968, j'ai embarqué au Havre pour New York sur un navire italien bondé, le *SS Aurelia,* dont les passagers étaient presque tous des étudiants européens, en majorité des boursiers Fulbright, qui se rendaient aux États-Unis pour la première fois. Tout comme dans les années quarante quand la YWCA et la Croix-Rouge donnaient des séances d'adaptation aux épouses de guerre, dans les années soixante, le *Council of International Exchange* (CIEE, Conseil des échanges internationaux) proposait à bord des activités qui familiarisaient les nouveaux arrivants au mode de vie américain. Les conditions de vie sur l'*Aurelia,* comme sur les navires de guerre reconvertis, étaient loin d'être luxueuses – je me souviens particulièrement de quatre ou six couchettes par cabine, d'un océan agité et du mal de mer –, mais ce voyage de neuf jours nous a donné le temps de nous amuser et de nouer des rencontres amoureuses. Grâce à l'*Aurelia*, beaucoup de mariages interculturels ont été contractés, dont le mien !

Mon installation en France un an plus tard avec mon fiancé français n'a pas été mon premier séjour ici. Au début des années soixante, mon père, affecté à Paris pour deux ans, avait emmené sa famille avec lui. Mais nos vies tournaient autour de la communauté américaine de Paris : mon frère et moi allions à l'École américaine, nous fréquentions la Cathédrale américaine le dimanche, et nous faisions nos courses au PX du camp des Loges*.

Cela n'avait rien à voir avec ma vie avec un Français et sa famille ! Comme beaucoup des épouses de guerre, j'ai dû habiter dans ma belle-famille pendant les premiers mois de notre mariage tandis que mon fiancé finissait son service militaire dans la marine française. Et comme elles, tout ce dont je rêvais pendant cette période, c'était d'avoir notre chez nous et d'y commencer notre vie de couple, seuls.

Pendant les années qui ont suivi, comme les épouses de guerre, j'ai découvert ces « malentendus culturels » entre Américains et Français si justement décrits par l'anthropologue française Raymonde Caroll et, plus récemment, par des auteurs comme Pascal Baudry, Harriet Welty Rochefort, Gilles Asselin et Ruth Mastron[7]. Ces malentendus touchaient, et touchent, à tout : conception de la nourriture, de l'intimité, de la famille, de l'amour, du mariage, du sexe, de l'éducation des enfants, de l'argent, du « partage des informations », et ainsi de suite. À force d'essayer de comprendre et de m'adapter – avec plus ou moins de succès – aux différences d'attitudes, de valeurs, de croyances et de comportements, j'ai réussi à me forger ma propre identité franco-américaine en France, tout comme les épouses de guerre l'ont fait aux États-Unis.

Il y a donc une similarité, mais pas seulement entre ces femmes et moi-même. Les mariages mixtes, la migration,

---

* Camp de l'armée américaine près de Saint-Germain-en-Laye. L'armée américaine est restée en France jusqu'en 1966, date à laquelle le général de Gaulle a retiré les forces françaises de l'OTAN.

qu'elle soit volontaire ou forcée, les problèmes de langue et
d'identité – tout cela fait partie de l'expérience humaine. Le
phénomène est accentué par l'augmentation de l'émigration et
de l'immigration, la mondialisation, les voyages et les échanges
internationaux. Comme Amin Maalouf, auteur français d'origine libanaise, l'écrit : « Nous sommes tous contraints de vivre
dans un univers qui ne ressemble guère à notre terroir d'origine ; nous devons tous apprendre d'autres langues, d'autres
langages, d'autres codes ; et nous avons tous l'impression que
notre identité, telle que nous l'imaginions depuis l'enfance, est
menacée[8]. »

Certains de ces couples ont tenu, d'autres ont abouti au
divorce. Mais dans un cas comme dans l'autre, les femmes ont
tenu bon et ont fait de leur vie une « construction personnelle ».
Leurs récits, vivants et émouvants, ont une teneur universelle
qui dépasse de beaucoup la dimension franco-américaine de
leurs rencontres et de leurs mariages avec des GI's.

ORIENTATION BIBLIOGRAPHIQUE

CARROLL (Raymonde), *Évidences invisibles : Américains et Français au quotidien*, Paris, Éd. du Seuil, 1987, 213 p. Édition en anglais : *Cultural Misunderstandings : The French-American Experience*, Chicago, University of Chicago Press, 1988, 147 p.

COQUART (Elizabeth), *La France des GI's : histoire d'un amour déçu*, Paris, Albin Michel, 2003, 251 p.

HILLEL (Marc), *Vie et Mœurs des GI's en Europe : 1942-1947*, Paris, Balland, 1981, 269 p.

KAISER (Hilary), éd., *Souvenirs de GI's : vétérans américains en France*, Bayeux, Éd. Heimdal, 2004, 160 p. Éd. en anglais : *Veteran Recall : Americans in France Remember the War*, Bayeux, Éd. Heimdal, 2004.

KASPI (André) *et alii*, *La Libération de la France : juin 1944-janvier 1946*, Paris, Perrin, 1995, 562 p.

LILLY (J. Robert), *La Face cachée des GI's : les viols commis par des soldats américains en France, en Angleterre et en Allemagne pendant la Seconde Guerre mondiale, 1942-1945*, trad. de l'anglais par Benjamin et Julien GUÉRIF, préf. de Fabrice VIRGILI, Paris, Payot, 2003, 371 p. Trad. de : *Taken by Force : Rape and Americans Soldiers in the European Theater of Operations during World War II. England, France, Germany, 1942-1945*.

Nos amis les Français : guide pratique à l'usage des GI's en France, 1944-1945, éd. sous la dir. de Balbino KATZ, Paris, le Cherche Midi, 2003, 140 p.

SCHROEDER (Liliane), *Journal d'Occupation : Paris, 1940-1944. Chronique au jour le jour d'une époque oubliée*, Paris, François-Xavier de Guibert, 2000, 281 p.

STOVALL (Tyler Edward), *Paris noir : African Americans in the City of Light*, Boston, Houghton Mifflin, 1996, 366 p.

VIRDEN (Jenel), *Good-bye, Piccadilly : British War Brides in America*, Urbana (Ill.), University of Illinois Press, 1996, 177 p.

NOTES

NOTES DE L'INTRODUCTION

1. Mary BLUM, « The Gentleman Volunteers of World War I », *International Herald Tribune*, 31 août-1er septembre 1996.

2. Ernest P. BICKNELL, *With the Red Cross in Europe : 1917-1922*, Washington (D.C.), American National Red Cross, 1938.

3. Yves-Henri NOUAILHAT, *Les Américains à Nantes et Saint-Nazaire : 1917-1919*, Paris, Les Belles Lettres, 1972, p. 190.

4. Susan ZEIGER, *In Uncle Sam's Service : Women Workers with the American Expedition Force, 1917-1919*, Ithaca (N.Y.), Londres, Cornell University Press, 1999, p. 56.

5. Jean-Yves LE NAOUR, « Le sexe et la guerre : divergences franco-américaines pendant la Grande Guerre (1917-1918) », *Guerres mondiales et conflits contemporains*, n° 197, mars 2000, pp. 115-129.

6. Edward M. COFFMAN, *The War to End All Wars : The American Military Experience in World War I*, Madison (Wis.), University of Wisconsin Press, 1986, p. 133.

7. Mark MEIGS, *Optimism at Armageddon : Voices of American Participants in the First World War*, Washington Square (N.Y.), New York University Press, 1997, p. 114.

8. *Ibid.*, pp. 125-127.

9. Nina MJAGKIJ, « Forgotten Women : War Brides of World War I », *Amerikastudien/American Studies*, vol. 32, n° 2, 1987, pp. 192-193.

10. *The Stars and Stripes*, 6 décembre 1918, p. 1.

11. S. ZEIGER, *In Uncle Sam's Service, op. cit.*, p. 52. Zeiger décompose ce chiffre ainsi : 3 198 avec la YMCA, 2 503 avec la Croix-Rouge américaine, 260 avec la YWCA, 104 avec l'Armée de Salut, et 76 avec la *Jewish Welfare Board*.

12. *Ibid.*, p. 73.

13. Archives de la Cathédrale américaine de Paris : rapport non daté du doyen Beekman.

14. Joseph Wilson COCHRAN, *Friendly Adventurers : A History of the American Church of Paris (1857-1931)*, Paris, Brentano's, 1931, p. 163.

15. *Ibid.*, pp. 160-161.

16. *Coming Back*, journal du *National War Work Council of the YMCA of the US*, 27 juin 1919, p. 1.

17. *Ibid.*, 11 avril 1919, p. 1.

18. Nina MJAGKIJ, « Forgotten Women », *art. cit.*, p. 191.

19. Mark MEIGS, *Optimism at Armageddon, op. cit.*, p. 112.

20. *The Stars and Stripes*, 24 mai 1918.

21. *The Stars and Stripes*, 9 mai 1919.

22. Tyler Edward STOVALL, *Paris noir : African Americans in the City of Light* Boston, Hougton Mifflin, 1996, p. 15.

23. *Ibid.*, p. 17

24. *The Stars and Stripes*, 6 juin 1919, p. 7.

25. Nina MJAGKIJ, « Forgotten Women », *art. cit.*, p. 193.

26. *Ibid.*, p. 196.

27. *Ibid.*, pp. 193-194.

28. *The Stars and Stripes*, 31 janvier 1919, p. 1.

29. Nina MJAGKIJ, « Forgotten Women », *art. cit.*, p. 196.

30. Archives du ministère des Affaires étrangères, série B, Amérique, 1944-1952 : Corps diplomatique, Représentation française, vol. 5, décembre 1945-octobre 1951.

31. *Le Courrier français des Etats-Unis*, 1er décembre 1948, p. 5.

32. *New York Times*, 2 septembre 1919, p. 16, col. 5.

33. *New York Times*, 14 décembre 1919, section VII, p. 7, col. 1.

34. Selon André Kaspi, la Nouvelle-Calédonie était indispensable pour mener les opérations américaines dans la région. André KASPI *et alii*, *La Deuxième Guerre mondiale : chronologie commentée*, Bruxelles, Éd. Complexe, 1995, p. 295.

35. James A. MICHENER, *Tales of the South Pacific*, New York, The Macmillan Company, 1947, p. 2.

36. Jenel VIRDEN, *Good-bye, Piccadilly : British War Brides in America*, Urbana (Ill.), University of Illinois Press, 1996, p. 17.

37. Philippe MASSON, *Précis d'Histoire de la Seconde Guerre mondiale*, Paris, Payot & Rivages, 2003, p. 43.

38. J. Robert LILLY, *La Face cachée des GI's : les viols commis par des soldats américains en France, en Angleterre et en Allemagne pendant la Seconde Guerre mondiale, 1942-1945*, trad. de l'anglais par Benjamin et Julien GUÉRIF, préf. de Fabrice VIRGILI, Paris, Payot, 2003, p. 43. Traduction de *Taken by Force : Rape and American Soldiers in the European Theater of Operations during World War II. England, France, Germany, 1942-1945*.

39. Roland W. CHARLES, *Troopships of World War Two*, Washington (D.C.), The Army Transport Association, 1947, appendice G (« Ships Adapted to Carry War Brides and Military Dependents »), p. 361.

40. J. VIRDEN, *Good-bye, Piccadilly, op. cit.*, p. 2.

41. *Memorandum to Colonel Barnes, with attn. To Miss Mabel Colemen, Director or the Army Service of the ARC*, 5 août 1946.

42. Ronald CREAGH, *Nos Cousins d'Amérique : histoire des Français aux États-Unis*, Paris, Payot, 1988.

43. Archives du ministère des Affaires étrangères, série B, Amérique, 1944-1952 : B-21-1, n° 56 am, vol. 295, Affaires étrangères, 1-2.

44. Martin BLUMENSON, *La Libération*, trad. de l'anglais, Paris, Time Life Books, 1981, p. 126.

45. Elizabeth BRUGNON, *AAWE News*, Paris, février-mars 2003, p. 13.

46. Charles Lemeland, cité par Hilary KAISER, *Veteran Recall : Americans in France Remember the War*, Paris, 1994, p. 90.

47. Aubert Lemeland, cité *ibid.*, p. 94.

48. Aubert Lemeland, cité *ibid.*, p. 93.

49. Elizabeth COQUART, *La France des GI's : histoire d'un amour déçu*, Paris, Albin Michel, 2003, p. 74.

50. Sim Copans, cité *ibid.*, p. 83.

51. Ernie PYLE, *Brave Men*, New York, Henry Holt & Co, 1944, p. 456.

52. John O'REILLY, « Liberation – and a year later », *New York Herald Tribune*, Paris, 26 août 1945, p. ???.

53. E. PYLE, *Brave Men, op. cit.*, p. 463.

54. Édouard BONNEFOUS, *Avant l'oubli. 2, La vie de 1940 à 1970*, Paris, Nathan, 1987, p. 330.

55. Percy KNAUTH, « A War is a War », *Life*, 16 avril 1945, p. 14.

56. John O'REILLY, « Liberation – and a year later », *art. cit.*

57. *Ibid.*

58. *112 Gripes about the French*, Paris, Information & Education Division of the US Occupation Forces, 1945. Ce manuel a été récemment traduit et publié en français : *Nos Amis les Français : guide pratique à l'usage des GI's en France, 1944-1945*, Paris, le Cherche-Midi, 2003.

59. Antony BEEVOR et Artemis COOPER, *Paris after the Liberation, 1944-49*, New York, Doubleday, 1994, p. 128.

60. La réponse n° 10 en énumère plusieurs. Voir *112 Gripes about the French, op. cit.*

61. *Time*, 19 novembre 1945.

62. Alfred Fabre-Luce, cité par A. BEEVOR et A. COOPER, *Paris after the Liberation, op. cit.*, p. 133.

63. André KASPI, *La Libération de la France*, Paris, Perrin, 1995, p. 471, et Doris WEATHERFORD, *American Women and World War II*, New York, Oxford, Facts on File, 1990, p. 259.

64. Hervé LE BOTERF, *La Vie parisienne sous l'Occupation*, t. II, Paris, Éd. France-Empire, 1975, p. 162.

65. Doris WEATHERFORD, *American Women and World War II, op. cit.*, p. 259.

66. A. BEEVOR et A. COOPER, *Paris after the Liberation, op. cit.*, p. 129.

67. *112 Gripes about the French, op. cit.*

68. Roger Lantagne, cité par H. KAISER, *Veteran Recall, op. cit.*, pp. 50-51.

69. Entretien avec Reine M. D.

70. J. R. LILLY, *La Face cachée des GI's, op. cit.*, p. 180. Lilly dit que cela explique pourquoi les victimes de viol dans ces régions étaient particulièrement vulnérables.

71. Cité dans A. BEEVOR et A. COOPER, *Paris after the Liberation, op. cit.*

72. Benoîte GROULT, *Les Trois Quarts du temps*, Paris, Grasset, 1983.

73. A. BEEVOR et A. COOPER, *Paris after the Liberation, op. cit.*, p. 129.

74. *Time*, 19 novembre 1945.

75. *New York Herald Tribune*, Paris, 27 février 1946.

76. *Ibid.*

77. « War Brides and Their Shipment to the US », *Occupation Forces in Europe Series, 1945-46*, Office of the Chief Historian, Headquarters European Command, United States Army, 1947, p. 74.

78. Juliet GARDINER, *Oversexed, Overpaid and Over Here : The American GI in World War II*, Londres, Collins & Brown, 1992, p. 210.

79. *The Stars and Stripes, Warweek*, 15 juin 1944.

80. *The Stars and Stripes, Warweek*, 1er juin 1944.

81. *The Stars and Stripes, Warweek*, 19 juin 1944.

82. *Ibid.*

83. *Warweek*, 28 septembre 1944, p. 6.

84. *The GI Story of the Year by the Staff of Yank, the Army Weekly*, New York, Duell, Sloan & Pearce, 1947.

85. *The Stars and Stripes*, 28 août 1944, p. 6.

86. *Ibid.*, p. 5.

87. *Ibid.*

88. *The Stars and Stripes*, 25 septembre 1944.

89. *The Stars and Stripes*, 14 décembre 1944, p. 2.

90. *The Stars and Stripes*, 29 décembre 1944, p. 2.

91. *Life*, 26 novembre 1945.

92. *Ibid.*, p. 33.

93. *Ibid.*

94. *Ibid.*

95. *Life*, 10 septembre 1945, p. 91.

96. *Ibid.*

97. *The Stars and Stripes Magazine*, 5 août 1945, p. XVL.

98. Archives nationales américaines (NARA), Washington.

99. *Ibid.*, p. 32.

100. T. E. STOVALL, *Paris noir*, *op. cit.*, p. 139.

101. *Ibid.*, p. 138.

102. *Life*, 26 avril 1946, p. 83.

103. *The Stars and Stripes Magazine*, 16 septembre 1945.

104. *The Stars and Stripes*, 28 septembre 1945.

105. T. E. STOVALL, *Paris noir*, *op. cit.*, p. 140.

106. *Life*, 3 décembre 1945, p. 31.

107. *Ibid.*

108. Ces deux photographies de professionnel m'ont été prêtées par Raymonde Cole.

109. *The Stars and Stripes Magazine*, 8 septembre 1945.

110. *Marie-France*, 20 septembre 1945, n° 44, p. 5.

111. *Marie-France*, 25 décembre 1946, n° 110, p. 18.

112. *Elle*, mars 1946, n° 19, pp. 4-5.

113. Archives du ministère des Affaires étrangères, série B, Amérique, 1944-1952 : Français aux États-Unis, octobre 1944-décembre 1946, n° 294, et janvier 1947-janvier 1951, n° 295.

114. Lettre d'Henri Bonnet à Léon Blum, *ibid.*, n° 56 am, 8 janvier 1947, p. 3.

115. *Ibid*, p. 2.

116. *Marie-Claire*, décembre 1954, pp. 106-109.

117. *Elle*, 3 septembre 1946, p. 20.

NOTES DES LETTRES

1. Lettre des archives personnelles de Myriam H.

2. Liliane SCHROEDER, *Journal de l'Occupation : Paris, 1940-1944*, Paris, François-Xavier de Guibert, 2000, p. 8.

3. Journal de Robert J., communiqué à l'auteur par Mme S.

4. *Ibid.*

5. *L'Officiel de la Couture et de la Mode de Paris*, mars-avril 1945.

6. L. SCHROEDER, *Journal de l'Occupation, op. cit.*, p. 262.

7. *Le Courrier français des États-Unis*, 1ᵉʳ décembre 1948, p. 5.

8. *Le Courrier français des États-Unis*, juin 1949.

NOTES DE LA CONCLUSION

1. Voir Jenel VIRDEN, *Good-bye, Piccadilly : British War Brides in America*, Urbana (Ill.), University of Illinois Press, 1996, p. 92.

2. Albert BENARD DE RUSSAILH, *Journal de voyage en Californie à l'époque de la ruée vers l'or, 1850-1852*, éd. par Sylvie CHEVALLEY, Paris, Aubier-Montaigne, 1979, p. 205, cité in Annick FOUCRIER, *Le Rêve californien : migrants français sur la côte pacifique, XVIIIᵉ-XXᵉ siècles*, Paris, Belin, 1999, p. 161.

3. A. FOUCRIER, *Le Rêve californien, op. cit.*, p. 164.

4. Alice KAPLAN, *French Lessons : A Memoir*, Chicago, University of Chicago Press, 1993, p. 126.

5. Jacqueline LINDENFELD, *The French in the United States : An Ethnographic Study*, Westport (Conn.), Bergin & Garvey, 2000, p. 140.

6. Nancy HUSTON, *Nord perdu*, Arles, Actes Sud, 1999, p. 33.

7. Raymonde CARROLL, *Évidences invisibles : Américains et Français au quotidien*, Paris, Éd. du Seuil, 1987 ; Pascal BAUDRY, *Français & Américains : l'autre rive*, Paris, Pearson Éducation, 2003 ; Harriet Welty ROCHEFORT, *French Toast*, New York, St Martin's Press, 1997 ; Gilles ASSELIN et Ruth MASSON, *Au Contraire ! Figuring out the French*, Yarmouth (Maine), Intercultural Press, 2001.

8. Amin MAALOUF, *Les Identités meurtrières*, Paris, Grasset, 1998, p. 47.

Composé par Nord Compo
à Villeneuve-d'Ascq

Cet ouvrage a été imprimé par la
SOCIÉTÉ NOUVELLE FIRMIN-DIDOT
Mesnil-sur-l'Estrée
pour le compte des Éditions Tallandier
en avril 2004

Dépôt légal : mai 2004
N° d'éditeur : 3010 – N° d'impression : 68025
ISBN : 2-84734-153-6

Imprimé en France